JN022128

バーチャル世界をめぐる哲学の挑戦

デイヴィッド・J・チャーマーズ　高橋則明 訳

下

REALITY+

Virtual Worlds and the Problems of Philosophy

NHK出版

装幀　水戸部 功

目次

【上巻目次】

・本文中の（　）は原注、〔　〕は訳注を表す。注番号は巻末の原注を参照。
・本文中の書名のうち、邦訳版がないものは初出に原題とその逐語訳を併記した。
・本文中の書籍等からの引用は、すべて本書訳者による翻訳である。

第5部

心と意識の問題

第14章 バーチャル世界で、心と体はどう相互作用するか?

1990年2月、私は大学の仲間とサンタフェへのドライブ旅行に出発した。インディアナ大学大学院で哲学と認知科学を専攻していた23歳のときだ。私たちは、生命体をコンピュータ内につくる、少なくともシミュレートしようとする、人工生命の新分野があることを聞き及んでいた。哲学、心理学、コンピュータ科学を学ぶ者たちからなる私たちの一行10名は、バンを借り、カンザス、オクラホマ、テキサスの大平原を越えて、ニューメキシコを目指した。目的地は複雑系を研究する伝説的なサンタフェ研究所で、そこで人工生命に関する2度目の国際会議[1]が開催される予定だった。

ロスアラモス国立研究所で開催された1回目の国際会議からわずか3年後だったが、すでにコンピュータの中に生命を誕生させるというアプローチが数多く実行されていた。その中で私がもっとも興味を持ったのは、コンピュータ科学の先駆者であるアラン・ケイのアプローチだった。ケイのおこなう「ビバリウム[2](生態動物園)」という実験の背後にあるアイデアは、コンピュータ

人工生命のいるバーチャル世界はビバリウムに似ている

内に全生態系をシミュレートすることだった。その生態系は2次元のグリッド（格子）からなるシンプルな物理環境で、グリッドの各マスには物体が存在することもあれば、動物がいることもあった。動物は単純な形をしていて、マスからマスに移動したり、物体を拾ったりすることができた。

ビバリウムの世界には「物理学」が存在した。2次元のグリッドと普通の物体を支配する単純なルールだ。さらに、そこには「心理学」もあり、動物はそれぞれのルールに従って行動していた。とくに私が興味を覚えたのは、物理学と心理学が分離されていたことだ。この分離は、当時も今もバーチャル世界では当たり前のことだ。その世界には、コードで書かれた、環境内の普通の物体を支配する一連の法則と、それとは別に生き物の行動を支配する一連の法則が存在する。ゲームにおけるノンプレイヤー・キャラクターは、ビバリウムの動物のようなものだ。彼らの行動は、彼ら専用の法則で決められている。

私は考えた。もしも、ケイがビバリウムをバージョンアップし、そこにいる動物が徐々に知性を獲得し、自分たちの世界を探索するようになったら、どうなるだろう? まず、彼らは環境を探索し、それを支配している物理法則を発見する。次に、自分たちを調べて、心理法則がどのように働いているかを解明するだろう。自分たちの脳は、環境を支配しているものと同じ法則にのっとって動き、物理的世界の一部なのだという仮説を立てるかもしれない。しかし、やがてそうではないことに気づく。動物たちは自分が棲む環境にそうした脳を発見することはない。なぜなら、彼らの心はその物理的世界の外にあるからだ。

この生き物はほぼまちがいなく、心について〈二元論者〉になるだろう、と私は驚きとともに考えた。[3] すでに見てきたが、ルネ・デカルトは典型的な二元論者であり、[4] 心は物理的プロセスとは完全に別物であるとした。思考と推論は独立した非物理的な領域でおこなわれていて、そこは特別な仕組みで物質である脳と相互作用している、と考えた。近年では、デカルトの二元論は広く否定されている。ほとんどの人が、自分たちの言動はすべて脳内の物理的プロセスによって生みだされると考えていて、物理的プロセスと非物理的プロセスの相互作用という見方は意味をなさないと考えている。

しかし、ビバリウムの生き物にとって状況は異なる。彼らの物理的な環境、つまり2次元の世界には、心理的プロセスはまったく含まれていない。彼らの心は、体とそれがある物理的世界とは切り離されている。生き物たちは二元論者になり、その考えに反するどんな証拠もないまま、二元論者でありつづける。さらに言うなら、彼らが二元論者であることは正しい。彼らの世界では、心と体は完全に分けられているからだ。

私たちから見れば、ビバリウムで起きていることは、すべて物理的なものだ。生き物の行動を支配する物理的なコンピュータプロセスが、環境を支配する物理的なコンピュータプロセスとは異なるというにすぎない。しかし彼らからすれば、物理的とみなされるものは環境で、心はその環境とは別物である。自分たちの心は環境とは分かれているという仮説を立てるだろうし、それは正しいのだ。

このような単純な設定で、一種の二元論が成り立つのが、私にはとても興味深かった。これまで見てきたノンプレイヤー・キャラクターがいるバーチャル世界の多くで二元論が成立する。支離滅裂だと言われがちな二元論だが、そこにはシンプルかつ自然な形で二元論のようなものが成立していた。もしも人類がこのような世界で進化してきたのであれば、みんな二元論者になっていただろうし、基本的にそれは正しい。

標準的なVR環境は、さらに強力な二元論に通ずる。その環境では、人間はバーチャル世界と相互作用する。VRユーザーは、シミュレーション内でバーチャルの体を持つが、ユーザーの脳はバーチャル世界の外にある。ここでも、バーチャル世界の物理学と、完全に分離された心理学が存在することになる。だから人間がバーチャル世界に入ったとたんに、そこにはある種の二元論が、少なくともバーチャル世界から見れば、二元論のようなものが出現するのだ。

人類という種全体が、バーチャル世界の中にある仮想の体と、外にある脳を持って、バーチャル世界で進化していく姿が想像できる。脳はすべての入力をバーチャル世界から受けとり、すべての出力をそこに送る。人類が観察するのはつねにバーチャル世界であり、その世界のための物理学を発展させる。しかし、ひとりひとりの行動は、バーチャル世界内では見えないソースによって決められる。つまり、外部にあるその人の脳だ。バーチャル世界から見ると、住人の行動を生みだすのはその世界の物理的プロセスではない。そこにはふたつのまったく異なる種類のプロセスがある。世界のほとんどの事物を支配しているバーチャルの物理学と、バーチャル世界でのユーザーの行動を支配する心理学だ。私たちがこのような環境で成長していくならば、デカルトは正当化され、私たちはみな二元論者になるだろう。

デカルトと心身問題

心身問題とはこういう問いだ。「心と体はどういう関係にあるのか？」

「心」とは、私たちが知覚し、感じ、考え、決定する場所だ。リンゴを見ているというのは私の心の状態だ。幸せだと感じているのは私の心の状態だ。パリがフランスにあると考えているのも、映画を見ようと決めるのも、私の心の状態だ。

「体」とは、私が宿り、ときに操る生物学的システムだ。手足が2本ずつ、胴体、頭、そして多くの内臓がある。その中で、心にとってとくに重要な部分がある。感覚入力を受け、行動を生みだす脳だ。

心身問題のひとつに次の問いがある。「心と体は同じものか？」。こう言ったほうがいいだろう。「心と脳は同じものか？」。私がリンゴを見ると、脳内の視覚野のニューロンの集団が大量に発火する。しかし、見ることと、ニューロンの発火は同じものか、それとも別のものなのだろうか？

二元論は、心と体は根本的に異なると考える。心は心、体は体だ。第8章で述べたように、心身二元論はさまざまな文化に見られる。[5] たとえばアフリカのアカン族の言い伝えは一種の二元論だ。ペルシアの哲学者イブン・スィーナーは、空中を漂う「空中人間」の思考実験を使って、自己認識はいかなる身体的状態とも同じではないと主張した。

ヨーロッパの文化では、デカルトが伝統的な二元論の形を明確にした。彼の考えによれば、心の本質は「考える」ことにあり、体の本質は「延長」〔物体が空間内で3次元方向に広がっているとみなし、その広がりを延長という〕、すなわち空間を占めることにある。デカルトは、体がなくても心について想像することができると言って、二元論を唱えた。

デカルトが提唱した〈悪魔のシナリオ〉を思いだしてほしい。悪魔は、私たちが外部世界から感覚を受けているかのように、私たちを欺いているかもしれないという。このシナリオで私たちは脳も体も持っていないとしたらどうだろう。純粋な心を想像しなければならない。デカルトは想像できると考え、それは自分の心が体と同一でないことを証明していると考えた。彼は次のように論証した。

前提

1. 私は体を持たない自分の心を想像することができる。
2. 私は体を持たない自分の体を想像することはできない。

結論

3. ゆえに、私の心は私の体ではない。

同様の論法で、私の心は私の脳ではなく、かついかなる物体でもないということが証明できる。

この論証には賛否がある。多くの哲学者が、想像力は現実について何かを教える立派なガイドにはならないと反応した。私たちはしばしば、ふたつのものが本当は同一なのに、異なるものだと考えることがある。たとえば、クラーク・ケントのことを考えずにスーパーマンを思い浮かべることができるが、それでもスーパーマンはクラーク・ケントなのだ。

しかし、心と脳が別物であることは、多くの人が直感的に納得できるはずだ。思考だけとりあげて論じても、それが単なる脳のプロセスだとは思えないし、痛みを感じることも同じだ。この問題の一部は、意識経験の特別な性質にかかわるが、それは次章で扱おう。問題の別の部分は、人間の行動の複雑さに由来する。いったいどうしたら、単なる物質がシェイクスピアの戯曲を書けるというのか?

デカルトは人間以外の動物（ハエ、ネズミ、鳥、ネコ、牛、サルなど）は、心を持たないオートマトンであり、その行動は物質からなる仕組みによって引き起こされると考えた。人間の行動の一部も本質的には心がなく、同じように説明できるとした。しかし、このように説明できない人間の行動もある。とくに、言語を創造的に使う行動は、単なる物質には決してできないことだ。人間のように言葉を操ることは、物質ではない心だけがなせることだ、とデカルトは考えた。

この見方は、17世紀には不合理ではなかった。脳の複雑さが解明されるずっと前で、あらゆる種類の複雑な行動を生みだせるコンピュータが現れるずっと前だったからだ。とはいえ、17世紀当時でさえ、二元論はいくつかの克服すべき問題を抱えていることはわかっていた。

最大の難関は「相互作用」の問題だった。どうすれば物質ではない心と物質である脳が相互作用するのだろうか？　心は体に影響を与えるように見える。私が散歩に行こうと思うと、少なくともときどきは、体が行動を起こす。体も心に影響を与えるようだ。何かで皮膚を切ると、私は痛みを感じる。一見、体と心はつねに相互作用しているようだが、どのような仕組みになっているのだろうか。

デカルトは、非物質的な心は「松果腺（松果体）」を通して物質的な脳と相互作用しているという、悪評高い説を唱えた。松果腺とは脳の両大脳半球のあいだに位置し、意識の中心ルートとして、また意識を統一する場所として存在する可能性を持つ小さな組織だ。デカルトの考えでは、脳は感覚入力を受けとって処理したあと、松果腺を通してその情報を非物質的な心に送るのだった。そこで心は考え、推論し、何をすべきか決定をくだす。それから松果腺を通して脳に信号を送り、脳はその行動を実行する。

これは17世紀当時でも、やや怪しげな説であった。松果腺が脳のプロセスや私たちの行動に対して特別な働きをしているという証拠は乏しかった。今日、ほとんどの神経科学者が、松果腺は感情プロセスにわずかな役割を果たしているにすぎないとみなしている。さらに言えば、心と脳が松果腺を介してどのように相互作用するのか、理解することはむずかしい。脳はどのようにして心に信号を送り、心はどのようにして脳に送り返すのか？　どうしたら非物質的な心が物質的な脳に影響を与えられるのだろうか？

相互作用問題について、最初の、そしてもっとも鋭い意見は、ボヘミアのエリザベト王女によって発せられた[6]。デカルトはエリザベト王女の家庭教師であり、ふたりは長いあいだ、実りある手紙のやりとりをしていた。エリザベト王女は鋭い哲学的精神を持っており、もしも哲学の本を書くことが許される世界に住んでいたら、重要な哲学書を著していただろう。彼女はデカルトに敬意を払いながらも、もっともむずかしい問題を突きつけた。

そこで私はあなたに、人間の精神は（考える実体にほかならないのに）、身体の精気が自発的な行動をするよう、どうしたら決定しうるのか、教えていただきたいのです。というのも、運動はすべて、動かされるものが受ける推進力によって決まると思われ、つまりはそれを動かすものによってどのように押されるか、あるいは、押されるものの表面の性質と形状がどうなっているかによって決まると思われるからです。前のふたつの条件（押されること、表面の性質）が働くには物理的な接触が必要であり、3番目の条件（表面の形状）には延長が必要です。あなたは、あなたが考える精神の概念から完全に一方［延長］を排除なさっていますし、もう一方［物理的接触］は、物質でないものとは相容れないように私には見えるのです。

エリザベトは、「物質ではない心がどうやって物体を動かすことができるのか？」と問いかけている。ある物体が別の物体を押すには、それらが物理的に接触しているか、少なくとも、一方の物体が押すための表面を持っていることが必要だ。しかし、デカルトの非物質的な心は、それらの条件を満たすことができない。

デカルトは返答を避けたが、エリザベトは続けた。「精神に物質性や延長を認めることは、物質でないものが動いたり、体によって動かされたりすることを認めるより、私にとっては簡単なのです」。エリザベトは、物質でない心が、物質である体に影響を与える可能性を否定した。むしろ、心は物質的なものだと考えたらどうだろうか？

デカルトはこの相互作用問題に対してよい解決策を提示できなかった。人間の心について究極理論を持っている、とデカルトは言わなかったものの、心が物質ではないと信じるに足る理由があると考えていた。心の科学的研究が進歩することで、物質ではない心についての完全な理論がもたらされるだろう、と。

しかしながら、実際の科学は、デカルトの二元論に対して、とくに人間の行動に関する彼の主張に対して、やさしくない形で進歩した。

まずコンピュータ科学と神経科学によって、物理的システムが人間のすべての行動を引き起こしているという話が、ありえないことではないとわかった。コンピュータの発達で、物理的システムにおける情報処理がどれだけ洗練されているかを示し、神経科学の発達で、情報処理装置として脳がとても複雑ですばらしいものであることがあきらかになったのだ。これらの発見をまとめると、脳が人間の行動を生みだせることを否定する理由はほとんどない。

次に物理学によって、この世界では物理的プロセスが閉じたネットワークを形成していることが示唆された。物理学で起こるすべてのことには物質的な原因があるように見える。粒子が動くときはつねに、物質的な何かが粒子を動かしている。こう見ると、非物質的な心が行動に影響を与えられるとは考えにくい。私の非物質的な心が、私の運動ニューロンを発火させて、私の腕を動かすことを考えてみよう。ある時点で、粒子は（たとえばニューロン内で）ほかの物理的システムによって起こされたのではない方法で動かなければならない。こうした事態は、物理学の観点からすると異常である。物理的プロセスだけが、粒子などの物理的実体のふるまいを支配しているという、標準的な見解への違反になるからだ。

ハンガリーの物理学者ユージン・ウィグナーをはじめ二元論者の中には、量子力学において心が何らかの役割を担っている可能性がある、と推測する者がいる。[7] 量子力学の標準公式化では観測が中心的な役割を果たす。たとえば、粒子は同時に多くの場所に存在することができ、観測されたときにはじめて位置が確定する。観測を心という観点から理解すると、心が持つ役割の可能性が見えてくる。心が物理的システムを明確な状態にするのだ。私はこの量子力学的二元論を真剣に考え、それがうまく機能するように取り組んできた。最近のことだが、ニュージーランドの物理学哲学者ケルヴィン・マックイーンとの共同研究で、ウィグナーの見解を数学的に正確に説明しようとした。研究の結果、その見方は真剣に取り組む価値があるものの、多くの困難を抱えていることがわかった。物理学者や哲学者のあいだでは、量子力学的二元論は広く否定されている。

結果として、最近はデカルトの二元論は人気がなく、唯物論のほうがずっと人気がある。なぜなら唯物論では、人間の行動に関する課題をほとんど解消できるからだ。原則として、行動を物理的に説明できないとする強い理由はない、とほとんどの哲学者や科学者が考えている。とはいえ、まだ課題もいくつかあり、とくに意識の問題に関しては顕著で、それについては次章で説明しよう。

VRにおける心と体の相互作用

デカルトは、私たちの住む物理的世界についてはまちがっていたかもしれない。だが多くのバーチャル世界については正しかった。

よくあるゲームを考えてみよう。ほとんどのゲーム、少なくともある程度リアルな3次元のバーチャル世界を舞台にしたものは、中核に物理演算エンジンがある。このエンジンは運動や重力、物体同士が衝突したときの相互作用などの、きわめて重要な物理学をシミュレートしている。『アングリーバード』というゲームは、豚などのターゲットに対して丸い鳥を飛ばして当てるのだが、単純な2次元の物理演算エンジンを使って、重力の影響下にある物体の軌道を計算し、鳥がぶつかったときのターゲットの動きをシミュレートしている。人気の宇宙開発シミュレーションゲーム『*Kerbal Space Program*（カーバル・スペース・プログラム）』は、より精密な物理演算エンジンで、宇宙空間での3次元物体の動きをシミュレートしている。「セカンドライフ」のバーチャル世界では、ユーザーが物体の物理的性質を直接コントロールし、異なる物理法則を試してみることさえできる。

　エリザベト王女とデカルトが、このようなバーチャル世界に生まれたとしよう。たとえば、『マインクラフト』の完全没入型ＶＲ版とする。外の世界でふたりはＶＲヘッドセットを装着している。エリザベトとデカルトが見聞きするものはすべて、ヘッドセットから、最終的にはバーチャル世界からもたらされる。ふたりが外の世界のものを見たり聞いたりすることはなく、ふたりにとっては、バーチャル世界が彼らの世界なのだ。アバターを自分の体として経験し、その世界を動きまわり、物体や人とかかわりながら生活を営んでいく。

　この状況下で、エリザベトとデカルトは、その世界の物理学を研究するかもしれない。ふたりは実験と理論を組みあわせて、力学や重力の基本原理をはじめとする、通常の物体のふるまいを支配する物理法則を導きだす可能性もある。

　ここで、エリザベトが「人間はこの世界で、単なる物質にすぎないのか?」「心は体と同じものなのか?」という疑問を抱く。デカルトは、行動に照らして、人間の創造的行動のすべてを物質がつくり出すことはできないと主張する。彼は、心はいかなる物理的なものとも違うのだという二元論的結論を唱える。エリザベトは、物質でない心が物質とどのように相互作用できるのかわからないと反論する。そして、人間の心は、空間と時間の中にある単なる物質的事物のひとつにすぎないという唯物論的な考え方に共感を示す。

　この議論においては、デカルトが本質的に正しい。『マインクラフト』は二元論的世界で、そこにある物理法則は、普通の物体を支配するが、人の行動は支配しない。人の心は、バーチャル

私の心と体は
別のものだ
どのように
相互作用できる
のでしょうか?

『マインクラフト』内のエリザベト王女とデカルト

世界の物体とは根本的に異なっている。人の心はバーチャル世界の3次元空間に存在するものではなく、別の領域にあり、異なる法則に支配されているのだ。

ここで、人間の行動を生みだしているのは「脳」であり、脳だって物質的事物ではないか、と反論したくなるかもしれない。つまり、人間の心も物理的なものであり、二元論は存在しない、と。どちらの視点をとるかによって判断は変わるだろう。バーチャル世界を外から見るか、内から見るか。

まず、外からの視点ではこうなる。私たちは、シミュレーションの外の世界で育った生き物だとする。そんな私たちにとって物理的世界とは、相対性理論や量子力学などの存在する、自分のまわりの世界のことだ。そこでのデカルトは、

『マインクラフト』のヘッドセットを装着した「生き物」だ。私たちから見れば、デカルトの脳は物理的であり、彼の脳とバーチャル世界の相互作用は、物理的プロセスだ。ここに二元論の気配はない。

次に内からの視点はこうなる。私たちは『マインクラフト』のバーチャル世界で育った生き物だとする。私たちにとって物理的世界とは、物理演算エンジンの単純化された物理学に支配された、私たちのまわりの世界のことだ。私たちにとってデカルトのアバターは物質的事物だが、デカルト自身の脳は違う。彼の脳は私たちの物理学に支配されていないし、階層がひとつ上の世界に存在している。

どういうことかというと、異なる物理学を持つふたつの世界が存在しているのだ。そこには、外の世界の物理学（相対性理論や量子力学など）と、内の世界の物理学（物理演算エンジン）があり、外の世界の物理学のもとで、デカルトの状況は二元論的ではない。だが、内の世界の物理学のもとでは二元論的だ。

こうして先の議論は次のように進む。デカルトが「物理学」と呼んでいるものは、もともと『マインクラフト』内の物理学のことだ。彼が「物質的事物」と呼ぶものは『マインクラフト』内の物体であり、「空間」と呼ぶものはマインクラフト内の3次元空間だ。彼にとって中心的な問題は、自分の心もほかの物体と同じく、同じ空間に存在し、同じ原理で支配される物質的事物なのかどうかということだ。彼からすると、自分の心は空間の外にあり、同じ物理学の法則で支配されていないことは明白なようだ。デカルトにとって、心は非物質的なものなのだ。

もちろん、すぐれた知性を持つデカルトは、自分の世界が特有の空間と物理学を持つ別の世界の内にある可能性をわかっているはずだ。彼の視点に立てば、これらは「超空間（メタスペース）」で「形而上世界（メタ・フィジクス）（超物理世界）」に見えるかもしれない。彼は自分の心がメタスペースの中に見つけられる形而上的な何かである可能性を認めたかもしれない。しかし、何かしらの空間の中にあることと、物質的であることとはまったく違う（この状況を完全に分析するには、言語の分析や、世界が異なれば物質や空間といった言葉の意味も変わることに関する分析が必要だ。この問題については、また第20章で考えたい）。

それでは、心と物質の相互作用はどこで、どのように起こるのか？　メタスペース内では、その答えはかなり単純だ。外にある脳と体がコンピュータと相互作用しているのだ。しかし、バーチャル世界の中にいるデカルトから見ると、相互作用はどこでおこなわれているのだろうか？　デカルトのアバターには脳のようなものがないので、そこではおこなわれない。むしろ、デカルトの心が直接アバターに影響を与え、手足を動かし、世界中を引き回している。内の世界の視点からは、私たちは体を支配する非物質的な意思を持っているかのように見える。

さまざまなバーチャル世界における心と体

私はこれまで、バーチャル世界には物理演算エンジンひとつと、アバターを操るひとりか数人の人間のプレイヤーしか存在していないかのように話してきた。実際は、ほとんどのバーチャル世界はもっと複雑だ。

まず、多くのバーチャル世界にはノンプレイヤー・キャラクターが存在する。典型的なものの中には、外の世界の人間には支配されていない、見た目もふるまいも人類に似た「生き物」がいる。彼らは話したり、武器を使ったり、設定されている目標を達成するために世界を動きまわったりする。その他のノンプレイヤー・キャラクター（動物、モンスター、エイリアン、ロボットなど）も同じように高度な目標指向の行動をとる。攻撃的なモンスターは、近くであなたを見つけると、襲いかかってくる。

これらのキャラクターを制御するのは、外の世界にある脳ではなく、外の世界にあるコンピュータのアルゴリズムだ。このアルゴリズムは、バーチャル事物の運動を支配する物理演算エンジンのアルゴリズムとはまったく異なる。その世界の内側から見ると、ノンプレイヤー・キャラクターの行動は、その世界の標準的な物理法則ではなく、心理学の法則、たとえば目標指向行動といった法則に支配されている。

これらのキャラクターは、バーチャル世界の内側の観点から見て物理的な存在なのだろうか？体はたしかにそうだが、心はどうだろう？　ノンプレイヤー・キャラクターが、いずれは私たちと同様に複雑な心理を持つようになるとしよう。その世界の内側でいくら神経科学を学んでも、その世界の認知メカニズムを直接的にあきらかにすることはできない。その世界の内部には認知システムがないからだ。もちろん、外の世界の住人がコンピュータのアルゴリズムを調べれば、そのメカニズムがわかるかもしれないが、中の住人はこの手を使うことができない。せいぜいできるのは、みんなの行動を観察して根底にある心理原則を推測することぐらいだ。人間のプレイヤーと同様に、ノンプレイヤー・キャラクターの心も中の世界にはない。内側から見ると、これらの心は非物質的だ。

そのうえ、ノンプレイヤー・キャラクターの心は、人間のプレイヤーのものとは異なる。前者の心はバーチャル世界を動かしているコンピュータ内にある。後者の心は、そのコンピュータとは別の生物有機体から生じる。したがって、バーチャル世界には少なくとも、それぞれの法則に支配される3種類の実体が存在しているのだ。物質的事物、ノンプレイヤー・キャラクター、そして人間のプレイヤーだ。二元論ではなく、むしろ三元論と言えるかもしれない。

じつのところ、話はもっと複雑である。これまで見てきたように、ほとんどのバーチャル世界では、多くの固有のバーチャル事物が固有の因果的力を持っているのだ。たとえば、銃にはユーザーが手にとり、撃つことができるという固有の動力学がある。自動車にはユーザーが運転できるという特徴がある。現実の世界において、銃や車の動作の背景には、車のエンジン構造や銃の発射装置にかかわる物理がある。しかし、多くのゲームでは、このような複雑なメカニズムは存在しない。その代わりに、車や銃用の固有のアルゴリズムが車の動きや銃の発射を制御している。

この固有の因果的力を哲学的に見るとどうなるのだろうか？　二元論か三元論か四元論か？より適切なたとえを言うなら〈アニミズム〉[8]だろう。アニミズムは、物理的世界のすべてのものには霊魂もしくは精霊が宿っていて、おそらく独自の行為主体性も持っているとする考え方で、アフリカ、南北アメリカ、アジア、オーストラリア、ヨーロッパで先住民の伝統として広く浸透している。多くの文化で、少なくとも植物や動物といった生物は、霊的力を持っていると考えられており、対象が岩石や雲などの非生物にまで及んでいる文化も多い。現代科学では、アニミズムは広く否定されているが、もしも私たちが『マインクラフト』のようなバーチャル世界で育ったとしたら、アニミズムは真実だと合理的に推測したかもしれないし、それはある程度正しいのだ。

すべてのバーチャル世界が物質的事物とノンプレイヤー・キャラクターに対して特別の扱いをするわけではない。一部の世界は純粋な物理学の世界であり、物理法則のシミュレーションがすべての事物を支配する。現在のテクノロジーは、純正物理シミュレーションによって、人間や動物のような知性のある生命はもちろんのこと、細胞などの単純な生物学的存在をシミュレートできるほど進歩していない。だが、この状況はまちがいなく変わっていく。

それでも、私たち生物がシミュレーションのバーチャル世界と相互作用しているとすれば、そこにはつねに二元論的な要素がある。私たちを支配する法則はシミュレーション内のものではなく、外の世界のものだ。私たちがシミュレーションと相互作用するとき、シミュレーションの世界はデカルト的なものであり、「外の世界の心」と「内の世界の体」が相互に作用しているという感覚を持つ。

『マトリックス』はよい問題を提示してくれる。ネオの生物的な脳はシミュレーションの外のポッドにあるが、つねにシミュレーション世界と相互作用している。ほとんどの場合、マトリックスのバーチャル世界は、物理的世界とよく似ているように見え、純正物理シミュレーションと思えるほどだ。そこにはその世界の物理学を研究している科学者がいて、もしかしたら量子力学のレベルまで現実と似た物理学を発見するかもしれない。同じように、マトリックス内の外科医が患者の体を切開すると、生体器官を発見するだろう。おそらく、頭蓋骨を切開して中に脳を発見する神経外科医もいるし、神経科学者は脳と行動を結びつける実験をおこなうのだ。

ネオはマトリックス内にバーチャルの体を持ち、そこにはバーチャルの脳も含まれる。同時に、マトリックスの外にも生物学的な脳を持っている。ふたつの脳はどのように相互作用するのだろうか？　片方は余計なものなのだろうか？　もしかしたら、生物学的な脳がすべての作業をおこない、バーチャルの脳は見せかけのものかもしれない。だがその場合、次の事態は避けられないだろう。それは、バーチャル脳から体への影響をなくすために、バーチャルの脳を体から切り離したとき、神経科学者が何かおかしいと気づいてしまうことだ。あるいはその逆に、バーチャルの脳がすべての作業をしていて、生物学的な脳は単なる受け身の観察者なのかもしれない。だが、そのときに生物学的なネオは、自分で何かをしようとしたときに、バーチャルの脳に別のことをさせられて、何かおかしいと気づくのではないだろうか？

問題を回避するためには、生物学的な脳とバーチャルの脳を同期させることが最善であるように見える。[9] バーチャルの脳が得るすべての入力が生物学的な脳にコピーされ、両者は入力に対してまったく同じ反応をする。生物学的な脳を受け身の観察者以上の存在にしたいなら、バーチャルの体の動作システムと接続すればいい。おそらく生物学的な脳内の運動ニューロンが発火すると、その出力がバーチャルの脳内の対応する運動ニューロンに伝わり、バーチャルの体の動作を制御することができるだろう。しかし、シミュレーションがうまく動いていれば、運動ニューロンは、まるでバーチャルの脳にだけ制御されているときと同じように反応する。

この図式からさまざまな疑問が生ずる。まず、ここにいる人間はひとりなのかふたりなのか？一見したところ、ネオの生物学的な脳は普通のやり方で、意識を持つバーチャルのネオをサポートしている。コンピュータプロセスが意識のあるバーチャルのネオをサポートできるとすれば、バーチャルの脳もまた、意識のあるバーチャルのネオをサポートするだろう（これについては次章で述べる）。このときのネオはひとりなのかふたりなのか？　ここにはふたりの人間がいると結論づけたくなる。うりふたつの双子のように完全に同期しているが、それでも別々の人間なのだ。

ダニエル・デネットの「私はどこ?」という小説風エッセイ[10]では、生物学的な脳とバックアップのシリコン脳は同期している。両方が同じ体を制御するために使われていて、ときに使われる脳が切り替えられる。ある日、ふたつの脳の考えに相違が生じる。そのとき、ふたりの異なる人間が同じひとつの体に接続されていたことがわかるのだった。最初からずっとふたりだったのか、それとも、ふたつの脳の考えが分かれたときに、ひとつだった心がふたつに分かれたのか？　確かなことを知るのはむずかしい。たとえば、ふたつの脳を同期させるメカニズムが、事実上、ひとつの心とひとりの人間を支える、ひとつのシステムとして機能している、と主張する人もいるだろう。同様に、ネオの場合もどう言えばいいかむずかしい。

以上をふまえると、『マトリックス』に新たな解釈を加えることができる。ネオは本当にふたりだったのか？　生物学的なネオは、赤い薬を飲むとマトリックスから切断される。そのとき、バーチャルの体と脳を持ったバーチャルのネオはどうなるのか？　完全に蒸発するのだろうか、あるいは生物学的なネオがマトリックスに入るたびに新しいバーチャル・ネオがつくられ、つねに生物学的ネオと同期するのだろうか？　その考えは、『マトリックス』における大きな謎のひとつを解明する助けになる。「人がバーチャル世界で死ぬと、その人は物理的世界でも死んでしまうのはなぜか？」。ふたつの脳がつねに同期しているから、というのが答えかもしれない。片方の脳が死ねば、もう片方の脳も死ぬ。

このような問題に遭遇することなく、物理学に基礎を置くバーチャル世界と相互作用したいのならば、完全自律型のバーチャル脳を持たないバーチャルの体を制御するのが賢明かもしれない。バーチャルの体は、感覚と運動を処理するために最小限のバーチャルの脳と神経系を持っている。現実の脳の信号は、バーチャル松果腺を介して、バーチャルの脳と体のふるまいを制御するのだ。

そのためには、外の世界にある心と、内の世界にある体との複雑な二元的相互作用が必要となる。とはいえ、このシステムは基本レベルまで二元的である必要はない。内の世界の物理学と外の世界の心理学の両方が、外の世界の物理学に由来していればいい。その場合、基本レベルでは、二元論（ふたつの要素）ではなく、一元論（ひとつの要素）のようなものになる。外の世界の住人はこれを一種の唯物論と見るだろうが、内の世界の住人はそう見ない。外の世界の問題は内の世界の問題ではないからだ。内の世界から見ると、真実は、一種の「中立一元論」と表現されるかもしれない。ひとつの、より基本的な要素が、私たちの世界において心と体の両方の根底にある。その中立的な要素は、外の世界の物理学であり、形而下ではなく形而上のものである。

まとめ

本章の議論は、シミュレーション説に関する考えを明確にすることに役立つ。第2章ではシミュレーション説は、私たちの認知システムがシミュレーションの一部である〈純正シミュレーション説〉と、一部ではない〈非純正シミュレーション説〉に分けることができると述べた。古くからある〈水槽の中の脳〉シナリオは非純正シミュレーションであり、『マトリックス』の状況もそうだ。この章では主に、非純正シミュレーションにおいて認知システムとバーチャル世界の物理学が異なることに焦点を置いた。

もしも私が非純正シミュレーション説を受けいれるなら、私の物理的でない認知システムは、物理的システムと相互作用しているという〈デカルト的二元論〉も受けいれなければならない。私の心はバーチャル世界の外の物理的空間にあり、内にある私の体と相互作用している。私の物理的世界は、すべてコンピュータの中のビットに由来しているが、私の心は水槽内の脳と結びついており、その脳がビットに由来する必要はまったくない。

シミュレーション説は〈ビットからイット創世説〉につながると前に述べた。一方、非純正シミュレーション説は、〈デカルト的ビットからイット創世説〉につながる。つまり物理的システムはシミュレーション作成者によってつくられた計算プロセスであるが、私たちの認知システムは物理的システムとは異なるもので、物理的システムと相互作用すると考える。要するに、非純正シミュレーションのアイデアは、物理的世界に関するビットからイット創世説のアイデアと、心に関するデカルト的二元論とを組みあわせたようなものなのだ。これに対して、純正シミュレーション説は、〈非デカルト的ビットからイット創世説〉につながる。つまり私たちの認知システムは物理的システムから生じたものであり、その物理的システムは、それ自体がつくった計算プロセスから生じている。

私は、非純正シミュレーション説に強い説得力がある、と言っているのではない。シミュレーションが普及するだろうという統計学的主張（第5章参照）を理由にシミュレーション説を真剣に受けとめるとすれば、純正シミュレーション説寄りになる。純正シミュレーションをつくるのは容易になり（シミュレーションの世界にシミュレートした物理学を用意して、動かすだけ）、非純正シミュレーションをつくるのは困難になるだろう（シミュレーションと相互作用するために内と外に心が必要になる）。もしも、非純正シミュレーションを動かすたびに生物学的な脳が必要になるならば、それは障害となって、非純正シミュレーションの普及を制限するだろう。純正シミュレーションが、人間の心をも支えることができるのならば（くわしくは次章で述べる）、統計的推論によれば、私たちは非純正よりも純正シミュレーションの中にいる可能性が高い。

さらに、物理学が私たちの世界に閉じたネットワークを形成しているという合理的な証拠があれば、デカルト説や非純正シミュレーション説への反証となり、少なくとも、心が物理的世界に違いを生じさせると考えるこれらの説のバージョンへの反証となる。

それでも、シミュレーションについて考えることで、デカルトの二元論を前よりも真剣に考える理由が得られるかもしれない。デカルト的二元論は、当初は自然主義的な世界観とは矛盾していて、超自然的に見えた。ところが、シミュレーションについて考えることで、デカルト的二元論が外の世界における自然のプロセスに由来しており、完全に自然主義的なものかもしれないとわかったのだ。そして、シミュレーションについて考えることで、有神論の自然主義バージョンを得られたように、デカルト的二元論の自然主義バージョンも得られた。また、エリザベト王女の「物理的システムと非物理的システムが相互作用するのは、原則として無理がある」という異議を克服する役に立つ。非純正シミュレーション説は、この相互作用がどのようにおこなわれるか、モデルを示してくれる。

このシミュレーションにもとづくデカルト的二元論は、世界に関する私たちの科学的知識と矛盾しないのだろうか？　物理学に関して言えば、物理学が閉じたネットワークを形成しているという考えは魅力的な説だが、証明されてはいない。現在の物理学は、まだ知られていない力が存在する可能性を示している。外の世界のプロセスがときどき、コンピュータを基礎とした人体内にある世界の物理に影響を与えることがあるとすればそれは驚きだが、私たちの証拠とは矛盾しない。

神経科学に関して言えば、人間の脳は知覚、思考、行動と密接に関係する高度に洗練されたプロセスを持っていることがわかっている。非純正シミュレーション説には、これらすべてと整合性を持つ複数のバージョンがある。いくぶん突拍子もないバージョンは、外の世界にあるオリジナルの脳が内の世界にあるバーチャルの脳を複製、上書きしつづける〈複製脳説〉だ。少し普通のバージョンは、本物の脳が半自律的なバーチャルの脳とつながっていて、要所要所でバーチャル脳に影響を与え、行動を制御している、とするものだ。この説の直接証拠はほとんどないが、反証もほとんどない。

非純正シミュレーション説は、デカルト的二元論が少なくとも私たちの世界の科学知識と整合性を持つことを示している。私は、非純正シミュレーション説が正しいと言っているわけではないので、デカルト的二元論が正しいという主張をしてこなかった。しかし、シミュレーションを考えることは、デカルト的二元論が正しい可能性を示すことになる。そのこと自体がおもしろい。

第15章
デジタル世界に意識は存在しうるか？

『新スター・トレック』のシーズン2、第9話「人間の条件」では、USSエンタープライズD号に勤務する「データ」という名前のアンドロイドが、心を持つ生物であるか否かという裁判がおこなわれている。宇宙艦隊スターフリートのサイバネティクス学者ブルース・マドックスは、データのテクノロジーから学ぶためにデータを分解しようとする。しかし、データはそれを拒否する。マドックスは、データはスターフリートの所有物であり、単なる機械なので拒否する権利はないと主張する。それに対して、データの上官であるピカード艦長は、データは自分の運命を選択する権利を含む、あらゆる権利を持つ心ある生物だと主張する。

裁判の争点は、データが心を持つかどうかだ。ピカードがマドックスに「心」の定義を問うと、マドックスは「知能、自己認識、意識」と答えた。これらの基準のうち、データが知能を持つことには、マドックスはすぐに同意した（「それは学習し、理解し、新しい状況に対応する能力を持つ」）。次にピカードは、データが自己認識していることを示すために、今何をしているのかデータに質問する。データは「自分の権利と立場を決定するための法廷審問に出席しています」と答える。そこでは「私の選択権――おそらく生きる権利」がかかっている、と。

問題は3番目の基準に及ぶ。データに意識はあるのか？　驚いたことに、ピカードはデータに意識があるという直接的な主張をしない。その代わりピカードはマドックスにこう言う。「ほら、彼は君があげた心の3つの定義のうちふたつを満たした。3つ目も満たしていたらどうする？ほんの少しでも意識があるとすれば、彼は何者だと思うか？」

意識についての論証がなくても、勝つためには、ピカードの質問で充分だった。裁判官は、根本の問題はデータに魂があるかどうかだと言った。その答えは知らないが、データにはその問題を探究する自由がある、と裁判官は認めた。

ドラマでは肝心の3つ目の質問には答えることなく終わった。データに意識はあるのか？　それともデータは哲学者が言うところの「ゾンビ」なのだろうか？　哲学者にとってのゾンビとは、外見上は意識がある生き物のようにふるまうが、内面的には何の意識経験も持たないシステムのことだ（ハリウッド映画に出てくるゾンビと区別するために「哲学的ゾンビ」と呼ぶこともある）。ピカードは、データは意識を持つと考えているようだ。意識的知覚、感情、思考の流れが内側にある、と。一方、マドックスは、データはゾンビであり、知的にふるまうが、意識的な精神生活がまったくない、と考えている（哲学的ゾンビの外見は普通の意識のある人間と同じなので、描くのはむずかしいが、イラストではそれに挑戦している）。どちらが正しいのだろうか？

より一般的な質問に変えるとこうなる。「デジタルシステムは意識を持てるのか、意識を持て

意識を持つデータ

哲学的ゾンビ

データは意識のある存在か、哲学的ゾンビか?

るのは人間や動物だけなのだろうか?」

この質問は、デジタル世界を考えるうえでとても重要だ。第2章でとりあげた、シミュレーションを描いた先駆的作品であるダニエル・F・ガロイの小説『模造世界』におけるバーチャル世界を考えてみよう。この世界は純正シミュレーションであり、そこにはシミュレートされた脳を持つ、多数のシミュレート人間がいる。このシム人間に意識はあるのだろうか?　あるのだとしたら、システムを回復不能な形で停止させることは残虐行為であり、一種の虐殺となる。意識がないのなら、彼らはデジタルゾンビであり、システムを止めても、普通のゲームのスイッチを切るのと変わらないことのように思える。

今のところ、私たちがつくってきた

バーチャル世界には、人間のような複雑さを持ったデジタル生物はいない。ほとんどの世界では、生物学的な人間のプレイヤーが圧倒的に高度な生物であり、デジタルのノンプレイヤー・キャラクターは心を持っていないように見える。実際にそれらに意識があると考える人はほとんどいないだろう。だがいずれは、人間と同じような複雑なバーチャルの脳を持つ、高度なノンプレイヤー・キャラクターがいるシミュレーション世界が登場するだろう。そうした世界が出てきたとき、デジタル意識の問題は避けられなくなる。

〈精神(マインド)アップロード〉[1]、つまり人間の心を生物学的な脳からデジタルコンピュータに転送する試みについて考えると、問題の重要性は増す。それは一種の不死を実現する最良の方法だと多くの人が考えている。イギリスのテレビドラマシリーズ『ブラック・ミラー』の「サン・ジュニペロ」というエピソードでは、死期の迫った人間は、脳をデジタルレプリカにアップロードすることを選択できる。そのレプリカはバーチャル世界に接続される。バーチャル世界は天国のような機能を果たし、人々はそこで永遠に生きつづけられる。

精神アップロードは、多くの科学的問題を提起する。アップロードされたシステムの「ふるまい」を心配する者がいるだろう。そうしたシステムは、元の生物学的システム（つまり人間）と同じような知的ふるまいをしたり、同じ記憶、同じ性格を示したりするのだろうか？　そもそもシミュレートできるほど、脳を正確に測定できるのだろうか？　ニューロンのネットワークをデジタルシステム内で完璧にシミュレートすることは可能なのか？

これらの科学的な問題を解決すると、その先にはもっと深い哲学的な問題が待っている。根底にある問題のひとつは、意識についてだ。アップロードが不死の道へつながるには、アップロードされたシステムが意識を持つことが重要だ。意識のないゾンビシステムだった場合、アップロードは生き残りの手段にならない。少なくとも意識のある心について考えるなら、それは破壊に等しい。ほとんどの人が、死ぬよりもゾンビになって生きるほうがいいとは思わないはずだ。

精神アップロードに関するもうひとつの深い問題は、「アイデンティティ」だ。私をコンピュータにアップロードしたとして、アップロードされたシステムは「私」なのだろうか？　それとも、まったく新しい人間で、自分そっくりにふるまう、新たにつくられた双子のようなものなのか？　もしも私が生物学的な自分を残したまま、アップロードバージョンを作成した場合、ほとんどの人は生物学的バージョンを私だと考え、デジタルコピーは新しいだれかだと考えるはずだ。生物学的バージョンが死んで、デジタルだけが残っている場合と、なぜ違いが起きるのだろうか？

結局、精神アップロードはピカード艦長の3つの問いを提起しているのだ。まず、知的なふるまいに関する問い。「アップロードされた私は私のようにふるまうのか？」。ふたつ目は、意識に関する問い。「アップロードされた私は意識を持つか？」。3つ目は自己に関する問いだ。「アップロードされた私は私なのか？」。アップロードを、人類が生き残るためのものにするには、これらの問いすべてにイエスと答えなければならない。

これから、この3つすべてをとりあげるが、中でも意識に関する問いに重心を置きたい。この問いは、シミュレーション説を評価するうえでとくに重要だ。シミュレーションが意識を持つことができないとしたら、私たちの意識の存在は、さらなる議論の必要なしに純正シミュレーション説を退けることになる。

意識の問題

意識とは何だろう？　意識とは主観的経験だ。私の意識は、本人の視点から人生がどのように見えるかを記録した、内面を描くマルチトラックの映画のようなものだ。

意識は多くの構成要素からなる。私には色や形についての視覚経験がある。音楽や声の聴覚経験がある。痛みや空腹感の身体経験がある。幸福感や怒りといった感情経験がある。起きているあいだ、私はさまざまな意識の流れ（考える、推論する、自分に話しかける）を経験する。そして、決断し、行動する。これらすべてが、何らかの形で包括的な意識の状態に統合され、私であるという意識経験をつくりあげているのだ。

なぜ宇宙には意識が存在するのだろう？　物理的なプロセスがどのようにして意識を生みだすのだろう？　どうすれば客観的な世界で主観的経験ができるのだろう？　今のところ、これらの問いに対する答えはだれも知らない。

私は意識の問題を考えるために哲学者になった。その前は数学と物理学を学んでいた。1980年代にオーストラリアで数学の学位を取得したあと、オックスフォード大学で博士号を取りかけた。これらの分野は、真に根本的な問題を扱っているように思えたので、私は好きだった。しかし次第に、すでにほとんどの難問に答えが出てしまっていて、根本もかなり理解されていると思うようになった。まちがいかもしれないが、そのときの私にはそう思えたのだ。

その一方で、解決されるのを待っている根本的な問題を持つ別の分野があるように思えた。それは〈意識の問題〉だ。人の心が、科学における未解決の難問の多くを提起しているようで、中でも意識がもっともむずかしそうだった。意識はもっとも身近なものでありながら、もっとも理解されていないものだ。物理的世界にどのように適合しているのか？　客観的な世界で、どうやって主観的経験ができるのだろうか？　だれも知らないのだ。

私はこれらの問題にとりつかれ、ついに数学から離れることを決め、意識の問題に取り組むことにした。１９８９年、私はダグラス・ホフスタッター率いる認知科学グループで研究するため、オックスフォード大学からインディアナ大学に移った。ホフスタッターは『ゲーデル、エッシャー、バッハ――あるいは不思議の環』をはじめ、私の好きな本を多く著していた。私は認知科学について多くを学び、ＡＩについてたくさん研究したが、意識への興味が私の原動力であることは変わっていない。意識に関する最大の問題に直接取り組むには、哲学を通すのが最良の方法に思えた。そこで私は哲学者になり、最終的には意識に関する博士論文を書き、それが最初の著書である『意識する心――脳と精神の根本理論を求めて』[2]になった。

ちょうどそのころ、１９９４年4月にアリゾナ州ツーソンで開催された、意識に関する最初期の国際会議で私は講演をおこなった。その中で、意識を解明する難問を〈意識のハードプロブレム〉[3]という言葉で呼んだ。この呼び名は、私がこれまでに発したどの言葉よりも普及した。人々はハードプロブレムに関する本を書いた。劇作家のトム・ストッパードは、『ハードプロブレム』というタイトルで、意識がテーマの戯曲を書いた。この呼び名があっという間に広まったわけは、その考えが急進的だったり独創的だったりしたからではない。[4]実際はその反対だ。だれもが、ハードプロブレムが何か以前からわかっていたのだ。その名前は問題を正確にとらえており、その命名によって問題は避けて通れないものになった。

ハードプロブレムを説明し、もう少し簡単なほかの問題と比較するためには、まずピカード艦長のふたつの問い、意識と知能の関係を調べることが役に立つだろう。

知能とは何か？　第一近似として、知能とは「高度で柔軟な目標指向的ふるまい」と言える。もしも、あるシステムがひとつのことだけ――たとえば、チェスに勝つ――を得意としているならば、それはせいぜい「特化型の知能」にすぎない。システムが幅広い目標に対応できて、合理的なふるまいをする場合に、それを私たちは「汎用型の知能」と呼ぶ。

今のところ、既存のデジタルシステムの多くが披露しているのは、特化型知能だ。ディープマインド社が開発したプログラム「アルファゼロ」は、チェスや囲碁などのゲームで勝つことを得意としている。自動運転車は走行が得意だ。しかし、既存のデジタルシステムで、汎用型知能に近づいているものはまだない。私たちが知っている唯一の汎用型知能を持つ生物は、人間とおそらく一部の動物だけだ。

私が理解するところでは、知能はシステムの客観的な特徴であり、それはほとんどの場合でふるまいとして表れる。知能は、システムがどう感じているかという問題ではない。重要なのは、システムの客観的プロセスであり、そこから生みだされるふるまいだ。

結果として、私たちは意識よりも知能のほうをはるかによく理解している。認知システムのふるまいを説明する標準的な方法がある。ふるまいを説明するためには、メカニズムを特定し、それがどのようにふるまいを生んでいるかを示す必要がある。そのメカニズムとは脳の中のシステムか、脳が使っているであろうある種のアルゴリズムだろう。だから私は、知能を説明する問題、より一般的に言うとふるまいを説明する問題を〈イージープロブレム〉と呼んでいる。私たちはどのように自分をコントロールするのか?　どのようにコミュニケーションをとるのか?　環境内で物体をどのように識別しているのか?　目標を達成するためにどのようにふるまいを制御するのか?「簡単な問題」と呼んだが、実際には簡単ではない。解明するのに100年以上かかるものもあるかもしれない。しかし、少なくとも私たちは、解明に向けた取り組み方のアイデアを持っている。

知能が客観的なふるまいの問題であるのに対して、意識は主観的経験の問題で、それを説明する問題、それがハードプロブレムだ。すべての意識経験は、その経験をしている意識的主体と結びついているようであり、その主観性が意識の問題をむずかしくしている理由のひとつだ。

ニューヨーク大学の同僚であるトマス・ネーゲルは、あるシステムが意識を持つことを、「そうしたシステムであるとはどのようなことか」という有名な表現で定義した。[5]たとえば私であるとはこのようなことだ、あなたであるとはそのようなことだ、などと言えるような事柄がある。

そして、まさにこのようにして私やあなたは意識を持つのである。ほとんどの人間は、岩であるとはそのようなことだ、と言える事柄は存在しないと考える。つまり、岩は主観的経験を持たない、と。それが正しいとしたら、岩に意識はない。ネーゲルが示したように、コウモリであるとはそのようなことだ、と言える何かが存在するとすれば、コウモリには意識がある。ミミズであるとはこのようなことだ、と言える何かが存在しないのならば、ミミズには意識はない。

多くの人が、意識はとても複雑なもので、知性のヒエラルキーの頂点に位置すると考えている。自意識に複雑な形を求める者もいる。たとえば、テレビドラマシリーズ『ウエストワールド』では、各人が自分の内なる声を持ち、それを認識することが意識だと描かれている。その考え方によれば、意識を持つのは人間やほかの内省的な生物だけになる。これはまちがった意識のとらえ方だろう。赤いものを見るとか、痛いといった単純な状況でも意識は現れるものだ。もう一度ネーゲルの言葉を引き合いに出すと、赤が見えるとはこういうことだ、という何かが存在する、痛みを感じるとはこういうことだ、という何かが存在する、というのが意識状態だ。これらの状態は内なる声や内省的な自己認識は必要としない。たしかに内なる声は、その人の意識の一面であり、内省的な自己認識も同じだ。しかし、これを一般的な意識と混同してはならない。

赤いものを見たり、痛みを感じたりという単純な意識状態についてさえ、意識のハードプロブレムが生ずる。私の視覚系が刺激を処理し、その結果、私が赤色を認識した場合、なぜ私は赤という意識経験を持つのか？　なぜ赤いと見える何かが存在するのか？　イージープロブレムには有効な客観的手法も、主観的経験にはうまく機能しない。脳のメカニズムを解明して、刺激を赤と分類する仕組みがわかったとしても、赤の意識経験をなぜ持つのかはわからない。より一般的に言えば、ふるまいを説明しても、なぜそのふるまいが意識をともなうのかを説明したことにならない。脳のプロセスに関するいかなる説明も、その説明と意識とのあいだに溝があるように思える。なぜ脳のプロセスが意識経験を生むのか? なぜ脳のプロセスは、主観的経験を欠いた「暗闇の中」で進行しないのか? だれも知らないのだ。

神経科学や認知科学の標準的な手法は、ふるまいを説明することを目的としているので、意識のハードプロブレムに関してあまり手がかりにならない。せいぜい脳内プロセスと意識との相関関係を教えてくれるだけだ。神経科学者は、彼らが「意識に相関した脳活動」と呼ぶものの解明に向けて、少しずつ前進している。だが、相関関係は説明ではない。今のところ、これらのプロセスが、なぜどのようにして意識そのものを生じさせるかに関する説明はない。

意識に関する独特な問題を、オーストラリアの哲学者フランク・ジャクソンがつくった〈メアリーの部屋〉という思考実験で浮き彫りにすることができる。メアリーは神経科学者で[6]、脳に関しては、その物理的プロセスや、色に対してどう反応するかなど、何でも知っている。しかしメアリーは、これまでの生涯を白黒の色しかない部屋から一歩も外へ出ることなく暮らしてきた。単色刷りの本や白黒テレビなどを通して世界を学んできた。つまり、モノクロの世界しか知らないのだ。メアリーは、赤や青や緑のものが、どのように一定の光の波長を生みだし、目や脳にどのような影響を与えるか、どのように人の中に連想を生じさせるか、そしてそれが、たとえば「あの納屋は赤い」といった説明にどのようにつながるのか、客観的な話はすべて知っている。

白黒の色しかない部屋で過ごす、色に関する神経科学者のメアリーは、赤い色を見るというのはどのような経験なのかわかるのだろうか？（ここでは20世紀はじめを代表する哲学者で心理学者のメアリー・ウィットン・カルキンスにモデルになってもらった）

しかし、色について、メアリーが知らない重要なことがある。赤や青やその他の色を「経験する」とはどういうことなのかだ。

　脳に関する物理的な知識は、メアリーに、色についてあらゆることを教えてくれるが、色の意識経験については教えてくれない。つまり、意識経験に関する知識は、脳プロセスに関する知識の外にあるようだ。この思考実験は、意識とは何かを教えてくれるわけではないが、なぜ問題があるのかを明確にしてくれた。

　私はかつて、メアリーと同じような人に出会ったことがある。クヌート・ノルドビー[7]というノルウェー人の神経科学者で、色覚障害、つまり1色型色覚〔色のかわりにグレースケールでしか知覚できない〕だった。網膜にある色を処理する錐体細胞が機能しないのだ。にもかかわらず、ノルドビーは精神物理学の中の感覚プロセスの研究を専門とし、色をテーマとする論文もたくさん発表している。色の処理にかかわる脳システムについて熟知していたのだ。1998年に会ったとき、彼はスタンフォード大学の認知神経科学者であるブライアン・ワンデルに協力して、その研究対象になっていた。ワンデルはノルドビーの脳をスキャンし、刺激を与えて、色を経験できるかどうか調べた。残念ながらこの実験は失敗に終わった。「私にとって色の世界はいまだに謎のままです」と、ノルドビーは私に言った。

私は著書の『意識する心』の中で、物理用語だけを使って意識を説明することは不可能だと述べた。物理的な説明はふるまいを説明するにはすぐれているが、結局のところ、ふるまいを説明しているだけにすぎない、と私は基本的に考えている。より正確に言うと、物理的な説明とは、つねに客観的な構造と力学だけの問題なので、どこまで行っても説明できるのは、客観的な構造と力学だけだ。イージープロブレムを解くには充分だが、ハードプロブレムを解くには、さらに別の何かが必要だ。

私は加えて、意識を既存の基礎的性質（空間、時間、質量など）および既存の基礎的な物理法則で説明できるのであれば、自然界に新しい基礎的性質が必要だと主張した。もしかしたら、意識が基礎的なものなのかもしれない。また、さらなる基礎的法則――おそらく物理的プロセスと意識とを結びつける法則――を知る必要がある。意識の科学を探究することは、事実上、これらの基礎的法則を探索することなのだ。

現代において、このハードプロブレムの問題に対する解答は爆発的に発表されてきた。その中には、物理的プロセスと意識を結びつける新しい基礎的法則に関係するものがあり、意識を情報処理に結びつける理論や、量子力学に結びつける理論がある。近年、とくに人気があるのは、

〈汎心論(はんしんろん)〉[8]という、自然界のあらゆる物理系に何らかの意識の要素があるとする考えだ。そのほかには、より還元主義的で、ハードプロブレムを縮減していき、物理的な言葉で解決できるようにする考えがある。おそらくこの戦略のもっとも極端なバージョンは〈錯覚説（イリュージョニズム）[9]〉だ。意識そのものが錯覚であり、何らかの理由で、進化の歴史が私たちに、実際にはないのに、意識という特性を持っていると信じさせている、という説だ。それが正しければ、意識は存在しないし、それを説明するというハードプロブレムもない。

ハードプロブレムについては、もっと言いたいことがあるのだが、今はそれを脇に置いて、もう少し狭い問題に移ろう。「機械は意識を持つことができるのか？」

他我(たが)問題

前に紹介したデネットの小説風エッセイに出てくるシリコン脳が意識を持つことができるかどうか、確かなことを知るのはむずかしい。理由のひとつは、自分以外の存在が意識を持っていることを確かめるのが困難だからだ。自分自身の主観的経験を通じて、私は意識を持っていると確信している。デカルトの「我思う、ゆえに我あり」の意識版は次のようになる。「我意識あり、ゆえに我あり」。しかしこれは、意識に関するひとつの事例しか教えてくれない。私以外については教えてくれないのだ。

これが、哲学者が〈他我問題〉と呼ぶものだ。どうすればほかの人が心を持っていることがわ

他者意識の問題：荘子と恵施と幸福な魚

かるのだろう？　そしてどうすれば、彼らの心がどのようなものか知ることができるのだろう？　これは、外部世界に関する懐疑論的問いかけに匹敵する懐疑論的難問だ。外部世界と同様に、私たちのほとんどは他人には心があると信じているし、何を考え、感じているか、わかるときがあると思う。しかし、どうすればそれを確実に知ることができるのだろうか？

　人間以外の動物には、他我問題の簡単なバージョンが生じる、有名な「知魚楽」という寓話がある。あるとき荘子が、跳びはねる魚を見て、彼らは幸福であると言う[10]。一緒にいた（荘子の論敵であり友人である）恵施（恵子）は言う「君は魚ではない。何が魚の楽しみか知るはずがないではないか？」。荘子は答える。「君は私ではない。私が知るはずがないということを、君はどうして知っているのか?」。恵施はどちらの場合も知ることはできないと答え、荘子はそれより楽観的である。この寓話は、いろいろな意味で使われているが、基本では、他我問題を見事に表現している。私たちはほかの動物や人の心の中で何が起こっているか知ることができるのか？　あるいはトマス・ネーゲルの言葉を借りれば、コウモリであるとはこのようなことだ、と言えるような事柄があることを、ほかの人間であるとはそのようなことだ、と言えるような事柄があることを、どうしたら知ることができるのか？（前ページのイラストは、この流れにそって寓話を解釈したものだ）

他我問題の核心は、他者意識[11]の問題だ。おそらく私は、他者が知覚し、記憶し、行動しているのを知ることはできる——もしも私がこれらの能力を意識から独立したものとして理解するのであれば。しかし、意識は私的で主観的なもののようで、他者の中にあることを観察するのは、非常にむずかしい。あなたの行動は、意識を持っていることを私に示唆するかもしれないし、あなたは意識があることを言葉で伝えさえするかもしれない。しかし、それは強力な証拠になるのか？　意識を持たないロボットでも同じことができるのではないか？

他我問題は次の質問として定式化できる。「ほかの人間が哲学的ゾンビでないことをどうやって知ることができるのか?」。哲学的ゾンビは見た目も行動も普通の人間と変わらないが、意識をまったく持たない存在で、その内面は真っ暗だ。哲学的ゾンビの究極の例は、意識を持つ人間の完全な物理的複製で、脳の構造は同じだが主観的経験を持たないものだ。

哲学的ゾンビが実在すると思っている人はほとんどいない。他者は意識を持っているとほとんどどすべての人が信じている。しかし、ゾンビというアイデア自体が、他我問題を提起するのに充分だ。私は少なくとも、他者が哲学的ゾンビであることを想像できる。普通の脳を持ち、普通に行動するが、意識を持っていない。私の知るかぎりでは、原子レベルでドナルド・トランプと同一だが、意識を持たない物理的構造が存在しうるという考えにおかしなところはない。くり返しになるが、私たちのほとんどが哲学的ゾンビ説は非現実的で、ありえないと思っている。しかし、一般的な懐疑論的問いと同じく、ここでの問題は、「どうすれば私たちは確実にそれを知ることができるのか?」ということだ。

哲学者はさまざまな目的で哲学的ゾンビを引き合いに出す。著書の『意識する心』の中で私は、唯物論への反論という形で彼らを使った。大まかな考え方としては、もしも哲学的ゾンビが存在するならば、物理的には私たちの世界と同じだが、意識が存在しない世界も存在する、というものだ。だが、私たちの世界には意識が存在する。ということは、私たちの世界は哲学的ゾンビの世界とは異なり、物理的構造の一段上に何かがあるということだ。ほかの哲学者は哲学的ゾンビを使って、意識の因果的役割とその進化上の機能について疑問を投げかけている。哲学的ゾンビが原理的に人間と同じことができるとしたら、なぜ進化はわざわざ人間に意識を持たせたのだろうか?

こうした物理主義批判の議論で哲学的ゾンビを使うというやり方は物議を呼んでいる。哲学的ゾンビを本当に想像することはできないと考える哲学者もいる。彼らによると、慎重に想像しても、かならず隠れた矛盾につきあたる。また、哲学的ゾンビを想像することはできるが、想像によって得られる現実に関する知識は多くないと主張する人もいる。さらに、意識は錯覚なのだから、私たち自身が哲学的ゾンビかもしれないと考える人もいる。

　私がここで哲学的ゾンビを用いているのは別の理由による。それはむしろ、次の問いを投げかけるためだ。「ほかの人間が哲学的ゾンビでないことを知るにはどうしたらいいのか？」。この答えがあるならば、大いに歓迎したい。

　人間から離れても他我問題は存在する。犬に意識があるとどうしてわかるのだろう？　さらに言うなら、赤ん坊に意識はあるのか、あるなら、いつからあるのか？　私たちのほとんどが、赤ん坊に意識があると考えるが、どうやって確かめればいい？　デカルトは、犬は単なるオートマトン、つまり哲学的ゾンビだと考えた。かつては、赤ん坊は生まれたときは意識がないと信じられていた。長いあいだ、割礼の際に麻酔をしなかったのは、赤ん坊は痛みを意識することができない、と考えられていたからだ。言いかえると、意識に関して赤ん坊は哲学的ゾンビと同じだとみなされていたのだ。現在では、この考えはありえないとされているが、それがまちがいだという決定的な主張をするのは容易ではない。

　実際に私たちにできることのひとつは、意識に関する神経的あるいは行動的な特定のマーカーを見つけることだ。それは私個人あるいは一般的な人の場合でも、意識と相関があるように見える物理的状態であり、それをマーカーとしてほかの事例にまで拡大して評価することができる。おそらく意識的ふるまいに関するマーカーとして最良なのは、痛みを感じたときに言葉でそれを報告することだ。自分の場合、こうした報告はたしかに意識と相関している。他者も意識を持つと仮定すると、他者の場合でも、言葉が意識のマーカーになると推察できるのは当然のことだ。一方で、言葉を持たない動物や赤ん坊の意識は、言葉による報告で判定することはできない。しかし、痛いというふるまいなどの行動マーカーは、私たちの意識と相関があり、動物や赤ん坊にも見られるものだ。また、同じような役割を持つ、脳の物理プロセスと意識との相関関係も利用できる。いずれも、ほかのシステムが意識を持つことの絶対的な証拠ではないが、少なくとも合理的な例であることは確かだ。

他我問題を完全に解決するには、どのシステムに意識があり、どれにないか、また、それらの意識がどのようなものであるか教えてくれる、意識に関する完全な理論が必要かもしれない。だが、そのような理論はまだない。そのため今のところ、他者の心について推論するには、意識の科学に由来する経験的マーカーや、意識と行動を結びつける理論以前の原則や、意識はどこにあるのかという哲学的な推論に頼らざるをえない。

機械は意識を持つことができるのか?

機械の意識の問題は、他我問題の中でもとくにむずかしいバージョンだ。どうしたら機械に、たとえば『新スター・トレック』に登場するアンドロイドのデータのような機械に意識があるとわかるのだろう?　サイバネティクス学者のマドックスなら、データはまったく意識を持たないシリコン製のゾンビだと言うだろう。データの基本構造は人間とまったく違うし、生物学的な脳も持っていない。そのため、脳プロセスを意識の証拠として使うことはできない。たしかにデータは、私たちが意識と関連づけるようなふるまいをする。それは大きな心理的影響を持つが、基本構造の異なるシステムにおいて、それがどの程度重要な証拠になるのかはわからない。

ここでは、ひとつの機械に焦点を当てる。脳の完全シミュレーションだ。シミュレートされた脳はコンピュータ上で動くデジタルシステムだ。もしも、ひとつのデジタルシステムが意識を持つことを立証できれば、デジタルシステム全般が意識を持てない理由はなくなり、門戸は大きく開かれることになる。ほかの機械と比べ、シミュレートされた脳は人間の脳との類似性が最大であるという利点を持つために、推論はしやすい。たとえば、どのシステムに意識があるかについて、完璧な理論は必要でない。なぜなら、すでに意識があることがわかっている私たち人間の例から始められるからだ。そして、私たちがデジタル意識についてあれこれ考えている主な理由は、シミュレーション世界や脳のアップロードにあるが、シミュレートされた脳はそれらへの理解を助けてくれるのだ。

脳の活動はどのようにシミュレートすればいいのか？　すべてのニューロンはもちろん、脳内のグリア細胞〔神経系を構成するニューロン以外の細胞〕やそのほかの細胞も完璧にシミュレートする、と考えることは可能だ。ニューロン間の相互作用や電気化学的な活動、血液の流れなどの活動も、すべてシミュレートする。脳の働きに影響を与える物理的プロセスが脳内にあるなら、それもシミュレートする。話をわかりやすくするために、ここから先は、シミュレートする必要があるのはニューロンだけという単純化した前提を採用しよう。だが、私の述べることはどれも、この前提がなくても成り立つことだ。

脳をシミュレートするのは不可能だと言う人がいるかもしれない。ここでは脳が物理的システムであり（仮定1）、したがってコンピュータでシミュレート可能な法則に従っている（仮定2）と考えている。現在わかっている証拠はこのふたつの仮定に味方している。この仮定が正しければ、コンピュータによる脳のシミュレーションは可能なはずだ。ただし、これらの仮定は、ニューロンレベルのシミュレーションがうまくいくことを保証するものではない。脳プロセスのシミュレーションを成功させるには、おそらく基礎にある物理レベルまで降りなければならないだろう。目的に応じた物理レベルのシミュレーションが必要となる。

脳のシミュレーションは、私たちの目的に大きな利点をもたらす。私たちが機械になれる可能性[12]が出てくるのだ。そうすれば、機械が意識を持つかについて、一人称の証拠を得られる。シミュレートされた脳になるにはどうしたらいいか？　単にシミュレーションをつくるだけでは、不明な点が多く残る。もしもオリジナルの脳が完全に残っていれば、おそらくそちらがオリジナルの人間だと言われるだろう。オリジナル脳を壊すという手もあるが、その大胆な一歩は、アイデンティティに関する問題すべてを未解決のままにしてしまう。あなたがシミュレートされた脳になったのか、それとも、完全に新しい人間がつくられたのだろうか？

シミュレートされた脳になるもっとも安全な方法は、段階を踏んでいくことだ。これは、〈段階的アップロード[13]〉と呼ばれることもあるプロセスだ。あなたの脳を1個の細胞（またはひとつの領域）ずつシミュレートしていく。それぞれの細胞のシミュレーションをつくり、受容器や効果器〔神経系の指令により、外界への働きかけをおこなうための細胞や器官〕を介して、近くの生体細胞と相互作用するように手はずを整える。最初は、元の細胞のほんの一部がシミュレートした細胞に置きかわる。作業が進むと、多くの細胞が入れ替わり、近くの細胞が完全にシミュレートされた形で相互作用できるようになる。やがて、入れ替わりは脳の4分の1に、半分に、4分の3に達し、最終的には完全にシミュレートされた脳ができあがる。この脳のシミュレーションは、効果器によって元の肉体に接続されるかもしれないし、肉体自体もシミュレートされるかもしれない。

このアップロードプロセスは、数週間かけて実施されるだろう。最初に少しだけ細胞が入れ替わったところで、あなたはひと休みする。少し意識が朦朧（もうろう）としているかもしれないが、それ以外は普通の感覚だ。シミュレートされた細胞は、元の細胞とまったく同じようにふるまい、同じ行動を表すわけだから、あなたは普通の行動をとることになる。だから、あなたはきっと「自分には意識がある」と言う。

シミュレーションが充分に正確なら、同じことがどの段階でも起こるだろう。だれかが「気分はどう?」と尋ね、あなたは「気分はいいよ」とか、「お腹がすいた」「痛い」「退屈している」などと答える。くり返すが、ニューロンが私たちの行動を制御していて、それが完璧にシミュレートされているならば、シミュレーションからも同じような答えが期待できる。

最後の段階では、あなたの脳は完全にシミュレーションに置きかえられている。ふたたび「気分はどう?」と訊かれ、あなたはやはり、普通の答えを返す。シミュレーションがうまくいっていれば、あなたは「意識がある」と言うはずだ（少なくとも、アップロード前に自分に意識があると確

段階的アップロードを実施するスーザン・シュナイダー

信していた人であれば）。そしてあなたは、これは機械が意識を持ちうるという完全に説得力のある証拠なのだと言うだろう。

２０１９年に出版された『人工的なあなた（*Artificial You*）[14]』で、アメリカの哲学者スーザン・シュナイダーは、機械が意識を持つことと、アップロードプロセスで意識が保たれることに、懐疑的な意見を述べている。シュナイダーは、自分がアップロードされたら、哲学的ゾンビになりそうだと言う。「私はまだここにいる」「私は意識がある」と答えるかもしれないが、それはゾンビが言いそうなことだ、と彼女は記している。

しかし、シュナイダーのような懐疑論者を困らせる質問がいくつかある。たとえば、段階的アップロードによってあなたの行動は保存されるが、意識は失われるとしたら、「プロセスの途中で意識に何が起こったのか？」と尋ねればいいのだ。おそらく、少しの生体ニューロンがシミュレーションに置きかわっただけでは、意識は完全に残っているはずだ。では、脳の４分の１が入れ替わったあとはどうだろう。イラストに描いたように半分では？　意識は徐々に薄れていくのだろうか？　それとも、突然に失われるのだろうか？

『意識する心』の中で、私はこれを〈フェーディング・クオリア（ぼやけていくクオリア）議論〉と名づけた。というのも、意識経験の質（クオリア）は、徐々に薄れていくかもしれないという見方に焦点を当てているからだ。機械が意識を持つことに懐疑的な人がフェーディング・クオリア議論でとりそうな立場はふたつあるようだ。

まずひとつ目、意識は突然消えてしまう。つまり、ある段階で1個のニューロンが入れ替わるだけで、完全に意識がある状態からまったく意識のない状態になる。この特殊な不連続性は、自然界では見られないものだ。おそらく、1個のニューロンをとり替えるだけで意識が停止するなら、脳のかなりの部分も停止するはずだ。しかし、優秀なシミュレーションに置きかえられるのならば、残りの脳は影響を受けない。したがって、1個を置きかえても機能は維持されるに違いない。さらにこの事例をより一般化して、重要なニューロンを1個単位ではなく、より小さなレベルで一部分ずつ置きかえていくやり方をとることができる。そうすれば最終的に、その交換が完全に意識を消滅させるような重要なクォークを見つけられるかもしれない。だが、この〈重要クォーク説〉は、重要ニューロン説よりも、ありえないように思われる。意識が突然消えてしまうよりも、徐々に消えていくほうがありそうだ。

ふたつ目の選択肢は、意識は徐々に薄れていき、完全ではないものの、ほとんど消えかけているという状態に到達する。あなたの元の意識の一部は残っていて、一部は消えている。あるいは、すべてが少しずつ薄くなっているのかもしれない。しかしあなたのニューロンは完全シミュレーションに置きかえられているので、あなたの行動はまったく正常だ。このプロセスを通じて、あなたは、自分には完全な意識があり、消えていく意識の経験ではなく、正常な意識経験があると言う。だからこの場合、シュナイダーのような懐疑論者は、自分に意識があると錯覚しているのだ、と言わざるをえない。意識が薄れていく途中の地点では、あなたはまだ意識を持つ存在で(ゾンビではない)、非合理な行動を示すことはない。それにもかかわらず、あなたは元の意識とは完全に離れているのだ。実際には薄れていっているのに、あなたは正常だと錯覚している。これもかなり無理がある話だ。

以上の懐疑的な考えに対し、以下の説ははるかに説得力がある。あなたの意識はすべての段階で損なわれず、プロセスの最後まで存在するというものだ。この説は、意識が薄れていったり突然消えたりするというような信じがたいことを避けられ、またほかの説のような反論を受けることもない。そして、この説は、シミュレートされた脳が意識を持ちうるという結論をもたらす。少なくとも、あなたが段階的アップロードによりシミュレートされた脳になるという特殊な場合では、シミュレーションは完全に意識を持つ。

ここまでくれば、少なくとも元の脳に意識があれば、シミュレートされた脳は一般的に意識を持つことができるという結論に至るのは自然だ。どんな意識システムでも、段階的アップロードのシナリオによりシミュレートされたバージョンになることができる。そして、上記のような推論によって、シミュレートされたものに意識があることが示される。段階的アップロードは、おそらく元の脳から魂も一緒に持ってくるので、その方法だけが意識を持つシミュレーションをつくるのだ、という意見も出そうだ。しかし、これでは意識を一様のものとしてとらえられなくなるし、魂が宿っているかどうかに意識の有無を依存させてしまうと、ほとんどすべてのシステムが哲学的ゾンビになる恐れが生ずる。あるシミュレートされた脳に意識があれば、ほかの脳のシミュレーションすべてに意識があると考えるほうが、説得力がある。

結論

私が正しければ、シミュレートされた脳は意識を持ちうる。正確には、生物学的な脳を持つシステムに意識があるなら、その脳の完全シミュレーションを持つシステムにも同じく意識があり、同じような意識経験を持つだろう。

この結論は、シミュレーション説にかかわる含意を持つ。純正シミュレーションでは、通常、多くのシミュレートされた脳が存在する。もしも元の世界にたくさんの意識のある生き物がいるのなら、本書の議論に従うと、そのシミュレーションにも、同じ数の同じような意識を持つ存在がいることになる。ということは、私たちの意識の存在は、純正シミュレーション説を否定するものではない。シミュレートされた現実にも、元の現実にも、等しく適合する。さらにここで、意識は基体中立であると考える充分な根拠が存在するので、シミュレーション説（第2章）、シミュレーション論証（第5章）の大きな障害のひとつを覆すことになる。

シミュレートされた心が真の心であると示したことで、VRは真の実在だという主張が強化された。これらの議論はまた、シミュレートされた脳が人工システムに含まれるかどうかにかかわらず、人工意識がより一般的になる見通しを支持するものだ。ひとつのコンピュータシステムが意識を持つことができるとわかれば、意識を持つコンピュータが複数存在することも充分に期待できる。

最終的に、これらのことで精神アップロードの見通しはよくなる。アップロードの障害となりうる3つの要素は〈知能、意識、アイデンティティ〉だった。アップロードされたシステムは、人間のように知的にふるまうのか? 人間の脳と行動が、シミュレート可能な法則にのっとっているかぎり、同じようにふるまうと思われる。アップロードされたシステムに意識はあるのか? 私はありえると言った。段階的にアップロードしていくのであれば、プロセスの最後まで意識を保持できるという説には強い説得力がある。

最後の難関であるアイデンティティについてはどうか? 私が自分の脳をアップロードしたならば、シミュレートされた脳は私になるのか? それはケースバイケースだろう。アップロード後も元の脳が生きている〈非破壊的アップロード〉の場合、多くの人が「自分は元の脳に存在して、シミュレーションは新しい別人」だと直感的に思うはずだ。〈破壊的アップロード〉の場合は元の脳が破壊されるので、おそらく多くの人が、元の人間は死に、新しい人間が創造されたと受けとめるだろう。[15]

私たちが生きつづけるための最良の事例は、くり返すが、段階的アップロードだ。たとえば、私の脳が毎日1パーセントずつ入れ替わっていくとしよう。1日目の終わりに、私は同じ人間だと考えるのが妥当だ。2日目の終わりでは、前日と1パーセントしか変わっていないのだから同じ人間であり、それはつまり、スタート時と同じ人間だと思える。それが最後まで続く。アップロードで起きていることは、原理的には、生物学的な脳に起こることと同じだ。なぜなら、人間の脳にあるニューロンの多くも長い時間をかけて置きかわっていくからだ。一度に新しい脳をつくると、新しい人間ができるかもしれないが、段階的に置きかえていけば、元の人間がそのまま残る。

哲学にはままあることで、保証はない。しかし、もしも私が自分の脳をシミュレーションにアップロードする機会があれば、私は段階的アップロードを選ぶ。それがプロセスを通して生き残り、同時に意識を持ちつづける最良の方法だと思えるからだ。

第16章
ARは心を拡張するのか?

　イギリスのSF作家チャールズ・ストロスが2005年に発表した『アッチェレランド[1]』で主人公のマンフレッド・マックスは、彼の心の機能の多くを引き受けているグラスを装着している。グラスはマックスの記憶を蓄えていて、ものや人を認識して教えてくれる。情報を集め、決断をくだしてくれる。ストロスは書いている。「きわめて現実的な意味で、このグラスはマンフレッドだ。レンズの後ろにある眼球を持つソフトマシンのアイデンティティがだれであるかに関係なく」

　グラスを盗まれたとき、マンフレッドはほとんど何もできなくなった。ほかのグラスを借りて、彼の機能の一部を蓄えてあるクラウド上の「メタ大脳皮質」に接続した。彼の記憶と人格は少しずつ戻ってきた。

　私たちはまだこんなグラスを持っていないが、この数十年でテクノロジーが脳の機能を引き受けるようになってきた。スマートフォンは私たちのために電話番号と予定を記憶している。地図ソフトはナビゲーションをしてくれる。インターネットは知識の倉庫となっている。私たちはよくカメラを通してものを見、デジタルメッセージでコミュニケーションをとる。携帯できる技術が発達したので、私たちはほとんどの時間でそれらを持ち、体の一部のようにそれを使う。

マンフレッドのようなグラスはやがて開発されるだろう。第12章で見たように、AR（拡張現実）グラスは私たちの視野にコンピュータがつくった映像を映すことで、物理的世界における私たちの通常の知覚を拡張するものだ。

ARの興味深い一面は、世界と心を同時に拡張することだ。ARが私たちのまわりにある環境にバーチャルのスクリーンやアート、建物を加えることで世界を拡張することはすでに見てきて、私はそれらを外的実在の一部として真剣に考えるべきだ、と主張してきた。

それ以上にARの魅力的な点は、心の機能を引き受けられる可能性だ。自動認識システムは人を特定し、その人が部屋に入ってきたときに名前を表示してくれる。ナビゲーションシステムは道を教え、行き先を示す表示を直接に届けてくれる。デザインシステムは空間をデザインし、新しい建物が周辺の景観をどう変えるかを見せてくれる。カレンダーは行事の予定と場所を教えてくれる。コミュニケーションシステムは人と連絡をとりあえるようにし、遠くの人を同じ空間に存在させ、まるでじかに話をしているように感じさせてくれる。

要するに、今のAR技術はストロスが「エクソコーテクス（外部脳）」と呼ぶもの、つまり「外にある私たちの脳」の一部を実現しているのだ。哲学者はこれを「拡張した心」[2]と呼んでいる。

アンディ・クラークのARグラスは彼の心を拡張するのか?

拡張した心

１９９５年、私は同僚のアンディ・クラークと「拡張した心」というタイトルの小論文を書いた。人間が利用しているテクノロジーが人間の心の一部となりうることを論じたものだ。私たちはセントルイスにあるワシントン大学で、哲学、神経科学、心理学の新しいプログラムに共同でたずさわっていた。アンディはその環境で、メモ帳やコンピュータや、他人さえも含む「ツール」が脳の一部として同じような役割を果たしていることに興味を持った。これらのツールがあるゆえに、心は頭蓋骨や皮膚の下にしかないという考えを却下するべきだ、とアンディは思った。彼の考えは私に響き、世界にあるものが心の一部になりうるという主張を支援するような議論をしよう、と私は提案した。私たちはふたりとも、イギリスの進化生物学者のリチャード・ドーキンスが１９８２年に著した『延長された表現型――自然淘汰の単位としての遺伝子』[3]の影響を受けていた。その本でドーキンスは、進化した生物有機体は環境の中へ拡張されうる、と唱えており、私たちは人間の心でも同じことが言えると考えたのだ。

その論文を３つの主要な哲学専門誌に送ったが、すぐにどこからも掲載を断られた。当時、私たちの主張はおもしろいが珍奇で、真剣に受けとめるには急進的すぎるととらえられたのだ。「コンピュータやメモ帳は心のためのツールではなく、心の一部だって？　違うに決まっている」。だが、私たちの論文は3年後の１９９８年に掲載され、人々は少しずつ心の拡張という考えに注意を払うようになった。現在までに心の拡張という研究テーマはちょっとしたブームになっていて、数百本の論文と多くの本[4]が世に出ている。

論文執筆当時に戻ると、私たちが心の拡張の例としたのはコンピュータではなく、質素なメモ帳だった。私たちはニューヨーカーでアルツハイマー病をわずらっているオットーという男性から話を聞いた。彼はメモ帳に重要事項を書きとめ、あとで思いだすために利用していた。私たちは、健康で普通に頭で記憶しているインガという女性とオットーを比較してみた。ある日、オットーはニューヨーク近代美術館（ＭＯＭＡ）に行きたいと思い、住所を調べてメモ帳に書きとめ、その53丁目に向けて出発した。インガも記憶に従って美術館を目指した。オットーのメモ帳は記憶の補助ではなく、インガの生物学的記憶と同じように、オットーの記憶の一部だ、と私たちは

インガとオットー：オットーの外部記憶は彼の心の一部なのだろうか?

思った。オットーは美術館が53丁目にあると信じたが、それはメモ帳にそう書いてあったからで、インガが自分の脳に蓄えていた情報を信じたのと同じなのだ。

ニューヨーク大学で私の同僚のネッド・ブロックは、〈心の拡張説〉は私たちが論文を書いた1990年代には真実ではなかったが、その後真実になった、という言い方を好んでいる。その大きな理由は、スマートフォンの登場とインターネットの普及だ。スマートフォンの時代が到来して、かつてバカげていると思えた仮説も、今では疑う余地のない真実になった。もちろん、私のスマホは私の心の一部で、スマホなしでは私は機能しない。インターネットも同じだ。ウェブコミックのｘｋｃｄで「拡張した心」というタイトルのマンガが連載されたが[5]、その宣伝文句は、「もしもウィキペディアのサーバーが止まったら、私のＩＱは30ポイントは落ちるだろう」だ。

これまでも長いあいだ、人間の環境に属するものが人間の脳の機能を果たしてきた。たとえば指がそうだ。だれかが最初に指を使って数を数えたときに、数えるというプロセスの一部は脳から体に移ったのだ。だれかが最初にそろばんなどの計算器具を使ったときに、計算という作業は脳から道具に移った。だれかが最初に書きとめるという行為をしたときに、記憶する作業は脳から書かれた記号に移った。指や計算機器や記号は、脳と体の両方に及ぶ数える、計算する、記憶するという心的プロセスの一部となったのだ。

拡張した心の例としてはメモ帳や指を使って数えることが適当だが、コンピュータはその概念をいっそう拡大するものだ。コンピュータ時代の先駆者たちも[6]、コンピュータが心の拡張に役立つことを考えていた。早いところでは、１９５６年、サイバネティクスの先駆者であるＷ・ロス・アシュビーはコンピュータの役割について、「知能を増強させるもの」と語っている。のちのインターネットにつながるコンピュータネットワークの概念を示したコンピュータ研究者のＪ・Ｃ・Ｒ・リックライダーは、１９６０年に「人間とコンピュータの共生」というマニフェストを発表し、次のように記した。

そう遠くない未来に、人間の脳とコンピュータが緊密に結びつき、その連携によって、これまで人間の脳が考えなかったように思考し、われわれが知る情報処理機器にはないアプローチでデータを処理するようになることが期待できる。

パーソナルコンピュータの時代は１９７０年代後半から始まったが、多くの机の上にコンピュータが置かれることで、脳とコンピュータが緊密に結びつくというリックライダーのビジョンに近づいていった。それでも脳とデスクトップコンピュータの結びつきはゆるく、人間が机から離れるたびに失われるものだった。だが、モバイルコンピューティングの時代が到来し、２０００年代なかばにスマートフォンが登場すると、一気にリックライダーのビジョンは実現し、日常生活の一部となったのだ。今やモバイルコンピュータはどこにでもある。私たちはどこでもスマホを手にでき、ほとんどの場合で利用可能だ。私たちの記憶として、ナビゲーションシステムとして、コミュニケーション機器として役立っている。インターネットによっても脳とコンピュータは密に結びつき、１、２回のクリックで幅広い情報を得られる。人間がスマホやインターネットと結びつくことによって心の拡張は大きく跳躍した。

心を拡張するツールとしてＡＲはスマホを超えるかもしれない。現在のモバイルコンピュータはアクセスするためにいくつかの作業が必要だ（立ちあげ、正しいアプリを見つけ、情報を検索する）。もっと緊密に結びつけるはずで、心の拡張においてはつなぎ目がないこと（シームレス）が重要だ。20世紀ドイツの哲学者マルティン・ハイデッガーは、トンカチなどのツールを使うときに基本にあるのは、「すぐに使える」ことだとみた。[7] それならば、ほとんど意識しないで使うことができる。この場合トンカチは私たちの体を拡張することになる。同じようにスマホなどのツールがもっと「すぐに使える」ようになれば、心は拡張されやすくなる。

ARグラスは特別なシームレスを約束してくれる。必要なときにすぐに情報を与えてくれる。装着していれば、グラスを探す手間がかからない。必要な情報がすぐに視界に現れる。つけ心地はよく、ARグラスの存在に気づかないほどだが、これがコンタクトレンズになって、一日中つけていられる未来は容易に想像できる。

AR機器によってどの種類の心的プロセスが拡張されるのだろう？　まずスマホが拡張したものは、よりシームレスに拡張されるだろう。具体的には、記憶（だれかの誕生日を覚えている）、ナビゲーション（美術館に行く）、意思決定（食事場所を決める）、コミュニケーション（友人と会話をする）、言語処理（翻訳する）などだ。しかし、私たちの知覚システムと没入的に結びつくことで、新しい拡張の道が開ける。

ARが赤外線感知技術と結合すると、肉眼では見えないものが見えるようになる。対象認識においてAIと結合すると、これまでは特定できなかったものや人がわかるようになる。これらの場合、機器は色覚や対象認識を扱う脳の部分とよく似た働きをする。今や私たちの知覚システムはそうした機器を含んだものにまで拡張しているのだ。

ARはまた私たちの想像力をも拡張する。第12章で見たように、ソファを買いたいとき、候補のソファがわが家のリビングに合うかどうかを、かつてはみずからの想像力で判断していたが、今ではAR機器が手伝ってくれる。建築家はずっと前からさまざまな設計技術を利用して心を拡張しているが、ARはとくに新しい建物のイメージをつくるのにきわめて有効だ。またARを使えば、家にいながら新しい服や新しい髪型が自分に合うかどうか確かめられる。

心の拡張に関してAR機器はまだ序の口にすぎない。脳とコンピュータをリンクさせるために、ARはまだ通常の知覚や動きに頼っているからだ。私たちはAR機器から関連情報を見聞きするが、そうした目や耳への刺激によって機器は脳に影響を与えている。私たちは機器に話しかけたり、目や唇や手を動かしたりすることで機器に影響を与える。顔を認識するフェイストラッカーや手の動きを認識するハンドトラッカー、神経シグナルをモニターする特別なリストバンドなどを使うことで機器を動かす。ここでも知覚的考量や何かしらの行為に頼っているので、拡張した認知の反応は遅くなってしまうが、もっと効率的な心の拡張技術はすぐそこまで来ている。

現在、ブレイン・コンピュータ・インターフェース（BCI）の研究が盛りあがっている。センサーが人の頭の表面や脳の内部の電気活動をモニターし、センサーから入力を受けたコンピュータが行動を起こす。このBCIは、重度に体の麻痺（まひ）した人が頭に思い浮かべるだけで、車椅子を操り、義手を動かすことを可能にする。前進させたいと思うだけで、車椅子は前に動く。今のところまだ制約の多いテクノロジーだが、数十年のうちに、頭で思うだけで機器とのコミュニケーションがうまくとれるようになるはずだ。さらに脳の知覚システムとじかに接続すれば、目や耳が情報を伝える過程がなくなり、グラスやスクリーンは不要になる。

この段階になれば、心はシームレスで機器にまで拡張される。私たちはどこに行きたいか考えるだけで、BCIが私たちの視野に目的地までの道順を示すか、あるいは直接に思考プロセスに示してくる。同様のテクノロジーが人の認識や複雑な計算を可能にしてくれる。マンフレッド・

マックスのグラスのように機器は日常のものになるのだ。

心の拡張の最終段階は、前章で紹介したように、私たちの心が脳からコンピュータにアップロードされたときに訪れるだろう。これが実現すると、複雑なＡＲ機器やＢＣＩは不要になる。私たちはコンピュータ上に存在し、私たちの内的プロセスは、２台のコンピュータが連係するように簡単に外部システムと連係できる。ここに至れば、生物の境界である皮膚や頭蓋骨はなくなるので、内と外の境界はぼやけて、ほとんどわからなくなる。私たちはいまだに心を持っているが、脳や心の境界がどこにあるかについて話すのは無意味になるのだ。

心の拡張説に関する議論

心の拡張説は、身のまわりにあるツールが文字どおり心の一部になる、と言っている。急進的すぎると考える人も多い。心は内的なもので、テクノロジーはそれに仕えるツールにすぎない、という見方は反対意見がしばしばよりどころにするものだ。この見方は「埋めこまれた認知」と呼ばれることもある。心が拡張しているのではなく、高い能力を有する環境的ウェブの中に心が組み込まれているにすぎない、と主張する。

ここまで私はみずからの主張をすることなく、仮説を語ってきた。しかし、私とアンディの論文では、ふたりの人物を登場させて、鍵となる議論を展開した。ひとりはオットー。アルツハイマー病でメモ帳に書きとめることで記憶している。もうひとりはインガで、生物学的記憶に頼っ

イシとオマルはオペラハウスのことを考える前に、そこまでの行き方を知っていたのだろうか？

ている。あの論文の主張を、ARが加わった最新バージョンにアップデートしてみよう。

シドニーに住んでいるイシとオマルはともにオペラハウスに行きたいと思った。イシはテクノロジーで強化されていないので、オペラハウスを思い浮かべ、道順を思いだして、歩いていった。オマルはマンフレッド・マックスのように何をするにもARグラスに頼っている。グラスに「オペラハウス」と話しかけると、グラスが道順を映しだしたので、歩いていった。

イシはオペラハウスを思い浮かべる前から道順を知っていた。その知識は彼女の記憶にずっと収まっていたからだ。一方、オマルはグラスが道順を教えてくれるまで、行き方を知らなかった。ではその前はどうだろうか？　イシはその生物学的記憶に知識があったので、ずっと知っていたと言えるが、オマルも彼のデジタル記憶に知識があったので、ずっと知っていたのだ、と心の拡張説は唱える。オマルのデジタル記憶は、イシの生物学的記憶とまったく同じ役割を果たしているのだ。ここから次のように論証できる。

前提
1．イシの内部記憶は真の知識だ。
2．オマルの外部記憶はイシの内部記憶と同じ役割を果たしている。
3．もしも内部記憶と外部記憶が同じ役割を果たすのならば、両者は等しく知識と見るべきだ。
結論
4．ゆえに、オマルの外部記憶は真の知識だ。

オマルは脳の外にあるARグラスに情報を蓄えているにもかかわらず、彼はものを知っている、という結論になった。彼の知識はこの世界に存在している。グラスに蓄えられたデジタルの記憶はオマルの知識の一部なので、彼の心の一部なのだ。

3つの前提はすべて説得力がある。一方で、すべてが否定されることもありうる。そうした否定から、心の拡張説に対するもっとも有名な異議のいくつかが生まれている。

前提1を否定する者は次のように言う。「イシはオペラハウスへの道順を意識して考えるまでは知らなかった」。この異議の問題点は、この見方では、だれも意識して考えないかぎり何も知らないことになってしまうことだ。それは思考や知識に関する一般的な見方と大きく食い違っている。あることに関する知識は、考えるのをやめたからといって消えることはない。私たちの知識は心の一部ではあるが、ほとんどは意識の外にある。

アンディと私が、意識も環境へ拡張しうる、と述べていない点は重要だ。むしろ、この説は心における意識を含まない多くの部分に適用されるのである。たとえば記憶や、心の背景にある信念などだ。すると哲学者のブリー・ガートラーが、それらは心に属さないと異議を唱えてきた。意識のある状態だけが心に属するのだと。だがそのように心の範囲をせばめてしまうと、人間を人間たらしめている要素の多くが心から取り除かれてしまう。なぜなら、私たちの希望や夢、信念や知識、性格は主に意識の外側にあるからだ。

また、イシとオマルの違いを指摘して、前提2を否定する者もいる。たしかにふたりのあいだには違いがいくつかあるが、知っているかどうかを左右するほどの違いは見つからない。第一に、オマルのデジタル記憶はグラスをはずすとアクセスできなくなるが、イシの生物学的記憶も似たところがあって、ひどく酔っ払うとアクセスできなくなるだろう。第二に、オマルのグラスはだれかに改竄(かいざん)される恐れがあるが、イシの脳もその恐れはある。第三に、オマルのデジタル記憶はイシの生物学的記憶とは違って、ほかの記憶と統合されないかもしれないが、統合されなくても記憶であることに変わりはない。第四に、オマルのデジタル記憶には他人に植えつけられた情報が含まれているが、その情報を不適格とみなす理由は明確ではない。神経外科医がイシの脳に記憶を埋めこんだとしても、それらの情報は彼女の記憶だし、心の一部なのだ。

鍵となる前提は3で、これはときどき〈パリティ(等価性)の原則〉と呼ばれるものの一バージョンだ。それは、内的プロセスと外的プロセスが同じ役割を果たすときに、それがいつ心の一部になるかは同等の条件に従う、というものだ。心にとって皮膚や頭蓋骨という境界は特別なものだ、という理由でパリティの原則を否定する者もいる。だが私たちにとってそれは一種の生物学的ショービニズム（排外主義）に見える。皮膚や頭蓋骨のショービニズムと言えるかもしれない。皮膚や頭蓋骨を境界として心に属するかどうかを分ける意味はあるのだろうか？

パリティの原則は、外部記憶が正しい役割を果たしているときには、真に心の一部だ、と唱える。役割を果たすために外部記憶は、私たちに密着した状態でいて、生物学的記憶と同じくらいいつでも信頼して利用できなければならないし、自分の記憶と同じくらい信用できるものでなければならない。本棚に収められた情報のほとんどは拡張された心とはみなせない（簡単に利用できるという条件に欠ける）し、インターネットの情報の大半も同じだ（信頼性と利用可能性が足りない）。だが、いつも利用していて信頼できる特別なシステムならば、心を拡張するだろう。たとえば、オットーのメモ帳やスマホのアプリの一部、ＡＲグラスがそれに該当する。

また、場合によっては他人が拡張した心の一部になることもある。たとえば、アーニーとバートは長年のパートナーだが、アーニーの生物学的記憶がうまく働かなくなったので、彼はバートに重要な人や事実を覚えてもらっている。バートが確実に助けてくれて、アーニーが信頼しているならば、バートはアーニーの記憶の一部となっている、と言えるだろう。アーニーの心はバートを含むまでに拡張したのだ。

人間とコンピュータが「緊密に結びつく」べきだというリックライダーのアイデアは、信頼と利用可能性によって具体化される。スマートフォンはメモ帳よりも両者の結びつきを強くし、ＡＲはさらに強くする。ＡＲシステムと人間の脳との結びつきは、より緊密になれる余地が多くあるが、ひとたびＢＣＩと脳のアップロードが達成されれば、その結びつきは、人間とその脳と同じくらい緊密になるだろう。

拡張した心がもたらす結果

テクノロジーで心を拡張することは良いことなのか悪いことなのか？　何年ものあいだ、激論が交わされている。テクノロジーを中心とした社会的、文化的、経済的問題を論じるアメリカの著述家ニコラス・カーは２００８年、アトランティック誌に「グーグルは私たちを愚か者にするのか？」というタイトルでカバーストーリーを書き[8]、インターネットは人間にみずから考える気持ちを失わせる、と主張した。「ネットは、集中し、熟考する力を私から少しずつ奪う」

哲学においてこの見方は新しいものではない。対話篇『パイドロス』でプラトンは二柱の古代神に、文字の発明はエジプト人を賢くし、記憶力を向上させたかどうかを議論させている。ソクラテスは悪い方向に向かったと考えていたようで、タムス神の次の言葉を述べている。

あなたたちのこの発明は、学ぶ者が記憶力を使わなくなるので、その魂に忘却をつくり出すだろう。彼らはみずからの記憶ではなく、外にある書かれた文字を信じる。……彼らは多くを聞くだけで、何も学ばなくなるだろう。一見、博識のように見えるが、じつは何も知らない。現実味のない知恵をひけらかすだけの退屈な仲間になるのだ。

ソクラテスは続ける。「書き物がもっとも役に立つのは、せいぜい覚えていることの備忘録となるくらいだ」。そして、「口伝で教えられ、伝えられた正義と善性と高潔の原則だけが……明快で完璧で重要なのだ」。これが理由でソクラテスは、自分の哲学を伝えるのは伝統的な口伝に頼り、何も書かなかったのだろう。ソクラテスの考えは弟子のプラトンが書き残したことで不滅となったのは、皮肉なことだ。

心の拡張説はテクノロジーに対してもっと肯定的な見方をする。書くことは私たちの知識と記憶を減らすのではなく、反対に増強する。グーグルによって私たちは愚かになるのではなく、逆に賢くなる。そうしたツールにより拡張された心は、以前よりも多くのことを知り、多くのことができるようになる。

心の拡張がなされなければ、脳は以前ほど多くを覚えられなくなるのは本当だ。本をまわりに置けるようになって以降、知識を生物学的記憶にとどめる必要性は減った。同様に、グーグルの時代には一時的に住所や電話番号などを覚える必要はなくなったので、仮にグーグルがなくなれば、私たちの知っていることは減ってしまう。だが、これはほとんどすべてのテクノロジーに当てはまることだ。車に頼るようになると、人間の歩き、走る能力は衰えた。暖房機器が出てくると、寒さへの耐性が弱まった。本やコンピュータや車、暖房機器をとりあげられたら、私たちは途方に暮れるだろう。だからといって、テクノロジーは悪いことだと言えるだろうか？　本やコンピュータや車、暖房機器は私たちの生活の中心にあり、ほとんどの場合で暮らしをよくしている。書き物やインターネットについても同じだ。

もちろん、テクノロジーがよい結果だけをもたらすわけではない。どんなテクノロジーにもマイナス面はある。印刷機が発明されたあと、ライプニッツは「大量のひどい本が出回ることで、未開の状態に逆戻りしてしまう」ことを憂慮した。自動車は環境に悪い影響を与えつづけている。インターネットはすばらしいことの原因にもひどいことの原因にもなっている。

哲学者のマイケル・リンチは、インターネットは私たちにより多くの知識を与えてくれるが、理解度が落ちていることもある、と言う。

今日、もっとも簡単で早く知る方法はグーグルで知ることだ[9]。これは検索エンジンからの知識だけではなく、広くデジタル手段により知ることを意味していて、私たちはますますそれに頼るようになっている。それは良いことにもなりうる。しかし、ほかの方法で知ることが弱体化される恐れもある。ほかの方法は、もっと創造性が求められ、情報同士の結びつきをより全体的に把握できる方法なのだ。

リンチの言うことがすべて正しいのかは私にはわからないが、経験から言うと、インターネットは深く理解するためのソースを多く持っている。リンチの提起した問題は、読書にも当てはまる。本で情報を調べたからといって、その情報を真に理解したことにはならない。テクノロジーを使って人は浅くも深くもかかわることができる。すべてはテクノロジーの使い方によるのだ。

ARは私たちを愚か者にするのだろうか？　こんな複数の研究がある。私たちがグーグルマップなどの地図ソフトを使って目的地に行くときの脳の活動は、自分の脳だけで行くときよりも低調だという。[10] ARを使った多くの場合でも同じことが言えるだろう。だが、驚くにあたらない。車を運転しているときは、歩いているときよりも筋肉の活動は低いはずだ。重要なのは、ARを使って目的地に行くほうが便利なのかどうかだ。何事もそうだが、何かを得れば何かを失う。将来において私たちは身のまわりの空間に対して異なる感覚を持つようになるのかもしれない。そのときに、ARはその空間に対する新しい考え方や使い方を提供する可能性を持っている。

心の拡張説は、私たち自身や道徳に関する考えをつくり直すかもしれない。スマートフォンを盗まれたときに、それは窃盗だと考えるのが普通だ。だが、心の拡張説が正しければ、それは暴行に近い犯罪となる。スマホが私の一部ならば、その使用を妨害することは私個人の行動を妨害することになるからだ。拡張テクノロジーへの依存が増すにつれてこの傾向も強くなるだろう。本章はじめのマンフレッド・マックスを思いだしてもらいたい。ARグラスを失うとほとんど何もできない状態になった。どこかの時点で、心の拡張を認めることで私たちの社会的、法律的基準を変える必要があるのかもしれない。

すべてのテクノロジーは良い変化と悪い変化の両方をもたらす、と私たちは考えなければならない。だが、心の拡張説は少なくとも、ARが良い変化をもたらしうる道がある、と唱えている。テクノロジーによる増強は私たちの能力を伸ばしてくれる可能性をほとんどいつも持っている。その可能性をどう利用するかは私たち次第なのだ。

第6部

倫理と価値の転換

第17章
バーチャル世界で良き生を送ることができるのか？

２０９５年、核戦争と気候変動で地上は荒れ果てていた。その不毛の土地であなたはギャングを避けながら、鉱物を掘ってなんとか暮らしている。生き残ることが主な望みだ。とはいうものの、ほかの選択肢もある。安全が確保された倉庫にこもって、バーチャル世界に没入することだ。このバーチャル世界を〈実在機械（リアリティマシン）〉と呼ぼう。その世界は現実（物理的実在）よりもはるかに快適だ。とても安全だし、みんなに手つかずの土地が残されている。あなたの家族とほとんどの友人はすでにその世界に住んでいる。コミュニティをつくり、良い暮らしを送る機会はたくさんある。

あなたは選択を迫られている。実在機械に入るかどうか。

それは現実から逃げて空想にふけるだけだ、とノーと言うこともできる。バーチャル世界の生活など無意味だ。映画を見るか、ゲームをして遊ぶのと同じにすぎない。物理的世界にとどまり、リアルな経験をする。そこでしか本当の良い暮らしを送ることができないのだ、と。

イエスと言うこともできる。実在機械は物理的世界と同等だ。物理的世界と同じように有意義な人生を送ることができる。ひどい現実を考えると、VRのほうがはるかに良い暮らしになるはずだ、と。

これは価値の問い「バーチャル世界で良き生を送ることができるのか？」に対するふたつの答えだ。

私の答えはイエスだ。VR内の生活は現実生活と同じ価値を持つ。現実生活と同じで、VR内の生活も良くも悪くもなる。もし悪くても、しょせんバーチャルのものだ、と考えればいいので、それほど悪くはないのだ。

ノーという哲学者もいる。否定的な答えを支持するものとしては、第1章で紹介したロバート・ノージックによる〈経験機械〉という思考実験がある。[1] ただ、経験機械には通常のVRと異なる点があるが、それはのちほど触れよう。その思考実験は1974年の書『アナーキー・国家・ユートピア』に出てくるが、その本は主に政治哲学をテーマとしており、ノージックはリバタリアニズム〔自由至上主義。個人の自由は（経済的）平等や公共の福祉といった政治的目標に優先するとする立場〕を唱えている。その立場から、良い暮らしとは何かについて、ひとつの見方を否定している。そのために「経験を生みだす機械」の思考実験をもち出した。第1章で引用した文章の続きを見てみよう。

あなたは、それを「経験の巨大図書館」や「経験のビュッフェ」と呼んでもいい。膨大な選択肢から、たとえばこれからの2年間で経験することを自由に選べる。2年後にあなたは10

経験機械の中にいるロバート・ノージック（左）

分か10時間か水槽の外に出て、次の2年間に経験することを選択する。もちろん、水槽の中にいるときには自分がそこにいることは知らない。実際に経験していると思っている。ほかの人も望む経験をするためにマシンと脳を接続することができるので、ほかの人のために遠慮する必要はない。あなたは接続したいだろうか？[2]

カナダの哲学者ジェニファー・ネーゲルは、ノージックは自分が経験機械の中にいる可能性を真剣に考えるべきだった、と言う。[3]なぜならノージックはハンサムで、ハーバード大学教授で、著作は広く絶賛されており、まるで経験機械が与えてくれるようなすばらしい人生を送っていたのだから。それでもノージックはほとんどの読者が脳とマシンを接続しないことを望むと考えた。その理由を3つあげている。

第一に、私たちは本を書きたい、友人をつくりたい、など実際に何かを「したい」からだ。機械では単に本を書く、友人をつくる「経験」をするだけで、実際にしてはいない。

ノージックの根底にある心配は、経験機械が錯覚を生むものだと考えていることにあるようだ。少なくとも、経験機械内の私たちの行動は錯覚だ。本を書く、友人をつくることは実際には起きていない。経験機械の中で起きることはほとんどが錯覚なのだ、とノージックは考えている。1989年に出版した『生のなかの螺旋(らせん)──自己と人生のダイアローグ』で、彼は次のように言っている。「私たちは自分の信念が、その一部でも真実で正確であることを望んでいる。自分の感情が、その重要な部分が事実にもとづき、適切なものであることを望んでいる。私たちは妄想の中に生きるのではなく、実在と接続することを望んでいる」

第二に、私たちは特定の種類の人間になりたいと望むからだ、とノージックは言う。たとえば、勇敢だとか、やさしい人間になりたいと望むのだ。経験機械の中で私たちは望む人間になっていない。どんな人間でもない、ぼんやりした塊にすぎない。

ここで根底にある問題は、経験機械があらかじめプログラムされている、ということだろう。起きることは前もって決まっている。私たちが勇敢に見える、あるいはやさしそうに見えるのもプログラムの一部なのだ。自主性を持って何かをしているわけではなく、ただプログラムに任せているだけだ。

第三に、私たちは深さのある実在と接触していたいのだ、とノージックは言う。経験機械の中では人工の実在としか出会えない。すべての経験は人間がつくったものになる。

ここで根底にある問題は、経験機械が人工であることだ。私たちは自然な世界と接触することに価値を見いだすが、経験機械では無理だ。よくて自然な世界のシミュレーションに触れるだけだが、それは人工のものだ。

経験機械に反対する理由は、実在機械内で生きることに反対する理由にも使えるだろうか？哲学者のバリー・デイントン、ジョン・コグバーン、マーク・シルコックスが検討してきたように、経験機械は通常のVRと異なる点があり、[4]最低3つは重要な違いがある。第一に、経験機械に接続しているとき利用者はそのことをわかっていないが、VRではわかっている。第二に、経験機械は経験することが前もってプログラムされているが、VRはそうではない。第三に、経験機械にはひとりで接続するが、VRは家族や友人と世界を共有できる。

これらの違いと、実在機械におけるバーチャル世界の状況がより明確になれば、経験機械に反対する理由は実在機械には当てはまらないだろう。より一般的にVR内で生きることを否定する理由にもならない。ノージックがあげた3つの理由がVRに当てはまるか見ていこう。

第一に、VRは錯覚ではない。すでに述べたが、VR内の事物はリアルなもので錯覚ではない。VR内の行動も同じで、バーチャルの体を使ったリアルな行動だ。実在機械内では実際に本を書くことができるし、友人をつくることもできる。それらは錯覚ではない。映画『フリー・ガイ』

でふたりのシムが話していたことは正しい。「もしも俺たちがリアルじゃなくても、別に問題ないよな？」。その友人が答える。「僕はここに座って、親友が辛い時間を切り抜けるのを手伝おうとしている。……もしもこれが本当じゃないとしたら、これは何なんだ」

ノージック自身はこれに懐疑的なようだ。2000年のフォーブス誌への寄稿文[5]では、経験機械から現実のVRに話を広げていて、VRのコンテンツは「真にリアル」なものではないと言っている。だが本書における私の主張が正しければ、ノージックはまちがいで、錯覚の問題はVRを否定する理由にはならない。

第二に、VRでの経験はあらかじめプログラムされていない[6]。通常は変更可能で、ユーザーが選択をし、それに応じて起こる出来事が変わる。『パックマン』のような単純なゲームでさえ、プレイヤーが進む方向を決める。『マインクラフト』や「セカンドライフ」などのより複雑なバーチャル世界では、ユーザーはあらゆる種類の選択をする。定義として、VRはインタラクティブなのだ。ユーザーの選択によりその世界で起きることが変わっていく。だからユーザーは真に勇敢にもやさしくもなれるのだ。

第三に、VRは人工的だが、現実環境においても人工的なものは多い。町も大部分は人間がつくったものだが、私たちはそこで有意義で価値のある人生を送ろうと努めている。だから人工的な環境はマイナスの価値にはならない。自然環境に価値を見いだす人がいるのは確かだが、それは好みの問題にすぎない。人工環境を好んでも、何も不合理なことはない。自然環境を好む人でも、人工環境下で価値のある人生を送っている人もいる。

それでもノージックの経験機械は価値のある人生について重要な問題を提起してくれた。これから私は価値に関する哲学的な問題を語り、VR内の人生が価値のあるものかどうか考えたい。

価値とは何か?

何が良い人生をつくるのか?　ほかよりも良い人生をもたらすものは何か?

こうした問いは価値に関する哲学的研究、すなわち価値理論の一部だ。価値には倫理的価値(正しいかまちがっているか)、美的価値(美しいか醜いか)が含まれるが、この章で私がもっとも関心のあるのは個人的価値だ。自分の人生を今よりも良くするもの、悪くするものは何か?

個人的価値は、ときに「幸福」とも「効用」とも呼ぶが、「どの選択が私にいちばん良いか?」といった問いで問題になることだ。たとえば、私が純粋に自己本位の観点から、哲学者か数学者になろうと考えているとしよう。どちらが自分にとって良い選択なのか知りたいと思う。こうした問いは、夕食は何にしようかといった毎日の多くの選択と同じように人生の選択に属する。私たちが選択をするとき、自分のことだけでなく他人のことを考える場合もよくある。しかしながら、他人にとって何がベストかを考えているときでも、それは個人的価値の問題なのだ。なぜならそれは、「彼らにとって何が良いのか悪いのか」という形で問われるからである。

倫理的価値と個人的価値は関係している。倫理的に言えば、人はできるかぎりほかの人を傷つけるべきではない、と多くの人は思っている。一部の人がそれよりも強く思っているのは、簡単にできるときはほかの人を助けるべきだということだ。さらにそれ以上に強く思っているのは、飢えや痛みに苦しむ人を助けるように尽力するべきだ、ということだ。自分のおこないが正しいかどうかという問題と、そのおこないが他者にもたらす個人的価値とはつながっているように見える。しかしながら、倫理的な問いと社会的、政治的な問いはこのあとのふたつの章で語ることにしよう。

この章で私が、良い人生をもたらすものは何かと尋ねるときに、それは自分の良い人生という意味だ。多くの人にとって、自分に良い人生をもたらすものは、倫理的にも正しい人生をもたらすものである必要があるが、最初はそれを前提条件とはできない。

ある個人にとって良い人生とは何かを尋ねるためには、「何が人生を良いものにするのか」を尋ねることから始めるのがいいだろう。一般的な答えのひとつで、古代ギリシアから唱えられているものは、「快楽主義（ヘドニズム）」と呼ばれる哲学的見方だ。そのもっとも単純なバージョンは、苦痛ではなく快楽を与えるものが良いものだ、と考える。苦痛よりも快楽が多い健康的なバランスを保つのが良い人生となる。19世紀イギリスの哲学者ジェレミ・ベンサムは「快楽計算」なる考えを発展させた。さまざまな次元における快楽の程度を測定し、それらを足しあわせて、快楽の量を決める。

だが、快楽主義のもっとも単純なバージョンは単純すぎる。快楽はすばらしいが、表面的であることも多い。飲食やセックスの楽しみを中心にした快楽主義の浅い人生は、本当の人生の楽しみを脅かすものだ。ベンサムは快楽の源は何でもいい、という有名な言葉を残した。「偏見を脇に置いてみれば、（喜びの量が同じであれば）プッシュピンのゲーム（イギリスの子どもの遊び）は、音楽と詩の理論と実践と同じ価値がある」。室内ゲームの薄っぺらい喜びと、文化的追求という高尚な喜びを同じに考えたのだ。哲学者の中には、ベンサムの見方を「豚にふさわしい哲学[7]」と呼んでバカにする者もいる。豚は人間と同じくらい低級な快楽を経験できるからだ。

ベンサムの快楽主義を評価するために、〈快楽機械〉なるものを考えてみよう。ノージックの経験機械とは違って、快楽機械は複雑なシナリオをシミュレートする必要はない。SF作家のラリー・ニーヴンが「ワイヤーヘッド[8]」と名づけたプロセスで、ユーザーの脳の快楽中枢に直接電気刺激を与えることで、ユーザーはつねに大きな快楽を感じている。ベンサムの快楽主義は、その快楽機械の中で一生を過ごすほうが日常の生活よりもはるかに良いと言うが、これに同意する者はほとんどいないはずだ。快楽機械はちょっとのあいだならばすばらしくても、ずっと過ごすのであれば貧しい人生になる。

ほかの快楽主義者は単純な快楽の先に進んでいる。ベンサムの同志であるジョン・スチュアート・ミルは、芸術や理解などから生まれる高級な快楽のほうが、飲食やセックスなどからもたらされる低級な快楽よりもはるかに重要だ、と説いた。快楽主義のより一般的な形はときに「経験主義」と呼ばれる。それは、価値の基本的な対象は意識的な経験である、と主張する。喜びや幸福、満足などの経験はポジティブなもので、肉体や感情の苦痛、欲求不満などはネガティブな経験だ。人にとって良いものは、ネガティブではなくポジティブな経験を与えてくれるものだ、と経験主義は説く。ポジティブな経験がネガティブなそれを上まわる健康的なバランスを保つのが良い人生となる。

　ノージックが経験機械という思考実験で標的にしたのは、この一般的な形の快楽主義だった。経験機械は快楽だけでなく、あらゆる経験をユーザーに提供する点で快楽機械よりもまさっていた。経験主義者の主張に対してノージックは、人生で重要なことは経験をどのように「内面で」感じるかだ、と反論した。ノージックは、経験機械の中で外の世界よりも多くのポジティブな経験ができるとしても、機械の内で生きるよりも、機械の外で生きるほうが望ましいと言った。そして、経験だけが重要だと考える点で経験主義はまちがっている、と主張した。

　価値に関する別の見方に〈欲求充足説〉がある。良い人生とは、欲求が充足されること、物事が自分の望んだとおりになることだと考える。この説は欲求が経験を上まわっていることが重要な点だ。ノージックの経験機械は、人間は単に何かをするという経験を望んでいるわけではないことを明確にした。私たちは経験ではなく、実際の行動を望んでいる。世界が望んだ姿になるとき、たとえそれが自分の経験に影響を与えないときでさえ、人生は良いものになる。

　この説を評価するために、もうひとつの思考実験をしてみよう。あなたは一夫一婦制をとても重要な制度だと考えていて、あなたの配偶者も同じ考えだとする。しかし、じつのところ、配偶者はよく背信行為をしているが、うまいこといっさいの証拠を残さないので、あなたは疑ったこともない。配偶者は誠実だと信じているあなたは幸せだ。快楽主義の立場ならば、あなたが幸せだという経験は同じなのだから、配偶者が誠実でも不誠実でも人生は同じくらい良いものだ、と考える。しかし、多くの人はこの結論に納得しないだろう。あなたにとって配偶者が誠実であることが重要なのだから、たとえ、背信行為に気づいていないとしても、不誠実な配偶者との生活は誠実な配偶者との生活よりは良くないはずだ。

私たちは経験以外のことも大事に思う。そして私たちが大事に思っている事柄は、私たちにとって重要である。先の事例では配偶者が誠実であることを望んでいる。この欲求が満たされる人生は、満たされない人生よりも良いものになる。この結果は欲求充足説が語るところと一致するが、快楽主義とは一致しない。

欲求充足説では価値はかなり主観的なものだ。人が望むことによって価値が生まれ、何を望むかはその人次第のところが大きい。「価値評価が価値を生む」と言いかえてもいいだろう。評価されれば、それは価値のあるものになる。良い人生とは私たちが評価するものを持つことで、より一般的に言うと、世界が望んだ姿になることだ。

欲求充足説は価値を主観的なものにとらえすぎている、と思う人もいるだろう。アメリカの政治哲学者ジョン・ロールズは、雑草の本数を数えることを最大の欲求とする人を仮定し、それが満たされれば、その人は良い人生を送っていると言えるのか、と疑問を投げかけた。世の中には知識や友情、快楽など価値の源がたくさんあるのに、その人はそれを見逃している、と考える人もいるだろう。本人が雑草の本数を数えること以外は望まないとしても、まちがいなくより良い人生を逃がしているかもしれない。同様に、死を望む若者を殺してあげることは、その若者にとって最良のことなのかどうか明白ではない。

価値に関する第3の見方は、社会的な見方で、とくにアフリカの「ウブントゥ(Ubuntu)」という哲学に見られるものだ。その中核には、すべての価値は人と人との結びつきに由来する、という概念がある。ウブントゥの原理のひとつに、「人は他人を通してその人となる」がある。この見方は、快楽主義や欲求充足説が持つ個人主義を否定し、人と人とのつながりを訴える。重要なのは友情やコミュニティ、敬意や思いやりであり、真の価値はそこからやってくる、とする。

社会を超えた価値もあると言う人もいる。隠者は瞑想の生活に価値を見いだすだろう。それでも、社会を重視する見方は、経験機械の中で多くの人々が失うものは何かについて妥当な診断をしてくれる。経験機械で人は、他人との真の結びつきを失うのだ。だがVRの中では、他人と真の友情や真のコミュニティ、真のウブントゥを築くことができる。コロナ禍でも哲学者仲間とVR内で会うときには、ウブントゥを持てる、と私は考えたい。

最後に、価値の見方において〈客観的リスト説〉がある。客観的リストとは、知識や友情、充足感など一般的に価値を生む源となる基本をリストにしたものだ。それらの項目を多く持つほど、あなたの人生は良いものになる。あなた自身が特定の項目を望んでいるかどうかは関係ない。持っていればだれにでも良いものなのだ。

この客観的リストに、快楽主義、欲求充足説、人との絆（ウブントゥ）の識見を組みこんでもいい。それでも未解決の大きな問題がいくつか残っている。リストには何が載るのか？　リストの各項目を統一的に結びつけるものは何か？　むずかしい選択を迫られるだろう。もしも価値あるもの同士を結びつけている基本項目があるのならば、究極の価値の源は存在するのだろうか？もしも各項目が結びついていないのならば、多くの人が認めるであろうものを集めただけのリストにすぎないのではないか？　しかしながら、少なくとも客観的リスト説は、価値を生む源についてさまざまな見方を取り込むだけの柔軟性を有しているのだ。

VRによって失われる良いものは何か？

私たちはバーチャル世界で良き生を送られるのか？

この問いに取り組むには、次の質問をすればいい。「VRにおいて良いこと、すなわち価値のあるものは失われるのか？」。価値のあるものには、快楽主義の視点などからのポジティブな経験が含まれるかもしれない。また、欲求充足説で私たちが強く欲するものが含まれるかもしれない。社会的な見方で重視する良好な社会的関係や、客観的リスト説にある客観的価値のあるものが含まれるかもしれない。

経験機械の利用で失われる良いことに関するノージックの考察はすでに見た。私たちは何かを成し遂げたいと願い、何者かになりたいと望み、より深い実在に触れたいと思っているが、経験機械でそれらは実現できない。しかし、これはVRに関する反対意見にならないことはすでに見た。

経験機械における最大の憂慮は、あらかじめプログラムされているので、ユーザーが自主性や自由意志を持てない点にある。ノージックは1989年に次のように言っている。[9]「経験機械の中で人はいかなる選択もできません。自由に何かを選ぶことはできないのです」

だが、通常のバーチャル世界においては、自由意志はそれほど問題にならない。物理的世界で私たちが自由意志を持っているならば、同じようにバーチャル世界でも持っているからだ。結局、通常のVR内で決断をする脳は、物理的世界で使っている脳なので、よく似た意思決定プロセスになる。また、バーチャル世界で行動を実現するためには、多くの場合、物理的世界で体を動かすことが必要になる。だから、物理的世界で自由に行動を選択できるのならば、バーチャル世界でも同じなのだ。

これからの20年、30年でVRにより経験できる価値には限界があるが、まずはその近未来から検討するのは有効だろう。その限界は重要だが一時的なものだ。それを検討したあとならば、長期的に見たVRの限界を考えられるし、VR内で見つけられない良いものについても考えられるだろう。

当面のあいだ、VRによる感覚的経験が貧しいことはあきらかだ。現在のVRヘッドセットが与える視覚経験はまだ低いレベルだが、進歩はしている。聴覚経験は現実に近いところまで来ている。味覚と嗅覚はまったく欠けていて、触覚はきわめて限定的にしかない。身体的経験は近未来のVRにおける主な限界になる。私たちはバーチャルの体に入り込むことはできるが、その体で経験できることには限度がある。現在のVRでは飲食の経験ができない。ハグをする、キスをする経験も無理だ。セックステクノロジー産業が最大の努力をしているにもかかわらず、VRにおける対人性交渉は現実のそれをごくわずかしか再現できていない。

これらは、近未来のVR内における生活を充実させることの障害となる。食べる、飲む、筋トレをする、海で泳ぐなど多感覚の経験を重視する人は、今のところ、ＶＲの外で経験するしかない。現状のＶＲにおける生活は一部が充実しているにすぎない。たとえばＶＲ上で仕事場に行く、友人とおしゃべりをする、集会に参加するなど、多感覚の経験が重要でない場面に限られる。

それでもＶＲテクノロジーは進歩しつづけている。視覚解像度と視野が、通常の視覚に到達する日も近い。味覚、嗅覚、触覚のメカニズムも研究が進んでいる。長期的に見れば、視覚に関する感覚経験をつかさどる脳の部位を直接刺激して、バーチャル入力をおこなえるようなＢＭＩが実現することはほぼ確実だ。そのときはとても幅広い経験ができるようになる。通常の感覚経験だけでなく、それを超えた経験まで可能になるのだ。

ＶＲが物理的世界にまさるであろう点[10]に触れておこう。第一に、現実ではむずかしいか不可能な経験もＶＲではできる。空を飛んだり、まったく別の体を手に入れたり、新しい形の知覚を得たりすることなどだ。第二に、もしも環境などが悪化して、地球に住むことが危険になったら（ＳＦサバイバルホラーゲームの『Soma（ソーマ）』や私の実在機械の話のように）、ＶＲは安全な避難所を提供してくれる。第三に、地球の土地や空間は限られているが、ＶＲではほぼ無限だ。第19章で話すが、だれもがバーチャルの高級住宅や、さらには惑星までも所有できるだろう。第四に、未来のテクノロジーによって私たちの脳の情報処理速度が上がれば、物理的世界の反応は耐えられないくらい遅く感じるようになるだろう。しかし、そのときでもＶＲは脳にあわせて速度を上げられるのだ。

どこかの時点で、ＶＲは空間、時間、経験、身体化などの面で大きな恩恵をもたらすようになる。問題は、費用を上まわる恩恵が得られるかどうかだ。

長期にわたるVRの生活で失われるものは何か？

長期的な問題を考えるために、次のような完全没入型のVRシステムを想定してみよう。そこでは感覚的経験と身体的経験が物理的世界の経験と近いものになっている。パンデミックで現実に人と会うことがむずかしくなると、私たちは代わりにVRを使うことができる。未来のVRが提供する経験は、物理的世界をはるかに超えたものがある一方で、物理的世界をほぼ正確にシミュレートしたものもある。食べる、飲む、ハグをする、泳ぐ、運動をする、セックスをするなど、現実と区別がつかないほどの経験ができる。このようなVR内での生活は通常の物理的現実と同じくらい良いものだろうか？　それとも何かが欠けているのだろうか？

VRには本当の物理的身体性（生身の肉体で経験すること）が欠けていて、物理的身体性は価値があるものだ、という意見がある。現実において食べたり、泳いだり、セックスをしたりするために、VRから出ていく人がいることは容易に想像できる。だがもしも、VR内でも外の物理的世界と区別がつかないほどの水準でそうした経験ができるならば、VRの外で物理的身体性を追求することは必然でなくなり、追求する者は変人かフェチだと思われるようになるだろう。

物理的世界そのものに大いなる価値を見いだしている人もかならずいる。オーストラリアの歌手オリビア・ニュートン＝ジョンは、（おそらく祖父で、ドイツの偉大な物理学者［physicist］であるマックス・ボルンに捧げるためだろう）「Let's get physical（体を動かしましょう）」という歌詞で、物理的な体が好きだと歌った。バーチャル世界に住む多くの人もときどき物理的世界に行くことに興味を持つかもしれない。自分のもともとの生物学的形態と交流することで自分が本物である感覚を得られるのだろう。しかしながら、物理的身体性の有無が生活の意義の有無につながる理由はどこにも見いだせない。

物理的身体性に価値を置く人には次のように尋ねることができる。「もしも私たちがすでにシミュレーションの中にいるとしたらどうなのか?」。バーチャル環境で食べたり、泳いだり、キスをしたりすることは純粋な物理的身体性の価値があることなのだろうか? 価値があることならば、問題は物理的身体性対バーチャル性というよりは、物理的な体や環境が好きかどうかということになる。価値がないというのならば、シミュレーションを基礎としたリアリティがクォークを基礎としたリアリティよりも価値が劣るとする理由はどこにあるのか、となる。だが、ひとたびシミュレーション・リアリズムを受けいれるならば、物理的世界にはVRよりも価値のある何かがある、という主張はしにくいのだ。

もちろん、VRに入ることを強制するべきではない。VRで良い人生などありえないとするバーチャル・リアリズムに反対する者がいるとしよう。その考えがまちがいだとしても、彼らはVRで生活することは望まない。VRに入ることは自由選択でいい、と私は考えている。バーチャル世界の質が向上すれば、バーチャル・リアリズムは次第に一般的な見方となっていくはずだ。ついには、多くの人が自由意志で、ほとんどの時間をバーチャル世界で生きることを選ぶだろう。

　VRでは人間関係が失われる、と指摘する人も多い。もしもあなたが一生続くVRにひとりで入れば、家族や友人と接触することをあきらめることになるかもしれない。いや、そうならない可能性もある。そもそもあなたの家族や友人も一緒にVRに入ることができるのだ。そのうえ、多くのバーチャル世界が、物理的世界に連絡するだけでなく、戻ることも認めるだろう。その場合は、物理的世界での家族や友人との接触をあきらめなくてよい。人間関係について言えば、VRにおける選択肢の幅は、物理的世界で外国に移住したときに似ている。海外移住により、バーチャルでも現実でも、以前の人間関係がある程度は減ることになる。だが多くの新しい関係が生まれるので、以前よりも良い人生になることも多い。

　バーチャル世界と、より一般的な情報テクノロジーが社会に与える影響は、多くの社会的、政治的懸念を生む。それは格差やプライバシー、自主性、人を操ること、資源集約性などにかかわる。こうした懸念については第19章で検討しよう。関連して、バーチャル世界で暮らすことは、ゲームにのめり込むのと同じように、物理的世界からの逃避ではないか、という懸念がある。これは一理あるが、フルスケールのVRはゲームとは違う。前に言ったとおり、フルスケールのバーチャル・コミュニティに移住することは、物理的世界で新しいコミュニティに移ることと似ているのだ。一連の問題から逃げたとしても、別の問題が現れる。だから私は、全員が物理的世界からバーチャル世界に移ることを勧めはしない。それが多くの問題を生むのはあきらかだ。しかし、一定の条件下でバーチャル世界に移ることは、逃げるのではなく移住することなのだ。

現実とバーチャルの世界を行き来することで起こりうる問題がある。バーチャル世界の習慣が現実に移ってくることを心配する人もいる。最大の心配は、ゲームで暴力に慣れることが、現実の暴力につながることだ。ほとんどの時間をVR内で過ごしていれば、物理的世界における自分の健康に気を配らなくなるかもしれない。これらはもっともな心配だが、この手の交流によって起きる問題は物理的世界でもよくある。新しい交友関係が古い友情をかき乱すこともある。兵役によって日常生活における暴力に鈍感になる。座りっぱなしの仕事は健康に悪い。つまり、前記の心配はVRに特有のことではなく、良い生活を送ろうとするときの本質的な部分なのだ。

VRで過ごすことで、当人の物理的世界における健康を心配するのは当然だ。物理的な体がどこかに閉じこめられていたり、放置されていたりしたらどうか？　もしもあなたが実在機械の並ぶ人の密集した暗い倉庫に閉じこめられていたら、害はあるだろうか？　私の想像では、フルダイブ型（完全没入型）VRに長期間入っていても、少なくとも肉体の健康は維持されるだろう。ほとんどの時間で物理的身体の感覚はないので、閉じこめられている状況でもあなたの経験に影響を与えない。だが、とくに子どもは、脳と体の健全な成長のために物理的世界にいることが必要となる。そして、定期的に現実とバーチャルの世界を行き来したい人にとっては、現実生活の質が高いことも重要になる。

多くのバーチャル世界で強い制約となっているのが、その世界が一時的にしか存在しないことだ。ゲームでは数分しか存在しないことも多い。大規模な多人数参加型ゲームはもう少し長く存在するが、やがては閉鎖される。もっと重要なのは、バーチャル世界は物理的世界のような長い歴史を持っていないことだ。歴史は私たちに大きな価値を与えてくれる。何世紀も何千年も人々が住んでいる場所には価値がある。歴史的な出来事が起きた場所を訪れることや、歴史ある伝統行事に参加することにも価値がある。

だが、歴史の価値は自然の価値と同じで、強制されることのない任意の価値だろう。その地の歴史に何かを感じることなく引っ越してくる人も多いし、彼らはそこで有意義な良い生活を送る。歴史をまったく気にしない人もいる。気にする人でも、人生で最重要な価値が歴史にあるとは思っていない。たとえ歴史に価値があるとしても、あなたは現実とバーチャルの世界を行き来することで、なにがしかの価値を得られるかもしれない。そしてバーチャル世界が長く続けば、その世界はみずからのすばらしい歴史をつくっていくだろう。

バーチャル世界にないことがもっとも目立つのは、誕生と死だろう。物理的世界とは違い、だれも生まれないし、だれも死なない。誕生と死の描写はあるが、リアルな形では存在しない。アバターはつくられ、壊されても、人はそうならない。私たちは最初にバーチャル世界に入り、出ていって二度と戻らないことはあるが、私たちはバーチャル世界に入る前も出ていったあとも存在している。それは、生まれる／死ぬというよりも、コミュニティに入る／出るに近い。現実において、誕生と死は最大級の意味のある出来事なので、それがないバーチャル世界はとても貧しい世界なのではないだろうか？

これには明確な反論がいくつかある。最初にバーチャル・コミュニティに入り、出ていって二度と戻らないことは、死後の世界と転生がある世界における誕生と死のようではないか。そのような形の誕生と死にも意味がある。さらに、バーチャル世界の参加者が物理的世界で死ねば、それはバーチャル世界でも死ぬことになるだろう。いつかはバーチャル世界で生まれ、死ぬ純正シムが登場するかもしれない。ただ、デジタル記録が残っているのに、永遠の「死」と呼べるのか、という疑問はある。100年か200年のうちに、物理的世界では新しい医療技術によって多くの死亡原因がなくなるだろう。それゆえ、今の私たちが知る誕生と死はなくなるかもしれない。あるいは、バーチャル世界の中に形を変えて植えこまれるかもしれない。

深遠な問いがある。「良い人生において誕生と死はどんな役割を果たしているのか?」。私はともに重要だと思っている。ほかの人の誕生と死を経験することは、人を変える力がある。だがそれが良い人生に欠かせないものかというと疑問だ。また一部の人は、死はつねに悪いことながら、それでも人生に不可欠であり、死のない世界は意味がなく恐ろしい世界だと思っている。イギリスの哲学者バーナード・ウィリアムズは「マクロプロス事件：不死の退屈さについての考察」というエッセイで、不死は退屈をもたらすと言っている。アメリカのSFコメディドラマ『グッド・プレイス』では(ネタバレ注意!)、死後に天国に送られた登場人物たちが、挑戦したいことをすべてやり遂げて、もう天国で生きていくだけの刺激がないからと最後に死ぬことを決意する。しかし、こうした態度はまったく正しくない。ひとたび(デジタルの世界で)不死が可能になったとしたら、人々は不死を実現しないで生きていくことはないだろう、と私は考えている。

誕生はさらにやっかいだ。子どもがいなくてもすてきな人生を送っている人も多い。だが同時に、誕生は良いことの典型なので、誕生のない世界は物理的世界に比べて貧しくなる。2006

年の映画『トゥモロー・ワールド』は、子どもが生まれなくなった希望なき世界を描いている。だが誕生のないVRの世界は、この映画の世界ほど貧しい必要はない。物理的世界において誕生は未来も続くだろうから、誕生を求めて、バーチャル世界から物理的世界に行く者もいるだろう。あるいは、いつの日か、VRで誕生を経験できるようになるかもしれない。ちょうどいいタイミング（おそらく誕生になる）で、バーチャル世界に子どもが登場するのだ。バーチャルと物理的世界とのあいだに適切な結びつきがあれば、バーチャル世界で子どもが生まれなくても、貧しい人生にはならないと思われる。

自然や歴史、そしておそらく誕生と死が欠けているから、長期にわたるVRでの生活が貧しいものになると考えるのは無理もないことだ。それらは物理的世界において、価値のあるもの、少なくとも意義のあるものなのだから。だが、VRにより失われるそれらの恩恵は、VRが提供する多くの新しい形の生活やその他の可能性から得られるさまざまな恩恵よりも大きいだろうか？トータルで考えれば、バーチャル世界で意義があり、価値のある生活を送れる可能性はあると思える。VRでの生活に多くの時間、ほとんどの時間を費やす選択は、多くの人にとって合理的なものになるだろう。

テラフォーム・リアリティ

私がVRの価値をどのように見ているかを示す思考実験がある。

未来の人類は〈テラフォーム・リアリティ〉（物理的世界のテラフォーミング）と呼ぶ新しいテクノロジーを開発する。物理的世界における太陽系外惑星を居住可能な環境に変え、美しい景色にあふれる、人類が活動できる場所にする技術だ。人々はそれらの惑星に旅行し、そこで新しい生活を築くことができる。惑星はすぐに人気になる。地球よりも空いた土地があるし、新しいチャンスに満ちている。多くの共同体がそれらの惑星に住むことを決め、新しい惑星と新しい共同体が続々と紹介されていく。

テラフォーム・リアリティでの生活は、地球の生活と同じくらい良いものだろうか？　良いことも悪いこともあるが、トータルでは地球より良いかもしれない。地球より良い点は、ワクワクするし、多くの新しいチャンスがあることだ。悪い点は、テラフォームしたその惑星の環境は人工的で、自然の環境としての歴史がないことだ。そして、惑星での生活は地球よりも薄っぺらに思えることだ。それでも多くの人にとって惑星で相当の時間を暮らす、あるいは長期にわたり住むだけの合理的な理由があるだろう。

他方で、VRにおけるテクノロジー上の短期的な限界が克服されたあとに開発される、物理的世界とVRの複合体を「豊かなVR」と呼ぼう。豊かなVR内の人生は、テラフォーム・リアリティの生活と同じくらい価値がある、としてみよう。それぞれに長所、短所がある。VRではより多くのことができる。たとえば、異なる自然法則を適用するとか、鳥のように空を飛ぶとか。一方、テラフォーム・リアリティでは実際にその惑星で生まれ、死ぬ。純粋な身体性があり、VRよりも直接的だ。それでも多くの点で両者はだいたい同等である。

あなたはどちらを選ぶ：バーチャル・リアリティの人生かテラフォーム・リアリティの人生か?

これを次の論証にまとめることができる。

前提
1．豊かなVRでの生活は、テラフォーム・リアリティでの生活と同じくらい価値がある。
2．テラフォーム・リアリティでの生活は、地球における通常の生活と同じくらい価値がある。
結論
3．ゆえに、豊かなVRでの生活は地球における通常の生活と同じくらい価値がある。

豊かなVRでの生活は、現実生活に比べて良い点、悪い点があり、全体で見れば同等だ。将来、私たちが魅力的なバーチャル世界に入る選択肢を持ったときに、同じくらい魅力のある現実がなければ、バーチャル世界を選ぶのが合理的かもしれない。

もっとも重要なのは、VRでの生活が意義と価値のないものだと考える正当な理由がないことだ。さらにその価値が娯楽に限られていると考える理由もない。現実生活の持つ価値はVRでもだいたい持つようになる。良いこともあれば悪いこともある。良いことを悪いことよりも多くしようと苦労するときもあるだろうが、それは現実世界でも同じではないか。

VRからシミュレーション説に移ろう。完全シミュレーションの宇宙における生活は価値があるか?　通常のVRにおける障害のいくつか（一時的であること、誕生と死がないこと、感覚経験の質が悪いこと）を、一生続く純正シミュレーションは克服している。人工的ゆえの不自然さは残るかもしれないが、人工の宇宙に生きることは、神がつくった宇宙に生きることより劣る感じはない。シミュレーション実行者が悪意を持っていたり、無関心だったりするかもしれないという心配や、シミュレーションが脆弱だという心配も同じように克服されるだろう。シミュレートされた生き物がみずから価値の源になれるのかという問題があるが、それは次の章で考えよう。

完全シミュレーション宇宙での生活は、通常のVRとは違って、そこに閉じこめられて逃げられないのではないか、と心配する人もいるだろう。人間は全宇宙（コスモス）のできるかぎり広い範囲を知り、可能ならば旅をしたいと思っている。つまり、現状の私たちは地球と太陽系に閉じこめられているので、完全シミュレーション宇宙での生活と同種の問題を抱えているのだ。現実の宇宙を探検するのは楽しいかもしれないが、閉じこめられている地球での生活もそれほど悪いものではないだろう。

価値の源は何か？

これまでVRの価値について考えてきたが、そこから一般的な価値に関して何を学べるだろうか。ノージックは快楽主義に反論するために経験機械をもち出した。VRは現実と同等の価値を持つ、という私たちの主張は、真に価値のあるものは何かという問いに何を教えてくれるだろうか。

価値の問いに対する私のポジティブな答えは、価値に関する主要理論のどれとも互換性がある。快楽主義、欲求充足説、社会性理論、客観的リスト説を支持する者はみんな、VR内で良い人生が送れることに同意するはずだ。快楽主義にとってVRは、現実世界の良い人生から意識的経験だけを複製できればいい。欲求充足説が関心のある部分では、もしも自分がシミュレーションの中にいるとわかっても、そうでない場合と同様に、日々の欲求を満足させられる、とバーチャル・リアリズムは言う。VRの中では現実ほど充足できない欲求もあるだろうが——たとえば、自然の中にいたいという欲求や、シミュレーションの中にいたくないという欲求——それは、人生の良し悪しを左右するほどの大きな違いではない。社会における共同体やつながりについては、原則としてVRは現実と同じだ。そして、価値のあるものの客観的リストをあたっていけば、最重要項目についてはVRと現実世界が同じものになることはすでに検討した。

そもそも価値の源は何だろう？　私は、意識からすべての価値が生まれるのではないか、という考えに傾いている。⑴幸福や気持ちがいいなどの意識の状態それ自体に価値がある。⑵知識や自由など、意識のある生き物が高く評価するものには価値がある。⑶コミュニケーションや友情など、意識のある生き物同士の関係は価値がある。これらをまとめて、意識は価値があるので、それと関係するものにも価値がある、と言えるかもしれない。

ＶＲが現実世界と同じ種類の意識を内包するかぎり、上記３つの価値の源のうち、最初のものは持つことになる。そして、意識が高く評価する行為が現実世界と同じように守られるならば、２番目の価値の源も持つ。意識のある生き物同士が、現実世界と同じ関係を持つかぎり、３番目の源も持つのだ。

長期的には、バーチャル世界は現実世界の持つ良さのほとんどを持つことになるだろう。さらには、バーチャル世界のほうが良くなるかもしれない。そのときはバーチャル世界で暮らすことが正しい選択になることもある。

第18章 シミュレートされた命は重要か？

たぶんあなたは気づいているだろうが、哲学の歴史は男性が独占してきた。もちろん、紀元前8世紀のヒンドゥー教の哲学者マイトレーヤから、20世紀フランスの哲学者シモーヌ・ド・ボーヴォワールまで、有名な女性哲学者も多い。それでも女性の貢献は目立つものではなく、ようやく活躍するようになったのは20世紀に入ってからだ。

華々しい活躍のひとつが、第二次世界大戦中のオックスフォード大学にあった。4人の女性研究者が戦争中に哲学分野のリーダーになったのだ。エリザベス・アンスコム、フィリッパ・フット、メアリー・ミッジリー、アイリス・マードックの4人だ。[1] 彼女たちは親交があり、よく会っていた。多くの男性が戦争に行っているときに、彼女たちが台頭したのは偶然ではない。

4人とも哲学にすばらしい貢献をした。アンスコムの1957年の著作『インテンション――行為と実践知の哲学』は論争を巻き起こしたが、人間の行為を哲学的に分析し、理解した研究で、この分野における古典とされている。ミッジリーは1979年の著作『獣性という概念――哲学、倫理学、動物の行動』で動物と人間の連続性を説いた。また、還元主義を非難する立場から科学や文化面において影響力のある文章を書いた。マードックの哲学的小説は広く世に知られており、1970年の哲学的エッセイ『善の至高性――プラトニズムの視点から』は倫理に関する基礎となる本として有名だ。

4人の研究で後世にもっとも影響を与えたものは、1967年にフィリッパ・フットがおこなった〈暴走する路面電車の思考実験〉[2]だろう。フットはイギリス英語で路面電車を「tram（トラム）」と呼んだが、10年後にアメリカの哲学者ジュディス・ジャーヴィス・トムソンがアメリカ英語の「trolley（トロリー）」に直した結果、「トロリー問題」という名称のほうが有名になった（「トロッコ問題」とも呼ばれる）。この問題に触発されて多くの本や論文が書かれ、哲学的なSFコメディドラマ『グッド・プレイス』では劇的に描かれた。トムソン版のトロリー問題は次のとおりだ[3]。

エドワードは路面電車の運転手だが、運転している電車のブレーキが故障した。前方の線路上には人が5人いる。きつい下り坂で速度が出ており、5人が線路から逃げる時間はない。電車と5人のあいだには線路の分岐があり、進路を左に変えることもできるが、不幸にもその先には人がひとりいる。エドワードは左に進んでひとりをはねるか、まっすぐ進んで5人をはねるか、どちらも可能だ。

エドワードはどうするべきか？　何もしなければ5人が死ぬし、左に進めばひとりが死ぬ。直

トロリー問題に直面するフィリッパ・フットとジュディス・ジャーヴィス・トムソン。進路を切り替えるべきか?

感では多くの人が左に進むことを選ぶだろう。差し引き4人が助かるのだから。

その結論に満足する前に、関連する「移植問題」も考えてもらいたい。トムソンが同じ論文の中で提示したものだ。

デイヴィッドは偉大な移植外科医だ。移植を待つ患者が5人いる。それぞれに心臓、肝臓、胃、脾臓(ひぞう)、脊髄(せきずい)の移植を必要としている。めずらしいことに5人とも血液型が同じだった。デイヴィッドは偶然にも、同じ血液型で臓器類は良好な状態の患者がいることを知った。その患者を殺して5つの部位を移植すれば5人が助かる。あるいはそうしないで、5人の患者が死ぬのを待つか。

デイヴィッドはどうするべきか? 何もしなければ5人が死ぬし、臓器の健康な人から5つの部位を移植すれば5人が助かり、死ぬのはひとりだけだ。直感では多くの人が移植しないことを選ぶ。

トロッコ問題と移植問題は構造的には似ているが、直感による答えは正反対になる。この違いをどのように和解させればいいだろうか? どちらかの答えを変えてもいいし、ふたつの設問の違いを見つけてもいい。

では、設問に違いはあるのだろうか? フットは次のように考えた。路面電車の場合、進路を変えなければ5人を殺してしまう。つまるところ、運転手のあなたは電車が5人をはねることに責任を持っている。それに対して移植の場合は、健康な臓器を持つ患者を殺さなければ、ただ5人の患者が死ぬのを許すだけだ。5人を殺すことと、5人が死ぬのを許すこととは倫理的に大きく違う、と多くの人は考える。もうひとつの違いは、移植の場合、あなたが患者に直接手をくだすことだ。トロッコ問題の別バージョンでは、線路上にある歩道橋から人をひとり線路上に落とせば、路面電車を止められるが、どうするかという状況がある。多くの人が直感的に5人を助けるためでも、人を突き落とすべきではないと答えるが、移植問題もそれと同じだ。私が管理する、哲学分野全般を対象とした文献データベースの『PhilPapers(フィルペーパーズ)』上で、デイヴィッド・ブルジェとともにおこなった調査では、哲学者の63パーセントが路面電車の進路を変えるべきだ、と答え、歩道橋から人を突き落とすべきだと答えたのは22パーセントにすぎなかった。どちらも5人を助けるためにひとりを犠牲にすることなのに、どうしてこれほどまでに反応が違うのだろうか？

これは倫理の問題だ。おおざっぱに言うと、道徳的に「正しい／まちがっている」の研究である。道徳的に言って、私たちはどうするべきか、どうするべきではないか？　その理由は？　多くの人が路面電車の進路を変えるべきだと考え、健康な臓器を持つ患者を殺すべきではないと考える。これらの問題でむずかしいのは「その理由は？」のところだ。片方を正しいとし、もう片方をまちがいとする、ちゃんとした理屈が必要となる。

バーチャル世界は多くの倫理的問題を提起する。現在すでに検討されている問題もある。バーチャル世界で私たちは倫理的にどこまでの行動が許されるのか？　ゲームで仲間の戦闘員を「殺す」のはまちがっているか？　バーチャル世界における暴力や盗みは、物理的世界と同じようにまちがいなのか？　こうした問題は次の章で検討しよう。

この章では、長期間続くシミュレーション世界における倫理的問題に焦点を当てたい。意識を持つシムが住むバーチャル世界を創造するという「神の行為」は倫理的に許されるのか？　そのシムに対して私たちはどのような倫理的責任を持つのか？　映画『フリー・ガイ』では、ゲームの中にいる人工知能を持つシムが尊厳を求めてストライキを起こす。それは道理にかなったことなのか？　シムは重要な存在なのか？

シミュレーションの世界におけるトロッコ問題も考えられる。物理的世界で人間のフレッドが病気になった。彼を救う唯一の方法は、現在、シミュレーションに利用しているコンピュータを使って集中的に研究をすることだけだ。だが、バックアップをとるだけの余裕がコンピュータにはない。研究のためには、シミュレーションの中の5人を犠牲にしなければならない。物理的世界の人間ひとりを救うために5人のシムを殺すことは倫理的に認められるのか？　これから倫理学説について見ていくあいだに、あなたにはこの問題を考えてほしい。

倫理学説

ことの正否を説く理論で伝統的なものに、〈神命説〉がある。行動が正しいのは、神がそれを命令したからであり、それ以外にはない。人を殺してはならない、と神が命じたからそれは悪いことなのだ。われをあがめよ、と神が命じたので、神をあがめるのは正しいことなのだ。

神命説についてもっとも有名な問題は、プラトンの対話篇『エウテュプロン』に起源がある。エウテュプロンは実の父親を殺人罪で告発する。家族は反対するが、彼はそれは「敬虔なこと」(つまり、彼にとっては正しいこと)だと言う。ソクラテスはエウテュプロンに「何が行為を敬虔なものにするのか?」と尋ねる。神の命令に喜んで応じることだ、とエウテュプロンは答える。「神々に愛されるものが敬虔、愛されないものが不敬虔だ」

そこでソクラテスは重要な質問をする。「敬虔なものが神々に愛されるのは、それが敬虔だからか、それとも、神に愛されるからそれは敬虔なのか?」。わかりやすく言いかえてみよう。「あることが正しいとき、それは神が命じたから正しいのか、それとも、それが正しいことだから、神は命じたのか？」

エウテュプロンはジレンマ[4]に陥る。神が命じたから正しいことなのだ、と答えれば、もしも神が赤ん坊を拷問にかけ、殺せと命じたならば、それはおこなうべき正しいことだという、とうてい受けいれられない結論になってしまう。

一方、正しいことだから神が命じたのだ、と答えれば、何が行為を正しいものにするのかについて、神をもち出さない独立の理由が必要になる。ここで行為を正しいものにするのは神の命令ではありえない。さもないと、「神がそれを命じたから、神はそれを命じた」という循環状況になってしまうからだ。行動を正しいものにするのは、何かほかのものがあるはずだ。以上の理由で、私たちは神命説を超えていかなければならない。

この〈エウテュプロンのジレンマ〉は哲学におけるもっとも手強いジレンマのひとつで、さまざまな分野でたびたびもち出される。神やだれかが命じたから行為は正しいという説明を超えるものを必要としている点で、多くの結論は共通している。

もっとも有名な倫理学説は、ジェレミ・ベンサムとジョン・スチュアート・ミルが唱えた〈功利主義〉だろう。正しいこととは、もっとも多くの人に最大のよいことをなすことだ、つまり最大多数の最大幸福だと主張する。あるいは、全人口に最大の効用（功利）を与えることが正しいことだとする。

では、効用とは何だろうか？　個人にとってどれだけよい結果が出たかを示す尺度だ。結果がよいほど効用は高くなる。前の章では効用という尺度を「個人的価値」と呼んだ。個人的価値についてベンサムとミルは快楽主義だ。その結果において快楽が苦痛を上まわった分が効用となる。

功利主義はトロリー問題ではうまく処理できる。何もしなければ、5人が死にひとりが助かる。分岐で進路を変えれば、ひとりが死に5人が助かる。次のふたつを仮定しよう。第一に、人にとって死はとても効用が低い（痛みを感じない即死だとすると、その人はもう快楽も苦痛も感じることはないから、効用はゼロになるだろう）。第二に、生き残ることは効用が高い（そのあと幸せな人生を送るとすると、効用は100になる）。この場合、分岐で進路を変えれば、5人分の効用で500になるが、まっすぐ進めば100だ。もちろんほかの人への影響もある（たとえば、左側の線路にひとりでいる人は大家族だったらどうなるか？　路面電車の運転手への影響はどうか、など）。しかし、少なくとも最初の概算では、進路を変えて5人を助けるほうが効用が高い。

一方で、トムソンの移植問題を功利主義はうまく処理できない。ここでも人の死は効用がゼロ、生きるのは100とすると、ひとりを殺して臓器を移植し、5人を助けるのは効用が500になり、ひとりを殺さずに臓器移植をしないときの効用は100となる。功利主義ならば効用の高いほうを選ぶはずだが、ほとんどの人はそれが正しい選択ではないと考えているので、ここに葛藤が生ずる。

これは功利主義にとって問題だ。教義どおりに効用の高いほうを選ぶべきだとする者もいる。一方、移植のためにひとりを殺すことはほかの悪い結果をもたらすので、効用の最大化にはならないと考える者もいる。たとえば、その話を聞いた人々が医者を信頼しなくなり、その結果、より多くの人が死ぬことになる。それならば、秘密裏に人を殺して移植をおこなえば、どうだろうに思える。

か？　マイナスの結果は減るかなくなるが、健康な人を殺すのは変わらずにまちがっていること

功利主義は、行為を道徳的に評価する際に、行為の結果に注目する。その立場は帰結主義に属する。それに対して、行為をするときのその人の理性に焦点を合わせて、道徳的評価をする立場があり、〈義務論〉と呼ばれることが多い。

もっともわかりやすい義務論は、ルールベース（ルールにもとづく）だ。行動の正否を決めるのは結果ではなく、行動を起こすときにどんなルールにもとづいたかである。道徳的ルールには、「汝(なんじ)、殺すなかれ」や「罪なき人を傷つけるな」などがある。まちがったルールにもとづいた行動は不道徳になる。

受けいれられるルールはどのように決めればいいのだろうか？　もっとも有名な提案は、18世紀ドイツの哲学者イマヌエル・カントによるものだ。この数世紀間でもっとも偉大な哲学者とされることも多いカントは著作の『人倫の形而上学の基礎づけ』において、〈定言命法〉を提案した。その第一の定式は、「汝の意志の格率（個人の持つ行動原則）がつねに同時に普遍的立法の原則として妥当しうるように行為せよ」というものだ。

一定のルールに従って行動することを考えるならば、みんながそのルールを法律と同じものとみなして従うような世界を考えるべきだ、とカントは言う。そのような世界で生きようと決めることは合理的な選択なのだろうか？　その答えがイエスならばそのルールに従うし、ノーならば従わないだろう。

「欲しいものを得るために必要ならば嘘はつくべきだ」という行動規範について考えてみよう。これは受けいれられない、とカントは考えた。みんなが欲しいものを手に入れるために嘘をつく世界を想像してもらいたい。だれもがそれを知っているので、嘘をついても効果がない。この行動規範を普遍的な道徳法則とみなすことはできないので、これに従った行動も受けいれられない。一方で、「他人に親切にしなさい」という行動規範は普遍的な道徳法則だとみなせる。だれもが他人に親切な世界に生きることを選ぶのは合理的だからだ。その規範は受けいれられ、あなたの行動の指針となるだろう。

ルールベースと功利主義は合体することができる。それは〈規則功利主義〉と呼ばれるもので、道徳規範はそれを普遍的な法則として採用するときに受けいれることができ、それが最良の結果を生みだす、と主張する。たとえば、「健康な患者を殺してはならない」というルールは、移植問題（5人が死ぬか、ひとりが死ぬか）のような特定の事例では、結果を悪くするが、それを一般ルールとして採用すれば、全体として最良の結果をもたらすだろう（病院システムはうまく機能し、より多くの患者が救われる）。では、「より多くの命を救うためにだれかを殺し、そのことは人には知らせない」という一見、適格そうなルールはどうだろうか？　このようなルールを採用しても全体の結果はよくなりそうだが、不道徳さは残る。そこには未解決の問題が残っているのだ。

エリザベス・アンスコムは、1958年に著した古典的論文「現代の道徳哲学[5]」で、帰結主義者と義務論者の両方を容赦なく批判している。帰結主義は不道徳な結果を招き、「堕落した」心をあきらかにする。そして、カントなど義務論のアプローチは、立法者が定めた一連の法律のような道徳法則の概念を含むが、その構図は神を立法者と考えた神命説の残りものではないか、とアンスコムは考えた。だから、ひとたび神の存在が否定されれば、ルールからのアプローチは機能しないのだ。

アンスコムは、何が道徳的に正しいかまちがっているかを話すべきではないと考えた。「正しい」「まちがい」という言葉はおおざっぱすぎて、何が道徳の対象になるのか把握できない。人々の行動を道徳的に評価するときには、「不公平な」「勇敢な」「やさしい」などのきめの細かい言葉を使うべきだ、と主張した。

ここでアンスコムは、アリストテレスの見いだした徳倫理学に戻ることを勧める。やさしさや勇敢さなどの美徳を道徳の中心とする考えだ。よく似た記述は、孔子や孟子をはじめ、儒教の哲学者たちの教えに見つけることができる。儒教は、人が切望するべき道徳的特徴の中心には、「仁信智（慈悲心、信頼性、知恵）」などがあると考える。徳倫理学で人気のあるひとつのバージョンは、その行動をする人間の徳性を用いて、行動の徳性を評価するものだ。勇敢な行為は勇敢な人間によって、親切な行動は親切な人間によって実行される。

アンスコムとオックスフォード大学の同僚であるフィリッパ・フット、アイリス・マードック、中国の新儒家[6]〔儒学を西洋哲学との関係の中で現代的に解釈する思想家〕たちのおかげで、徳倫理学は近年、道徳理論の主役に返り咲いた[7]。どのように行動するべきか明確な指針を示していない、と批判されることもある。それでも徳倫理学は、道徳を発展させるためのツールになり、単純な原則にすることなく、道徳という複雑なタペストリーを理解するためのツールになると見られている。

シミュレーションと道徳的身分

次にVRにおける倫理について考えよう。運用期間が長期のシミュレーションを考えることから始めよう。シミュレーション作成が倫理的に許されるのはどういうときで、シミュレーションを終えることが倫理的に許されるのはどういうときだろうか？　作成者はどのような倫理的責任を負うのだろうか？

生命のいないシミュレーション宇宙をつくるだけなら、倫理問題はほとんど発生しない。宇宙論学者はすでに銀河や星の歴史のシミュレーションを動かしているが、倫理委員会の許可はいらない。おそらく、コンピュータの能力をどのように使うのが最良か、シミュレーションから得た知識をどう活かすかが倫理問題になるだろうが、それは通常の科学における倫理問題だ。生物学のシミュレーションも、たとえば植物の進化というレベルなどでは倫理問題はほとんど発生しない。

倫理問題が発生するのは、心をシミュレートするときだ。極端な例から始めるが、私たちは情報機関で働いていて、拷問にかけられたときの人間の反応を調べたいと考えるとしよう。そのために脳の機能を完全にシミュレートした人間（シム）をつくり、シミュレーションの中で拷問にかける。これは倫理的に許されることか、それともひどいことなのか？

シムがどのような心を持っているかによって答えは変わるだろう。意識があって苦痛を経験するのならば、拷問はひどいことになる。意識がなく苦痛を経験しないのならば、倫理的には許されるだろう。

ここに根本的な問題が生ずる。そもそもシムには道徳的身分があるのだろうか？　道徳的身分を有する生き物が道徳的関心の対象となるときに、だいたい人類に似た扱いを受ける。それはつまり、人間が倫理について考えるときに、その生き物の幸福も考慮に入れることを意味する。

倫理的に言えば、生き物は重要だとされれば、道徳的身分を得る。[8]〈ブラック・ライブズ・マター運動〉はすべてが道徳的身分にかかわる問題だ。「ほかの人間と同じように黒人の命は大切だ」「白人を殺すのが悪いことのように、黒人を殺すのも悪いことだ」「白人を虐待するのが悪いことのように、黒人を虐待するのも悪いことだ」。過去において、そして現在まで、多くの人や社会制度が、黒人の命を白人の命よりも軽く扱ってきた。現在、それはひどいことだと広く認識されている。

長い年月をかけて、道徳的身分の範囲は拡大してきた。現在では人間以外の動物も多くが道徳的身分を獲得している。その身分は人間とまったく同じではない。ほとんどの人は犬や鳥よりも人間のほうが大事だと考えている。それでも犬や鳥も大事なので、気まぐれで犬に残酷な仕打ちをしてはならない。ハエや貝に道徳的身分があるかは明確ではない。あると考える人もいる。環境保護論者の中には、木などの植物にもある程度の道徳的身分があると考えるが、それは少数意見だ。無生物について、岩や粒子に道徳的身分があると考える人はほとんどいない。あなたは岩を好きに扱っていいが、少なくともそれが倫理的問題になることはない。

私の意見は多くの人と同じで、道徳的身分を与えるかどうかは意識の有無による、というものだ。ある存在が現在、意識を持つ能力がなくて、これからも持つことがなければ、道徳的身分はない。「もの」として扱えばよい。意識を持つ能力があるなら、少なくとも最低限の道徳的身分を与えるべきだ。その存在が意識的経験をすることが可能ならば、私たちの倫理的計算において考慮に入れるべきだ。最低限の意識を持つシステム（蟻（あり）がそうかもしれない）については議論が分かれる。最低限の道徳的身分しか持たず、倫理的考慮の際に人間よりもはるかに軽い扱いになるだろう。それでも意識があるのなら資格はある。

意識の道徳的身分について考える助けとして思考実験をすることができる。私はその実験を〈ゾンビのトロリー問題〉と呼んでいる。あなたは暴走する路面電車の運転手だ。何もしなければ、前方の線路にいる意識を持つ人間をひとりはねてしまう。分岐で進路を変えれば、意識を持たない5体のゾンビをはねることになる。あなたはどうするべきか？

補足説明をしよう。このゾンビは第15章で紹介した哲学的ゾンビだ。見た目は人間そっくりだが、意識を持っていないので、主観的経験をしない。人間の肉体の複製やそのシリコン版を想像するか、あるいは、とても人間に近いが意識を持つ能力のない何かを想像してもらいたい。そんなゾンビに有効な使い道があるかどうかは、この思考実験では関係なく、今は道徳的身分の話だ。

このゾンビのトロリー問題でアンケートをとったところ、はっきりした結果が出た。大部分の人が、路面電車の進路を変えて、5体のゾンビをはねるほうを選んだのだ。人間ひとりを殺すよりもゾンビ5体を殺すほうがよい。ゾンビはできるかぎり人間と同等にみなすべきだとして、ひとりの人間をはねるほうを選んだ人もいるが、きわめて少数意見だった。

　ゾンビを殺すというのも恐ろしい感じがする。２０１８年のテレビ映画『Z-O-M-B-I-E-S（ゾンビーズ）』では、人間の世界でひどい扱いを受けるゾンビのコミュニティが中心に描かれている。重要なのは、その映画のゾンビたちは意識を持っていることだ。それに対して、哲学的ゾンビは意識を持っていないので、虐待されても問題にならないのだ。

　話をさらに広げてもいい。意識を持つニワトリ1羽を殺すか、惑星上にいる人型の哲学的ゾンビすべてを殺すかを選ぶとしたらどうするか？　ここまで来ると、直感は働きにくくなる。意識を持たないのだから道徳的身分がないとして、ゾンビを殺すことを選ぶ人もいる。一方で、あたかも知性があるかのようなゾンビのふるまいから、幾ばくかの道徳的身分があると考えて、ニワトリを殺すことを選ぶ人もいるだろう。私の直感は答えを出せない。

　ゾンビのトロリー問題は、弱い結論と強い結論のどちらもある。意識を持つ1体の生き物を救い、意識を持たない5体を殺すことを考えたのならば、意識は道徳的身分と関連があることを示している。弱い結論は、意識を持つ生き物のほうが持たない生き物よりも重要だと考える。それに対して強い結論は、意識を持たない生き物を助けることに道徳的理由などまったくないとする。意識は道徳的身分の要件であるという見方だ。だから、意識を持たない生き物は道徳的に言って、まったく問題とならないのだ。

　この強い結論は、私がこの章の終わりに向けて提唱する見方と一致している。それは、意識を持つことはすべての価値の根拠になる、という見方だ。人にとって良いことも悪いこともあるのは、人が意識を持っているからだ。意識は価値があり、意識を持つ生き物が高く評価するものにも価値があり、意識を持つ生き物同士の関係にも価値がある。もしも、生き物に意識を持つ能力が欠けていれば、彼らの視点からは良いことも悪いこともない。その生き物にとって良い悪いがないのならば、その生き物は道徳的身分を持たないと考えるのはごく自然だ。

意識を要件に道徳的身分を与えるという見方は、動物の幸福を考えるときに議論の中心となる。オーストラリアの哲学者ピーター・シンガーが１９７５年に著した『動物の解放』は、現代の動物の権利保護運動のきっかけになった本だ。そこでシンガーは、道徳的身分の要件には「感覚能力」が重要だと論じる。[9]

生き物が苦しむ能力がない、喜びや幸福を経験する能力がないのならば、考慮する必要はない。これが理由で、感覚能力（この言葉は便宜的に使っている。正確ではないかもしれないが、苦しむ能力、喜びや幸福を経験する能力を意味する簡略表現）の限界が、他者の利害に配慮する唯一の防御可能な境界になるのだ。

日常英語で「sentience（感覚能力）」は「意識（があること）」とだいたい同じ意味だが、シンガーはそれを狭義に使い、「苦しむ能力、喜びや幸福を経験する能力」とした。これは意識の一部分だ。意識のある生き物だけが苦しみを感じ、喜びや幸福を経験できる。意識は道徳的身分の要件だが、それだけでは充分でないとシンガーは言う。どんな意識でもいいわけではなく、ポジティブ、ネガティブな感情状態の意識的経験が必要だとした。近年の理論家の多くも、同じように道徳的身分には感覚能力が必要だという見方をしている。この見方は18世紀のジェレミ・ベンサムにまでさかのぼることができる。ベンサムは道徳的身分の要件として、苦しみを感じることをあげた。

私はこの見方を疑わしく思っている。意識にとって苦しみや幸せを経験する以上のことはあるし、意識のほかの部分が道徳的に重要でないとするのは説得力がない。それをあきらかにするために、『スター・トレック』に登場する感情のないバルカン人のミスター・スポックが出てくる、より極端な思考実験を私は考えた。

ここでは、バルカン人は意識はあるが、幸せや苦しみ、喜びや心痛などを経験しないし、ポジティブ、ネガティブ、いかなる感情状態も持たないと仮定する。実際の『スター・トレック』のバルカン人はそこまで無感情ではない。7年ごとに発情期を迎え、その期間中はおだやかな喜びや心痛を経験する。混同するのを避けるために、この思考実験では「哲学的バルカン人」と呼ぶことにする。

私の知るかぎり、哲学的バルカン人のような人間はいない。心痛や恐怖や不安を感じない人がいるという報告例はあるが[10]、彼らはポジティブな感情は持っている。哲学的バルカン人にはその感情もない。それでも彼らは多様な知覚経験もできるし、あらゆる複雑な問題に意識的思考を駆使して、豊かな意識的生活を送っているかもしれない。私たちはだれもが、知覚と思考において感情的に中立の状態を経験している。たとえば、ポジティブでもネガティブでもない感情で、建

哲学的バルカン人のトロリー問題に直面するジェレミ・ベンサム。人間ひとりとバルカン人5人、どちらを助けるのが善いか?

物を見たり、ミーティングについて考えたりする。哲学的バルカン人はつねにそういう状態にあるのだろう。

彼らは自分をやる気にさせる快楽や幸福を追求することはなく、その人生に喜びはないかもしれない。おしゃれなレストランで食事を楽しむこともない。それでも知性と倫理面で本気の目標を持っているだろう。たとえば科学を進歩させたり、まわりの人を助けたりすることを望んでいる。家庭を築くことや金儲けを望んでいるかもしれない。目標を達成しても喜びを感じることはないが、それでも目標を大事にし、それを追求する。

ベンサムとシンガーの見方では、哲学的バルカン人に道徳的重要性はないはずだが、それはまちがっているように思える。私は「バルカン人のトロリー問題」を使って自説を主張することができる。普通の感情的意識を持つ人間ひとりを救うために、哲学的バルカン人の住む惑星を滅ぼすことは道徳的に受けいれられるか? その答えは明白にノーだ。

状況を単純にしてみよう。あなたは職場までの所要時間を1時間短くするために哲学的バルカン人をひとり殺せますか？　殺すのが道徳的にまちがっているのはあきらかで、おぞましい行為だ。バルカン人が未来において幸福も苦しみも感じないことは重要ではない。意識を持つ生き物で、豊かな意識的生活を送っていることが重要なのだ。道徳的に見て、ゾンビや岩と同じように片づけてはいけないのだ。

（バルカン人は生きつづけたいという望みを持っているのだろうか？　私は持っていると考える。そのようなバルカン人を殺すべきでないとするのならば、感情的意識よりも生きたいという望みのほうが重要であることを示している。ここでもっと極端なバルカン人の設定にしてみよう。感情的意識がなく、生死にも無関心なバルカン人だ。それでも殺すのはおぞましい行為だと私は考える。もしもそうなら、そこには感情的意識や欲求充足よりも重要なものがあることを示している。私は感情以外の意識も重要だと考えている）

バルカン人は普通の人間と同じくらい大切だ、と私は考える。もちろん、情動は人生をよりよくするので、自分が地球人であってバルカン人でないことをうれしく思う。苦しみや幸福は、意識を持つ生き物の人生を良いほうにも悪いほうにも大きく変える。だが、それらは道徳的身分を与えるために最重要なことではない。

ベンサムは動物の道徳的身分に関する話で、みずからの見方を披露したことがある。「問題は、彼ら（動物）が理性的かでも、話せるかでもなく、苦しみを感じられるかなのだ」。私が正しければ、重要なのは苦しみを感じることではなく、意識があることなのだ。したがって正しい質問は、「苦しみを感じられるか」ではなく、「彼らに意識はあるのか」になる。

シミュレートされた生き物の道徳的身分を決めるための質問も、「彼らに意識はあるのか？」

になる。すでにいくつかの種類のシムについては、この質問に答えている。第15章で、人間の脳の完全シミュレーションは、元の脳と同種の意識を持つであろうことを話した。つまり、シム人間は普通の人間と同じような意識を持つのだ。道徳的身分にとって意識だけが重要ならば、シム人間は普通の人間と同じ道徳的身分を持つことになる。

シミュレーションの倫理

ここまで考えてくると、シミュレーションのトロリー問題に答えることができる。答えはノーだ。ひとりの人間を救うために5人のシムを殺すことは受けいれられない。ただし、シムに意識がなければ、受けいれられるだろう。しかし、人類のフルスケールのシミュレーションならば、シムの意識も人類と同程度にはあるはずだから、シムにも人類と同じ道徳的身分がある。

ある見方からは、この結論は不合理に思えるだろう。わずかばかりのコンピュータプロセスを救うためにひとりの人間の命を犠牲にしてもいいのか、と。ここで、もしも私たちがシミュレーションの中にいるとしたらどうなのか考えてみよう。シミュレーションの中で、シミュレーション実行者は高い階層の宇宙にいるひとりを救うために、私たち5人を殺すことは道徳的に許されるのか？　私たちからすれば、それは許されない。実行者にその力があっても、そのことをもって正当化はできない。同じことが、私たちがつくったシムに対する私たちの行動にも言えるのだ。

道徳的身分にとって意識以外にも重要なものはある、と主張する者もいる。たとえば、人間は最高階層の宇宙にいるから、シムよりも道徳的身分が高いとする意見や、期間の短いシミュレーションはそれゆえに道徳的身分が低いとする意見がある。だが、私はこれらの見方に納得できない。もう一度、私たちがシミュレーションの中にいるという仮定に戻って、これらの見方のマイナス面を見てみよう。私たちが最高階層の宇宙にいないことを理由に、私たちを殺すことが道徳的に許されるだろうか？

　私たちはシムに対して人間と同程度の道徳的義務を負う、と私は考えたい。普通の人間に対して許されない行為ならば、シムに対しても許されないのだ。シムを殺すことも、シムから盗むことも許されない。シムを実験台にすることも、人間と同じ倫理的規制がかかる。

　以上は、すでに存在するシムの扱い方に関する問題だ。そもそもシムをつくること、さらにはシミュレーションをつくることは道徳的に許されるのだろうか？

　極端な例から考えてみよう。１００万体の意識を持つ存在をつくり、彼らがずっと激しい苦痛を経験しつづけるというシミュレーションは許されるだろうか？　あきらかに許されないと思う。では、１００万の意識を持つ存在の大部分が幸せで充実した生涯を送るシミュレーションをつくることは許されるだろうか？　一見したところでは、許されるだろう。

　１００万の意識を持つ存在が幸せでも、私たちが「神を演じる」ことに異議を唱える者はいるだろう。私もそのようなシミュレーションは軽い気持ちでつくるべきではないと考える。自分たちのすることについて私たちは真剣に考えるべきだ。宇宙のシミュレーションをつくっていい者とその理由に、社会は厳しい制限を設けるかもしれない。

同時に、幸せなシミュレーションをつくることが不道徳とされる理由が、私にはわからない。結局、私たちが子どもを生むのは、意識を持つ生命を新たにつくることなのだ。ここでも軽い気持ちでつくるべきではない、と言おう。哲学者の中には、あらゆる生は苦しみをともなうので、子どもをつくることはつねに不道徳だ、と言う者もいるが、[11]これに賛同する者はわずかだ。

シムの大部分が幸せで、ごく一部が苦しむシミュレーションは道徳的に許されるのか？　功利主義者の中には、それはベストな方法ではない、と言う者がいるかもしれない。なぜなら、大勢が幸せで苦しむ者のいない世界をつくるほうがいいからだ。それならば私たちは可能なかぎり大きな世界で、幸せなシムしかいないシミュレーションをつくるのがいいだろう。だがもしかすると、苦しむ者が少しいたほうが人生はよいものになるので、最良のシミュレーションは苦しみの存在を許容するかもしれない。これを支持する根拠は、少しくらい苦しみがあったほうが人生はよくなる、という考えだ。それでもこの見方では、慈悲深いシミュレーション実行者は可能なかぎり最高のシミュレーションしかつくらない。

これこそが神がおこなうべきことだ、とライプニッツは考えた。慈悲深き神は可能なかぎり最高の世界しかつくらない。そこに若干の悪が含まれているとすれば、それはこの上なくよい世界にするために必要だからだ。

一方、シミュレーション実行者は複数のシミュレーションをつくることができる。すでに最高の世界をつくっていたと仮定してみよう。その場合、2番目によいシミュレーションをつくるという選択がある。最高の世界よりは少し落ちるものの、全体としてはすばらしいものだ。その世界をつくるべきだろうか？　最高の世界のコピーをつくったほうがいい、と言う人もいるだろう。だがコピーにはオリジナルほどの価値はないかもしれない。起こりうるひとつは次のことだ。ふたつのシミュレーションが同じならば、片方に住む意識を持つ生命体を維持すればよく、もう片方は余分になる。それならば、2番目によいシミュレーションをつくるほうがいい。2番目によいシミュレーションをつくれば、世界にかなりのよいことを追加できるので、よいことなのだ。この見方では、苦しみよりも幸福が多いシミュレーションをできるだけ多くつくることが、道徳的命令になる。

〈シミュレーション神義論〉[12]なるものをつくり出すためにこれを利用することもできるだろう。神義論とは、神がこの世に悪を許す理由を神学的に説明するものだ。シミュレーション神義論は神をシミュレーション実行者に置きかえている。その説のひとつは、差引勘定で苦しみよりも幸福のほうが多い世界はすべてつくられるべきだ、と主張する。そうなると、幸福のほうが多いかぎり、世界にかなりの苦しみがあってもよいことになる。シミュレーション説が正しければ、私たちの世界に悪が存在することをこれで説明できる。あるいは実行者がそれほど慈悲深くなく、自分がつくった生き物の幸福よりも優先順位が上の事柄があるのかもしれない。

別のシミュレーション神義論は、シミュレーション実行者は全能ではないので、シミュレーションの中で起きることすべてを予測できるわけではない、と主張する。すべてを予測できるなら、そもそもシミュレーションを動かす意味がない。だから宇宙をシミュレートしたときに、苦痛の発生を完全には避けられないし、予測できない悪も生まれる。それでもシミュレーション実行者には、どのシミュレーションがうまくいき、どれがダメか勘が働く。そして、そうした勘があるのであれば、実行者はほかの条件が同じであれば、うまくいきそうなほうをつくるべきだ。

シミュレーションをつくることが道徳的かどうかは、それをつくる理由にかかっている、と多くの道徳理論が言う。たとえば、イマヌエル・カントは、定言命法第二定式として、「汝および他のあらゆる人格における人間性を、単に手段としてのみ扱うことなく、つねに同時に目的としても扱うように行為せよ」という「人間性の原理」と呼べるものを主張した。私たちはつねに他者の人間性を認め、自分が行動するときにそれを考慮するべきである、ということだ。カントがこの原理を人間以外（知性と意識を持つ非人類やシムなど）にも適用するかどうかはわからないが、適用すると考えるのが自然だ。人類だけに限定するのは、種差別主義的（生物の種には優劣がある、とくに人類を他の動物よりすぐれた種だとする考え方）だろう。シムにも人格があるのだ。私たちが必要としているのは〈人格性の原理〉と呼べるものだ。つまり、「われわれは人格を、単に目的を達成するための手段として扱うのではなく、目的自体としても扱うべきだ」ということである。

この人格性の原理をシムに当てはめると、「われわれはシムを、単に目的を達成するための手段として扱うのではなく、目的自体としても扱うべきだ」となる。そうなると、単に娯楽のためや、未来予測に役立てるため、科学に貢献するために宇宙をシミュレートするのは道徳的にまちがっていることになる。私たちは自分でつくった生命の個性を尊重しなければならない。前記の目的で宇宙をシミュレートするのは、シムに配慮するかぎりで許される。たとえば、人間を被験者とする科学的実験は、被験者を傷つけないことが条件になるように、科学目的でシミュレーションを動かすのは、被験者であるシムによいことをするかぎりで許される。もちろん、これでは不快なシミュレーションを動かすことがむずかしくなる。戦争の大規模シミュレーションは禁止されるかもしれない。別の宇宙にいる人間を利するために戦争をシミュレートすることは、それに参加するシムたちを目的自体として扱っているとは言えないからだ。

シミュレーション実行者は実際にこうした道徳的拘束に従うだろうか？　従わなくても不思議ではない。人類は道徳的理想を達成してこなかった長い歴史を持っている。便利で役に立つシムは道徳的配慮を再考されることなしに搾取（さくしゅ）されるだろう。テレビドラマの『ブラック・ミラー』では、登場人物が朝食を準備させるため、そして、恋人候補をテストするためにシムをつくった。シムが使い捨ての扱いを受けることは容易に想像できる。一方で、苦労の末にシムに人間と同じ権利を与える道も想像しやすい。どちらの道が最後に勝つのかわからない。だがもしも、「モラルの領域の弧は長いが、それは正義のほうに曲がる」と言ったマーティン・ルーサー・キング・ジュニアが正しければ、その弧はシムに人間と同じ権利を与えるほうに曲がるだろう。

第19章 バーチャル社会をどのようにつくるべきか?

1993年当時、もっとも人気のある社会的交流のためのバーチャル世界はMUD（Multi-User Domain）だった。MUDはテキストベースの世界でグラフィックはなかった。ユーザーはテキストコマンドを入力して、いくつもの「部屋」を訪れ、部屋にいる者と会話をする。人気のMUDのひとつに「LambdaMOO」があった。カリフォルニアのマンションをまねた住居を交流の舞台にしていた。ある夜、数人のユーザーが「居間」にいて会話をしていた。そのうちのひとり、ユーザー名「ミスター・バングル」が突然、voodoo doll（ブードゥー人形）というツールを展開した。それは「John kicks Bill（ジョンはビルを蹴る）」などの文章を作成するもので、ユーザーがその文章どおりに行動している雰囲気を出す。ミスター・バングルはユーザーのひとりについて、ほかのふたりに性的で暴力的な行為をしている文章をつくった。ユーザーらは恐怖を覚え、ルール違反だと感じた。それから数日間、バーチャル世界内でどう対応するか多くの議論がなされ、管理者である「ウィザード」はミスター・バングルをラムダムーから追放したのだった。

ミスター・バングルがまちがったことをしたのは、ほとんどの人が同意するところだ。私たちはこのまちがいをどのように理解すればいいのだろう？　バーチャル世界を虚構だと考えている人は、あなたが襲われる短編小説を読まされる経験に近いと言うかもしれない。ひどい暴力に違いないが、現実の暴力とは種類が異なる。しかし、大部分のMUDコミュニティはそのようには考えなかった。テクノロジー・ジャーナリストのジュリアン・ディベルは、暴力を受けた被害者のひとりにインタビューした[1]。

数か月後、その女性は……その文章を思いだして書くときに心的外傷による涙が流れました、と私に打ち明けた。その文章が彼女の感情に与えた影響は、現実に起きている事実であり虚構ではないことは、その打ち明け話で充分だった。

この被害者の経験は、バーチャル・リアリズムを支持するものだ。MUD内での暴力は、ユーザー同士に距離があるので単なる虚構だとするのではなく、被害者に実際に起きたバーチャル上のリアルな暴力だと考える。

ミスター・バングルの性的暴力は、物理的世界のそれと同じくらい悪いことなのだろうか？そこまでは悪くないだろう。MUDのユーザーがバーチャルの体を物理的な体ほど重要だと思っていなければ、それを侵害する罪も同じように軽くなる。それでも、私たちとバーチャルの体の関係が進歩するにつれて、問題は複雑になってきた。長く続くバーチャル世界でアバターを何年も利用していれば、短期のテキスト環境よりはバーチャルの体を自分と同一視する傾向ははるかに強くなるだろう。オーストラリアの哲学者ジェシカ・ウルフェンデールは、「アバターへの愛着」[2]は道徳的に考慮されるべきだ、と主張してきた。バーチャルの体による経験が豊かになるにつれて、どこかの時点で、その体への暴力は物理的な体への暴力と同じように重大なものと見られるようになるかもしれない。

ミスター・バングルのケースはまた、バーチャル世界の管理について重要な問題を提起した。ラムダムーは1990年に、カリフォルニアにあるゼロックスのパロアルト研究所のソフトウェア・エンジニアだったパヴェル・カーティスによって始められた。カーティスは自分の家に似せてラムダムーをデザインし、最初は一種の独裁者として君臨していた。その後、管理権を「ウィザード」と呼ばれる、そのソフトに対して特別な権力を持つプログラマーの集団にゆだねた。この時点では、一種の貴族政治〔少数のエリート集団による運営〕がおこなわれることが期待された。ミスター・バングルの事件後、ウィザードはラムダムーの運営に関して、あらゆる決定を自分たちがすることは望まないとして、権力のかなりの部分をユーザーにゆだね、重要事項に関してユーザーが投票をおこなえるようにした。ラムダムーは民主政治に転換したのである。それでもウィザードは一定の権力を持ちつづけ、その後、民主政治がうまく機能しないと判断したときに自分たちの決定権を増やした。ミスター・バングル事件のあと、ウィザードによる決定はユーザーの投票により承認されたが、このことは、何はともあれ権力委譲が実現していることを明白にした。ラムダムーの世界はスムーズに管理形態が変わったのだった。

　この事件は、目先のバーチャル世界の倫理と政治に関して重大な問題を提起する。倫理的には、「バーチャル世界でユーザーはどのように行動するべきか？　バーチャル世界における正しいこと／まちがっていることはどう違うのか？」という問いだ。政治的には、「バーチャル世界の作成者は倫理的、政治的にどのような制約を受けるのか？　バーチャル世界はどのように管理されるべきか？　バーチャル世界における正義とは何か？」という問いだ。まず、ユーザーと作成者双方の倫理の問題から考えていこう。

ユーザーの倫理

　すでに存在しているバーチャル世界から始めよう。もっとも単純なのはひとりプレイのゲームだ。だれもかかわらないのだから倫理的な心配などない、と思う人もいるだろうが、問題が起きるときもある。哲学者のモーガン・ラックは2009年の論文「ゲーマーのジレンマ」[3]で、ほとんどの人は、バーチャルの殺人（ノンプレイヤー・キャラクターを殺すこと）は道徳的に許せるのに、バーチャルの小児性愛は許せないと指摘している。性的暴力も同じだ。1982年に発売されたアタリ社のアダルトゲーム『Custer's Revenge（カスターズ・リベンジ）』では、ネイティブアメリカンの女性が性的暴力の対象となっていて、大部分の人が道徳的にまちがっていると感じた。

　これは哲学的な謎である。バーチャルの殺人と小児性愛とのあいだに、どんな道徳的な違いがあるのか？　両方とも他人に直接の害を与えるわけではない。バーチャルの小児性愛が現実のそれにつながれば、大きな害となるが、それを示す強い証拠はない。

ここで何がまちがっているのかを明快に説明する道徳理論はない。可能な説明のひとつに、徳倫理学に頼るものがある。バーチャルの小児性愛を楽しむような人を、私たちは道徳的に欠けている部分があると考えるので、その行為自体も道徳的に欠けていると考えるのだ。性的暴力や拷問、人種差別も同じだろう。だから、２００２年に『*Ethnic Cleansing*（エスニック・クレンジング）（民族浄化）』というシューティングゲームが問題になったときに、多くの人が道徳的に似た反応を示したのだ。これは人種差別団体が若者を勧誘するために作成したもので、白人至上主義の主人公がほかの人種を殺していくゲームだった。それに対して、「通常の」バーチャルの殺人を私たちは道徳的に欠けているとは思わないので、問題にしない。だが、ここにも倫理的問題は少し存在する。

ひとりでプレイするゲームから、マルチユーザーのゲーム環境（『フォートナイト』のような）に行き、そして完全社交型のバーチャル世界（「セカンドライフ」のような）に移ると、倫理的問題は増えていく。もしもこれらのバーチャル世界が単なるゲームやフィクションならば、そこでの倫理はゲームやフィクションの倫理の範囲にとどまる。ゲームをしているときにプレイヤー同士は相手に悪いことをしあってもいいが、悪事の種類も程度も現実ほどではない。しかし、ひとたびバーチャル世界が真の実在を持つと見られるようになると、その倫理は現実における倫理と同じように重要なものになる。

多くのマルチプレイヤー・ゲームにおいて、「グリーファー」と呼ばれるプレイヤーがいる。悪意があり、ゲーム内でほかのプレイヤーに嫌がらせをしたり、持ち物を盗んだり、傷つけたり殺したりして喜ぶ人だ。この行為は、ほかのプレイヤーがゲームを楽しむのを邪魔するかぎりにおいて、悪いことだとみなされている。だがゲーム内で他人の持ち物を盗むのは、現実と同程度に悪いことだろうか？　ほとんどの人は、ゲーム内の所有物は現実の所有物ほど重要ではないと思っている。とはいえ、長期にわたるゲームや、ゲーム以外のバーチャル環境ではなおのこと持ち物はユーザーにとって重要なので、その害も大きくなる。２０１２年にオランダ最高裁判所は、オンラインゲームの『*RuneScape*（ルーンスケープ）』で10代のプレイヤーからアミュレット（お守り）を盗んだ10代の若者ふたりを有罪とした判決を支持した。そのアミュレットは入手するために時間と努力を費やすので、真の価値がある、と最高裁は述べた。

バーチャル事物が虚構であった場合、その窃盗[4]は説明しにくい。存在しないものを盗めるのか？　バーチャル虚構主義（フィクショナリズム）の哲学者であるネイサン・ワイルドマンとニール・マクドネルはこれを「バーチャル窃盗の謎」と呼んでいる。ふたりは、バーチャル事物は虚構なので盗むことはできない、と主張する。最悪でもそうした事例は、バーチャル事物ではなく、デジタル事物の窃盗にかかわるものとなる。『ルーンスケープ』の事例では盗まれたのはデジタル事物であり、バーチャル事物ではない、とふたりは考える。それに対してバーチャル・リアリズムでは、バーチャル窃盗は、人からリアルで価値のあるバーチャル事物を奪うことだ、ともっと自然な説明をしている。バーチャル窃盗の存在はバーチャル・リアリズムを支援するものだ。

バーチャル世界の殺人はどうだろうか？　当面のバーチャル世界に真の死はないので、真の殺人が起きる余地は少ない。ユーザーがほかのユーザーに何か言うことで、言われた側が現実世界で心臓発作を起こしたり、自殺に追い込まれたりすることはありうる。これらの行為は現実世界と同じように道徳的に重大である。これらを除けば、もっとも近いのはアバターを「殺す」ことだが、それはアバターを使っているユーザーを殺すことではない。最悪でも、バーチャル世界からそのユーザーを排除することで、追放と似た行為となる。追放よりも、「転生可能な世界での殺人」という表現のほうが近いだろう。前の記憶を保ったまま大人を転生させられるのならば、そう言える。また、アバター殺しはペルソナ〔社会的・表面的人格〕を破壊することに似ているかもしれない。アメコミヒーローのアイアンマンのペルソナは排除されても、アイアンマンの正体であるトニー・スタークは生きている。これらは現実世界の殺人ほどではないにせよ、道徳的に重大な行為だ。

　では、バーチャル世界におけるまちがった行動はどのように罰すればいいのだろうか？　さしあたり、バーチャル世界に真の死はないので、死刑という選択肢はない。追放はあるが、さしたる効果は望めない。ミスター・バングルはラムダムーから追放されたが、同じユーザーがすぐにドクター・ジェストという名前で戻ってきたからだ。バーチャル上の罰や拘禁も、ユーザーが簡単に新しい体を入手できれば、効果は限定的になる。現実世界での刑罰（罰金から懲役、死刑まで）も選択肢としてはあるが、相手が匿名のユーザーとなると実行するのがむずかしい。バーチャル世界が私たちの生活でより重要なものになれば、バーチャル上の犯罪も重要さを増すので、犯罪にふさわしい罰を見つけるのがむずかしくなるかもしれない。

作成者の倫理

ひとりプレイヤーの環境でも、バーチャル世界の作成者には多くの倫理的問題が発生している。『グランド・セフト・オート』[5]というゲームの作成者は、暴力の美化やサディズム、女性蔑視で非難された。最大の批判は、そのゲームが物理的世界での暴力と性差別を招く恐れがあるというものだった。カリフォルニア大学サンディエゴ校の哲学者モニーク・ワンダリー[6]は、こうしたゲームはユーザーの共感力と道徳的判断力を低下させる、と主張する。バーチャル世界での言動は物理的世界に転移するという実験結果もあり、この主張の裏付けになっている。たとえば、心理学者のロビン・S・ローゼンバーグとジェレミー・ベイレンソンの研究では、ヒーローとしてVRにいる被験者[7]が物理的世界でより利他的に行動し、VR内で悪人だった者は物理的世界で利己的に行動する傾向が出たという。

VRは他人への共感を増進させると多くの者が指摘してきた。たとえば、あなたが難民としてバーチャル世界に入れられたならば、理屈ではない内臓感覚的な難民経験ができる。

研究者はまた、モラルジレンマ（道徳的価値の葛藤）を描くのにVRを利用する。VR研究者のメル・スレイターは、1963年に実施されたスタンレー・ミルグラムの有名な実験を、VRを利用して同じ手順で再現した。[8]ミルグラムは被験者（教師役）に対して、別の被験者（生徒役）が設問の答えをまちがえると、電気ショックの痛みを与え、だんだん痛みを強くすることを命じた。じつのところ、生徒は役者が演じるサクラで、本当に電気ショックが与えられていたわけではない。生徒役は苦痛の叫び声をあげるが、それが演技だと知らない教師役は実験を続けるよう命じられる。その結果、多くの教師役は生徒が死ぬかもしれない強さの電気ショックを与えるまで実験を続けたのだった。この実験の現代版では、生徒はVR内のノンプレイヤー・キャラクターで、教師役の被験者はそのことを知っている。そしてスレイターはミルグラムと同じ実験結果を得た。教師役はバーチャルの生徒がひどく苦しむなか、命じられるままに実験を続けたのだった。ミルグラムの実験と同様に、教師役は不安になり、不快感を覚え、心拍数は上がり、手のひらに汗をかいた。

哲学者のエリック・ラミレスとスコット・ラバージは、VR版のトロリー問題と経験機械をつくったことがあるが、このようなVRの実験は厳しく制限するべきだ、と主張する。なぜなら現実世界の実験と同じように被験者を害する恐れがあるからだ。ふたりは次の等価原理[9]を提案する。「現実においてある実験をすることがまちがいならば、バーチャル上においても同じ設定で実験をすることはまちがいである」。たとえ人間の被験者が、もうひとりの被験者はVR上のノンプレイヤー・キャラクターで、実際に痛みを与えられていないことを知っているとしても、その実験は変わらずに人間の被験者を害する恐れがある（これについてスレイターは不同意である。人間の被験者は、痛みは本物でなく、傷つけないことを知っているからだ）。同様に、現実において崖から人を宙づりにするのが、その人を脅えさせるのでまちがいならば、たとえ頭では危険のないことがわかっていても、バーチャル上でもまちがいだ。恐怖に関する実験はそれ自体が有害になりうる。

哲学者のマイケル・マダリーとトーマス・メッツィンガーは、VR環境をつくる研究者のために一連の倫理ガイドライン[10]をつくってきた。「被験者に重大もしくは長く続く害を与えることが予測される」VR実験は禁止されるべきだ、とふたりは唱える。そして、被験者は可能性のある影響をつねに告知されるべきだとする。医療目的でVRを利用する場合も慎重におこなうように求めている。

マルチユーザーのバーチャル世界では、作成者に関する複雑な倫理的問題が、社会的、政治的問題と融合する。メタバース形式のバーチャル世界をつくると、物理的世界の人々の生活に影響を与えることになるし、そこの住人が消費する資源が必要になったりするが、許されることだろうか？　それらはどのように組織され、管理されるべきか？

バーチャル世界の管理

バーチャル世界で起きることについて、だれが最高権威となるべきなのだろうか？　その世界に法律は必要だろうか？　必要ならば、どういう法律だろうか？　バーチャル世界がその住人に対して真に公明正大であるためにはどうしたらいいのか？

これらの質問は政治哲学のそれを鏡に映したようだ。社会をどのように動かしていくか？　多くの答えがある。

いちばん単純な答えは「無政府状態」だ。政府も法律もない。その概念は、紀元前5世紀の古代中国の哲学者である墨子（ぼくし）[11]にまでさかのぼることができる。墨子は書いている。「人間の生活が

トマス・ホッブズがバーチャル世界の社会契約説に出会う

始まったとき、そこには法律も政府もなかった。習慣は『みんなが自分のルールに従う』だった」。そして、その状態を墨子は非難した。17世紀イギリスの哲学者トマス・ホッブズは、人間が政治体を構成して社会状態に入る前を「自然状態」と呼んだ。墨子と同じようにホッブズはその状態を全然快適ではない、と記した。彼によると自然状態では、「万人の万人に対する闘争」が果てしなく続き、集団間の反目と一時的なルールがある。そこでの人生は「孤独で貧しく、不快で野蛮で、短い」[12]のだ。

自然状態はおぞましいものなので、人々は「社会契約」を結ぼうとする、とホッブズは言う。共通の権威に従うことを決め、何らかの形の政府や法律を設けることを決めるのだ。社会契約から生まれる政府は完璧ではないかもしれないが、無政府という最悪の状態は避けることができる。

多くの理論家が社会契約モデルに疑問を呈してきた。現実において、自分の住んでいる国の法律にはっきりと同意した人はほとんどいないからだ。そもそも国民に選択の余地はないのが普通だ。そんな虚構の契約が現実の政府を正当化するだろうか？　だがおもしろいことに、社会契約説はバーチャル世界のほうがふさわしそうなのだ。セカンドライフや『マインクラフト』のユーザーは参加前に契約条件に同意しなければならない。ユーザーは入る世界について複数の選択肢を有している。それならば、社会契約説はバーチャル世界の管理を考えるにあたり、出発点としてふさわしいのではないだろうか。

従来からある政府の形には、独裁制（個人による統治）、君主制（王室による統治）、貴族政治（エリート市民や貴族による統治）、寡頭制（少人数の権力者集団による統治）、神権政治（宗教指導者による統治）がある。この数世紀において西欧諸国で支配的な形は、人民による統治という民主制だ。民主制にはいくつかの形がある。直接民主主義は人民が直接政治に参加するもので、それよりも一般的なのは、人民が代表者を選ぶ間接民主主義だ。民主制はすべての人民による統治をかならずしも必要としない。アメリカでは独立後長いあいだ、女性と奴隷には選挙権が与えられなかったし、各国で受刑者と子どもに選挙権がないのは普通だ。

バーチャル世界にはどの政体が合っているのだろうか？　列挙したものすべてが適用可能ではある。一部のゲームは全権を有する設計者による独裁が効率的だろう。最重要ルールはソフトに組みこまれ、ゲーム設計者が押しつける社会契約をユーザーは喜んで受けいれるのだ。

最近のバーチャル世界はほとんどが、所有する企業による統治という「コーポラトクラシー」形態だ。セカンドライフはリンデンラボ社が一種の企業政府として管理、運営をしている。その統治は慈悲深く、介入は最低限であり、ユーザーはかなり自由に生活することができるが、制限もある。たとえば、露骨な性的行為や銃撃戦は決められた区域でしかできない。

ときどき、セカンドライフ内で政治的危機が発生する。たとえば、暴力的な集団によりある地域が占領され、それに対抗するべく自警団が結成されたことがある。リンデンラボ社は命令を発するように求められたが、押しつけられた解決は新たな問題を生みかねない。運営方法に抗議をする意図も含めて、ユーザーはアルファヴィル・ヘラルド紙[13]というオンライン新聞を発行したが、リンデンラボ社はときおりその発行を禁じた。セカンドライフの一部地域では、代議制議会による民主制が敷かれていたが、最終的な権限は企業が持っていた。ユーザーの中には、「OpenSim」〔3D仮想空間サービスを作成、公開できる仮想世界サーバーソフトウェア〕を利用して、ユーザーが民主的に運営をするセカンドライフに似たバーチャル世界をつくる者もいた。それでも圧倒的多数のユーザーは、企業により統治されるセカンドライフにとどまったが、自主性の高い社会領域においては、企業政府に対する不満が大きかった。

もしもすべてのバーチャル世界が単なる虚構だとしたら、この構造が適切なのだろう。虚構の作成者はそこで起きることに対して一定の権威を有する。しかし、私たちがバーチャル世界は独自の権利を持つリアルな存在だと認識するときには、物理的世界で起こる社会的、政治的問題は

VR内でも起こりうるのだ。

現在のバーチャル世界の統治機構は、その世界を娯楽の一種として扱うことから形づくられている。『フォートナイト』や『マインクラフト』のようなバーチャル世界はディズニーランドなどのテーマパークにどこか似ている。こうした娯楽は、その企業の存在する国の法律に従う義務があるものの、所有企業はかなり自由に独自のルールや規制を課すことができる。テーマパークやゲームに対する企業の行動が気に入らない場合のユーザーの選択肢は限られている。

『*EVE Online*（イブ・オンライン）』[14]という宇宙を舞台にした人気の大規模マルチプレイヤー参加型ゲームで、バーチャル世界における民主制の動きがとられている。『ＥＶＥ』は最初から政治的複雑さを持ったゲームで、豊かな社会構造の中で多くの同盟が競いあっている。『ＥＶＥ』の公式ドキュメントのタイトルは「『*EVE Online*』のバーチャル社会におけるリアルな構造上の社会進化に関する比較分析」というもので、いかにして『ＥＶＥ』の世界が部族社会から、指導者に率いられた階層化した組織構造になり、さらに組織内にあるさまざまな構造が権力をシェアする文明に移行したかを概説している。このドキュメントが書かれた時点では、『ＥＶＥ』自体は熟議民主主義をとっていて、「星間管理評議会」に選ばれた者が、このゲームを開発したCCP Gamesの本社のあるアイスランドで年に2度会合を開く。CCP Gamesが最終的な管理権を持っているが、評議会はそれを「助け、アドバイスをし」、アドバイスは真剣に検討される。

ユーザーが実際に住んでいるバーチャル世界では状況はより複雑になる。セカンドライフのような社会的交流のある世界では、フェイスブックなどのＳＮＳと同じ問題が発生する。バーチャル世界を運営する企業にはさまざまな質問が投げかけられる。ユーザーを誘導していないか？　ユーザーのプライバシーを侵害していないか？　人種差別や性差別を助長していないか？　依存や現実からの隔離をもたらさないか？　資源を使いすぎではないのか？　ユーザーの行動を取り締まるべきではないのか？　世界の運営についてユーザーの発言権を認めるべきではないか？　ユーザーの生活情報を企業は売っていいのか？

社会的なバーチャル世界では、ユーザーがある程度の自主性を求めるのは当然だ。そして、ある程度のプライバシーを求めるのも当然だが、バーチャル世界で起きることは、その世界の所有者がすべてを検査することができるので、プライバシー保護は簡単ではない。たまたまの結果として、バーチャル社会の形成を助けるために、ユーザー自身が一定の政治的権力を歓迎することもありうる。

この過程で、かつては顧客と見られていた人々は、みずからを市民と見るようになる。彼らは自由や平等、バーチャル世界にコミュニティをつくることを要求しようと考える。既存のバーチャル世界で統治構造を変えることで、企業独裁を廃する革命的試みを考える。あるいは新しいバーチャル世界をつくろうとする。バーチャル世界特有の特徴のひとつは、出入りが比較的簡単なことだ。自分たちが繁栄できる世界を探して、バーチャル世界を転々とすることもできる。その結果、さまざまなバーチャル世界[15]ができ、多くのコミュニティがそれぞれの原則に従って運営されている。

バーチャル世界の平等と正義

バーチャル世界で発生する政治問題の多くは、より広い社会で発生する政治問題と同じだ。その世界にはどんな民主制が適当か？　どんな資源の配分が適切か？　どんな財産所有が適当か？　どのような罰が適当か？　バーチャル世界は国境を開放するべきか、移民を制限するべきか？

ここではバーチャル世界の政治哲学における中心問題のひとつに取り組みたい。それは〈平等と正義〉だ。これはバーチャル世界に特有の問題で、バーチャル・リアリズムが違いを生みだせる問題だ。

20世紀の政治哲学でもっとも影響の大きい研究は、ジョン・ロールズが1971年に出版した『正義論』だ。ロールズはとくに分配的正義に注目した。集団の中で資源を公平に分配することだ。彼はひとつの思考実験をおこなっている。それは、この世界に登場する前の私たちはみな〈無知のベール〉に包まれた状態にある、と設定する。そうしたベールのために、私たちはこの世界で生きはじめたあと、何が起こるかや、だれが豊かでだれが貧しいのかを知らない（2020年ピクサー製作のアニメ映画『ソウルフル・ワールド』では、人間が生まれる前に「どんな自分になるか」をソウル〔魂〕の世界で決めていたが、同じように、人が集まって、どんな社会を組織するかを熟考しているところを想像してもらいたい）。こうした「原初状態」では、分配について、すべての者がもっとも恵まれない者に最大限の利益を与えるようにするべきだ、とロールズは言う。彼はこの思考実験を使って、現実世界でも資源をバランスよく分配するべきであると主張する。

それでは、バーチャル世界で平等と分配的正義をどのように実行すればいいだろうか？　ＶＲは何か基本的なことを変えているのか？　大きな変化のひとつは、バーチャル世界では多くの物質財が希少ではないことだ。ＶＲにおいて空間は高価ではない。参加者全員がのどかなバーチャルの島を所有することもできる。建設も簡単で、ひとたび家を建てたならば、その複製を至るところに安価でつくることができる。だれでもすばらしいロケーションに豪華な家を建てられる。バーチャルは豊かなのだ。

短期的には、バーチャル世界は現実世界よりも劣っていて、バーチャルの豊かさがその世界での生活に与える影響は小さい。だがバーチャル・リアリズムが正しければ、長期的に見れば、バーチャル世界の生活の質は、現実世界の生活に近づくか、さらには追い越すかもしれない。衣食住を見ると、バーチャルの家はやがて現実の家と同じか、もっとよくなるだろう。バーチャルの島は現実の島と同等だし、バーチャルの服は現実の服と同じくらい印象的だ。結果として、バーチャルの豊かさは分配上の大きな不正義を解消する可能性を持つ。

デイヴィッド・ヒュームの考えを支持するロールズは、「希少性は正義の条件だ」と言う。つまり、不足することがなければ、正義の原則は適用されないのだ。したがって、豊かであれば、正義は必要とされない。世界にはほかにも問題はあるだろうが、少なくとも分配的正義に関する点では、豊かな世界で直すところはない。

そうなると魅力的な可能性が浮上する。長期的に見れば、少なくとも分配的正義に関しては、バーチャルの豊かさは一種のユートピアを生むかもしれない。バーチャル世界における重要な物質財はすぐに複製できるので、みんなが入手できる。これはときに「脱希少性社会」と呼ばれるもののバーチャル版だ。

ここで比較的遠い未来を対象にした思考実験をすることができる。そのときの現実世界では、太陽光が効率的で無尽蔵のエネルギーとして利用されている。その世界で体の健康を維持するために、人々は好きなときに自分をアップロードしてバーチャル世界へ行くことができる、と設定しよう（バーチャル・リアリズムを否定する人は現実世界にとどまってもらってかまわない）。バーチャル世界に物質財と同じくらいサービスも豊かにあることを確実にするために、超高性能のＡＩシステムが医師兼教師兼掃除人として仕えている設定とする。道徳問題を避けるために、ＡＩシステムは意識を持っておらず、簡単に複製できるものとしよう。

市場ベースの社会においてバーチャルの豊かさを開発しようとする者がいるだろう。元オキュラスＶＲのＣＴＯ（最高技術責任者）で、シューティングゲームの『*Doom*（ドゥーム）』の共同制作者であるジョン・カーマックは次のように言っている。「バーチャル感覚の中では、経済的な意味で、多くの人により多くの価値を届けることができる」。最近のＷＩＲＥＤ誌の記事[16]で描かれたひとつのシナリオでは、バーチャル世界で「海辺のマンション」の安売り合戦が起こるだろうという。その記事はディストピアのシナリオとして描かれたが、バーチャル・リアリズムが正しければ、バーチャル世界での生活は、最終的には現実の生活よりもいいものになりうる。それでも、この資本主義的バージョンが脱希少性社会のユートピアをもたらす可能性は低い。なぜなら、市場ベースのシステムでは、つねに最新のバーチャル世界か最新のＡＩシステムがもっとも品質のよいものになり、それらは数が少ないからだ。その分配には限りがあるため、そこにはつねに人工的な希少性[17]が生じることになる。さらに、ひとたびAIシステムによって人間の働き手の収入が大きく削られ、企業に富が集中したあとは、ふたたび希少性の脅威が現れる。無職の人はバーチャル世界でどうやって支払いをすればいいのだろうか?[18] 最低でも、何らかの形のベーシックインカム〔政府が全国民に対して最低限の生活を送るのに必要な所得を支給する制度〕が必要になる。それでもほとんどの富が企業に集中するなかで、安定的かつ公平に運用するのはむずかしいだろう。とりわけ、人々がもはやイノベーションを推進しなくなった場合には。

企業よりも国家がバーチャル世界に責任を持つほうが、バーチャルの豊かさがどう利用されるか想像しやすい。国ならば、脱希少のバーチャル世界で全国民がよい暮らしを送れるように収入を保障することができる。イノベーションはだれでも利用できるようにする。カール・マルクスが、理想の社会とは希少性よりも豊かさを必要とするとしたのは決して偶然ではない。このバーチャルの豊かさのシナリオには、いくつもの疑問を投げかけることができるだろうが(人間の本質的な価値は失われるのか? 自由は侵害されないのか? そのシステムは安定しているのか?)、ここでは公平性に及ぼす影響を中心に検討したい。

豊かなモノやサービスがそのまま平等主義のユートピアをもたらすと期待するべきではない。まず多くの「地位財」がある。これはその世界における地位によって得られる価値であり、その本性上、希少である。たとえば、だれもが有名になれるわけではないので、名声は地位財だし、権力もそうだ。バーチャル世界で物質財が豊かであることは、地位財の豊かさを保証するものではないし、それゆえになおさら重要性を増すかもしれない。ある集団がほかの集団よりもはるかに強い政治権力を有していたら、バーチャルの豊かさがある世界が、真の平等主義のユートピアになることはないだろう。

　より根本的なことだが、バーチャルの豊かさが一部の分配的不正義をなくしたとしても、分配的正義よりも平等にするべきことはたくさんある。アメリカの哲学者エリザベス・アンダーソンは１９９９年の「平等とは何か？」という重要な論文[19]で、平等の関係論的視点から次のように述べている。もっとも平等が求められる問題は、人々のあいだの社会的関係であり、今のところそこには権力や支配、抑圧が存在する。その中でとくに抑圧は、人種やジェンダーの平等を求める大きな運動の原動力となってきた。たとえモノやサービスが平等に分配されても、重要な抑圧が残るかぎり、社会の平等は実現しない。

　現実世界で抑圧をおこなっている源がバーチャル世界にも送りこまれることは容易に想像できる。バーチャル世界へのアクセスがほかよりも簡単にできる集団があるだろう。人種やジェンダー、階級、民族、国家にもとづく抑圧は根深い。バーチャル世界では新しい姿を持つことによって、アイデンティティは複雑になるかもしれないが、抑圧の源は排除できないだろう。また、新しい形の抑圧が生まれることもありうる。たとえば最初、ＡＩシステムは人間から圧力をかけられるかもしれないが、やがてはＡＩシステムが人間に圧力をかけることになるかもしれない。バーチャル世界の人々が、それが属する現実世界の人々に支配されることは充分にあるだろう。あるいは反対に、バーチャル世界がとても望ましいものになり、現実世界の人々が二級市民とみなされるようになるかもしれない。

さまざまな抑圧の源は交差することもできる。アメリカの法学者であるキンバリー・クレンショーは、「インターセクショナリティ」という言葉をつくった。[20] それは、人種や性別、性的指向、階級や国籍などの個人の属性が複数組みあわさることによって起こる特有の差別や抑圧を理解するための枠組みだ。たとえば黒人女性が経験する抑圧は、黒人であるための抑圧と、女性であるための抑圧の単なる合計ではない。同じようにバーチャル世界で下層階級の人は、下層階級であるための抑圧と、バーチャルであるための抑圧だけではなく、両者が交差したことで生まれる抑圧も経験するだろう。バーチャル世界のAIシステムは、現実世界のAIとはまったく異なる抑圧を受けるだろう。交差する場所が多ければ多いほど、抑圧の数は増えていく。

真の平等を実現するためには、人間のあいだにあるあらゆる種類の抑圧的な関係をなくさなければならない。豊かなバーチャル世界に移動するだけでは、それを確実にすることはできない。新しい形の不平等が生まれるだけかもしれない。その結果、私たちはバーチャル世界が平等主義のユートピアになると安易に期待はできないのだ。それでもバーチャル・リアリズムによって私たちは、その世界が少なくともある程度の平等を実現する可能性を見ることができる。

未来を考えるときに、思考実験では限界がある。実際の未来は、私たちが予想していない大きく異なる道に進むことが多い。だが、もしも私たちの世界がバーチャルとAIを中心とした世界に移っていくのならば、社会を再構築するほうへ進むことを期待できる。それは確実に政治的激動をもたらし、おそらく政治的革命にまで至るだろう。

第7部

シミュレーションの中の真実

第20章 バーチャル世界で私たちの言葉はどういう意味を持つか？

シミュレーションに関する古典的なスローガンは、ダニエル・デネットによると、「シミュレーションの中のハリケーンはあなたを濡らさない」だ。２００５年、現実のハリケーン・カトリーナがニューオリンズを破壊した。だが、カトリーナのシミュレーションはだれも傷つけない。あなたはカラカラに乾いたままだ。

シミュレートされたハリケーンで強風にさらされることを怖がるのは、「ライオン」という単語の前で脅えるようなものだ、とデネットは言う。シミュレートされたハリケーンは記述にすぎず、リアルなハリケーンではない。

１９８１年の「チューリングテストに関する喫茶店での会話」[1]という対話形式の論文で、私の師であるダグラス・ホフスタッターは、デネットのスローガンに反論し、シミュレーション・リアリズムに関する初期の発言をしている。登場人物のひとりがデネットの主張をしたあと、哲学を学ぶ学生のサンディが次のように言う。

ダニエル・デネットがシミュレートされたハリケーンに遭遇する

シミュレートされたマッコイはリアルなマッコイではない、というあなたの主張は誤りです。その主張は、世界にはシミュレートされた現象の老練な観察者がいて、何が起こっているのかをシミュレーションの内外で均等に評価できるという暗黙の前提に依拠しています。実際に起きていることを認識するには、特別に見晴らしのいい場所にいる観察者が必要になるかもしれません。ハリケーンの場合、雨や風を見るには特別な「コンピュータ内蔵のグラス」が必要です。……ハリケーンの風と濡れ具合を見るためには、適切な方法でそれを見られるようにしなければなりません。

シミュレートされたハリケーンをハリケーンと認識するかどうかは、私たちの視点にかかっている、とホフスタッターは言う。とりわけ、シミュレーションの内と外のどちらからハリケーンを観察するかにかかっている。

だからデネットのスローガンはせいぜい半分真実なだけだ。シミュレーションの外にいるならば、濡れることはない。ハリケーンが影響を与えるのはシミュレートされた存在やコンピュータ内のほかのプロセスだけだろう。だが、生涯をシミュレーションの中で過ごす人は濡れる。彼らが経験するハリケーンはすべてデジタルのものだ。シミュレーションの中でデジタルのハリケーン・カトリーナが大きな損害を与えることは現実と違わない。

英BBCで長年にわたり放送されているSFシリーズの『ドクター・フー』で、「ドクター」と呼ばれる異星人の主人公は、ターディスというタイムマシンにより、宇宙のあらゆる場所、時代に行くことができる。外から見ると、ターディスはロンドンのポリスボックス（交番）のようだ。だが、中に入ると巨大な宇宙船で、大きなコントロールルームとそれを囲むように無数の部屋と廊下がある。「ターディスは外側より内側が大きい」というジョークがくり返し発せられる。

ターディスと同じで、シミュレーションも外側より内側が大きい。もしも私がシム宇宙を外から見れば、印象に残らないだろう。見えるのは1台のコンピュータだけで、シミュレーションによってはそれに接続されている人が数名いるだろう。コンピュータはスマートフォンなみのサイズになっているかもしれない。だがシム宇宙を内から見ると、それは巨大であり、さまざまなコンテンツがある没入型環境を私は経験する。ターディスとは違って、それは永久には続かないかもしれないが、内側から見るシム宇宙はひとつの全体的な世界なのだ。

シミュレーションのかなりの部分は、その内側と外側のどちらから考えるかで決まってくる。もしも私が生涯にわたりシム宇宙の中にいるならば、その世界にある事物はすべてリアルだ。木々や山々や動物のいる巨大な世界だ。だが、私がシム宇宙の外で育ったのならば、そこにあるのは本物の木々や山々や動物ではなく、シミュレートされたものだ。シミュレートされた木々はコンピュータの中ではリアルなデジタル事物だが、本物の木々ではない。

なぜそうなるのだろうか？　シミュレーション自体は客観的実在の一部なのに、なぜ見る人によってそこにある木々や山々の性質が変わるのだろうか？

内側と外側から見たときのシミュレーションの違いは、実在にかかわる違いではない、というのが私の答えだ。それは言語の違いであり、それに関連する思考や認識の違いである。もしも私がシム宇宙の中で育ったのであれば、私は「木」という言葉を一生のあいだデジタルの木に対して使う。私にとってデジタルの木が「木」なのだ。一方、私がシム宇宙の外で育ったのならば、「木」という言葉を植物の木に対して使う。私にとって植物の木が「木」なのだ。

私がシム宇宙の中と外のどちらで育ったのかによって、シム宇宙をどう記述するかが異なる。中で育ったのならば、「デジタルの木」が私にとっての「木」なので、そこに木はある。だが外で育ったのならば、「木」とは「植物の木」を意味するので、シム宇宙には木がないことになる。

客観的実在としてのシム宇宙は私たちの視点で変わることはない。それはコンピュータの動かすデジタルプロセスであり、そのプロセスは、客観的なデジタル事物を支える客観的アルゴリズムを持つ。私たちの視点で変わるのは、私たちがそこで経験することであり、その記述方法である。言語について考えると、このことをもっと理解できるだろう。

言語の哲学

哲学にはいろいろな伝統がある。本書のほとんどで私はヨーロッパの伝統に従っている。それは古代ギリシア、ローマから始まり、中世を経て、17、18世紀のデカルトやカントなどの本書で触れた哲学者につながる哲学だ。

19世紀、そしてとくに20世紀にヨーロッパの哲学の伝統はふたつに分かれた。ひとつは〈大陸哲学〉として知られるもので、初期にヨーロッパ大陸と結びついていた。大陸哲学で重要な哲学者には、ドイツのハンナ・アーレント、マルティン・ハイデッガー、エトムント・フッサール、フランスのシモーヌ・ド・ボーヴォワール、モーリス・メルロー＝ポンティ、ジャン＝ポール・サルトルがいる。もうひとつは〈分析哲学[2]〉で、言語分析を用いるためにそう呼ばれている。初期の重要人物には、すでに紹介したイギリスの哲学者バートランド・ラッセル、G・E・ムーアと、オーストリアとドイツのルドルフ・カルナップ、ルートヴィヒ・ウィトゲンシュタイン、ゴットロープ・フレーゲ[3]がいる。

本書で語る哲学の多くは分析哲学の範疇に属する。分析哲学の特徴のひとつは、とくに初期においてだが、論理と言語に集中していたことだ。ウィーン学団（第4章参照）の分析哲学では、哲学的問題は言語と論理を経て明確化されるが、それはつまり、科学によって解決できるまで問題を分解したり、細分化したりすることだった。それから1世紀が経過すると、分析哲学でくられる哲学の実践範囲はかなり広くなったが、明確化と論理と言語に集中することは独特の要素として残っていた。

分析哲学の創始者はおそらく、ドイツの哲学者のゴットロープ・フレーゲだろう。私たちが現在知るところの論理学を彼がつくったのは、19世紀の終わりだった。哲学以外でフレーゲは、数学の基礎理論を構築した業績が有名だ。しかしバートランド・ラッセルによりフレーゲの数学理論に矛盾があることが指摘された。それは自身を要素として含まない集合すべてを集めた集合を仮定したときに生じるパラドックスだった（その集合は自身を含むのか？　その答えはイエスでもノーでも矛盾が生じる）。それでもフレーゲの数学理論は、近代論理学におけるツールの明確化と同様に彼の偉業である。彼はまた言語哲学の先駆者でもあり、言葉の持つ意味について最初の重要な理論を発表したひとりだった。

だが、悲しいことにフレーゲは、数十年後のマルティン・ハイデッガーと同じで、強硬な反ユダヤ主義者だった。偉大な芸術家や哲学者が、偉大な人物とは限らないのだ。アリストテレスとイマヌエル・カントも現代人が驚くほど人種差別に満ちた書を記している。彼らの中心的な哲学の主張とその恐ろしい思想は分けるように努めることもできるが、その作業はつねに簡単なわけではない。フレーゲの場合、彼の論理哲学と言語哲学は、反ユダヤ主義と関係がないかどうかは議論の余地がある。

フレーゲの言語哲学におけるもっとも知られている業績は、言葉の意味を「意義（ドイツ語でSinn）」と「意味（ドイツ語でBedeutung）」のふたつに分けたことだ。[4] 意味については説明しやすい。この世界においてその言葉が指示する対象のことだ。たとえば、「プラトン」はプラトンという人を指示しているし、「シドニー」は都市のシドニーを指示している。「グラウンドホッグ」はマーモットの一種のグラウンドホッグ、「17」は17という数を指示している。

ときにはふたつの言葉が同じ対象を指示することがある。古典的な例では、ギリシア語の「ヘスペロス」と「フォスフォロス」はそれぞれ「宵の明星」と「明けの明星」の意味だ。両者は同じ星、つまり金星を指しているが、異なる意味を持つように見える。1892年の「意義と意味について」という論文でフレーゲはこの例をあげて、そこには意味以上の意味があるとした。「ヘスペロス」と「フォスフォロス」は同じものを指示しているが、意義は異なる。「意義」という言葉はざっと言うと、人に対して当の対象が提示される様式である。「ヘスペロス」は宵の明星としての金星を指示するもので、その意義は夕方の空に見える金星と結びついている。同様に「フォスフォロス」は明けの明星としての金星を指示し、その意義は朝の空に見える金星と結びついている。

後年、ラッセルはフレーゲのアイデアをひとひねりして、言葉が世界の物事をいかに指示するか、示唆に富む姿を描いて見せた。固有名と記述に関する重要な理論でラッセルは、[5] 普通の意味の固有名は何かしらの記述と同等だ、と主張した。たとえば、「ヘスペロス（宵の明星）」という固有名は「夕方に決まった方向に見える星」という記述と同等なのだ。この記述は、それを満たすものなら何でも指示するが、この場合は金星になる。彼の理論は論理学のツールを使って、日常言語を分析できるようにした。

フレーゲとラッセルの意味理論は長いあいだ人気だったが、１９７０年代に入るとささやかな革命[6]が起きた。ソール・クリプキとヒラリー・パトナムというふたりのアメリカ人哲学者が、哲学者で論理学者のルース・バーカン・マーカスによる先行研究の上に立って、フレーゲとラッセルの描く絵は前提の多くが誤っていると批判したのだ。クリプキがその著作『名指しと必然性——様相の形而上学と心身問題』で主たる標的にしたのは、言葉の意味は記述のようなものに同化されると考える記述主義だった。パトナムの論文「『意味』の意味」が主な標的にしたのは、意味論的内在主義だった。それは、言葉の意味は、話者の脳の機能や心的状態によって決定され、話者の環境は関係ないとする立場である。

パトナムの有名なスローガンは「意味そのものは頭の中にはない」だった。クリプキとパトナムは意味理論において外在主義を好んだ。それは、言葉の意味は周囲の環境等の外的要因によって（少なくとも部分的に）決定されていると考える。ふたりはラッセルの記述主義を退け、〈指示の因果説〉〔「どの言葉が何を指すか」は、話し手の頭の中では決まらず、むしろ外的世界とのかかわりの中に成り立つ因果関係で決定されるという考え方〕に置きかえた。指示の因果説のパトナム版は、言葉はそれが使われる原因となった外的対象を指し示している、とした。

パトナムは〈双子地球〉という思考実験を使って外在主義を唱えた。双子地球とは、地球から遠く離れた宇宙にある、地球とそっくりの星だ。ただ一点違うのは、地球の水はH_2Oだが、双子地球で水の代わりにあるものは、もっと複雑な化学式の別な液体であり、簡単にＸＹＺと略記

地球のヒュパティア

H_2Oを研究するヒュパティアと、XYZを研究する双子ヒュパティア。後者は「水」とは異なるものなのだろうか?

する。ただ、見た目も飲んでも水と同じだ。XYZは空から落ちてきて、川や海を満たし、管を通って蛇口から出る。双子地球の生物はそれを飲む。

XYZは水なのだろうか? パトナムは水ではない、と強く主張する。水はH_2Oで地球にある天然物質だが、XYZは見た目は似ていても、異なる物質だからだ。私たちは見た目が似ているからといって、「愚者の金（黄鉄鉱）」を「金」とは呼ばない。同じように、XYZを「水」とは呼ぶべきではない。地球は広く水に覆われているが、双子地球は違う。そこを覆うのは、「双子の水」と呼んでもいいものなのだ。

双子地球では言語の使い方が地球とそっくり同じだ。4世紀はアレクサンドリアの聡明な哲学者で数学者のヒュパティアについて考えてみよう。彼女は水やほかの液体の比重を計測するための比重計をつくった。双子地球には彼女のコピーに近い〈双子ヒュパティア〉がいて、ヒュパティアがH_2Oを調べるように、双子もXYZを調べている。これまで実施したすべての実験で、ふたつの液体はまったく同じ結果を出している。そしてまだだれもふたつの液体の化学組成を発見できていない。ヒュパティアと双子ヒュパティアはともにその液体を「水」と呼んでいる。ヒュパティアが「私は水を計測している」と言うとき、彼女はH_2Oについて話している。だが、双子のほうはＸＹＺについて話しているのだ。

　パトナムが、意味は「頭の中にはない」という主張を始めるにはこれで充分だ。ヒュパティアと双子はコピーのように似ているが、使う言葉の意味は違う。水と双子の水の化学組成が発見される前ですら言葉の意味に違いはある、とパトナムは主張を進める。したがって、「水」のような言葉の意味が依存するのは、話者に内在するものではなく、話者をとりまく環境なのだ。

　このことを考えるひとつの道は、ヒュパティアと双子ヒュパティアふたりにとって、それぞれの環境で水の役割を果たすものなら何でも「水」になることだ[7]。ざっと言うと、海や湖にある透明な液体で、人が飲むことも風呂に使うこともできるものなら何でもいいのだ。ヒュパティアにとってH_2Oがその役割を果たしているので、「水」はH_2Oを指示する。一方、双子にとっては、ＸＹＺがその役割を担っているので、「水」はＸＹＺを指示する。

　この方法で、あらゆる単語について双子地球のケースを組みたてることができる。双子地球には植物の木はないが、ＤＮＡは異なるが木に相当するものはある。双子地球にいる私の双子が「木」と言うとき、彼は植物の木ではなく、双子地球で木の役割を果たしているものについて言及しているのだ。双子地球ではロボットのオバマがオバマの役割を果たしているならば、私の双子が「オバマ」と言うとき、彼は人間ではなくロボットのオバマについて言及しているのだ。ほかも同様だ。

これらの言葉はすべて、その意味が話者の「頭の中にはない」ように見えるので、「外在主義の単語」と呼ぶことができるだろう。その単語の意味は、その環境にある何ものかに固定されているのだ。ヒュパティアの「水」はH_2Oに固定されていて、双子の「水」はXYZに固定されている。

外在主義には限界がある。[8] 限界のひとつは論理学と数学から生ずる。双子地球にいる私の双子が「7」と言うとき、彼は数の7を指示する。だから「7」の意味は「頭の中にある」のだ。「かつ（and）」という言葉についても同じことが言える。これらの論理と数学の言葉は環境に固定される必要はないので、「内在主義の言葉」[9]に見えるかもしれない。

また、外在主義は「意識」「因果関係」「コンピュータ」などの言葉にも向いていない。これらの言葉は環境にある特定のものに固定されない。私は、コンピュータはどのようなものか一般的な概念を持っており、それはだいたい構造論的用語〔物理的・数学的構造を記述する用語〕で記述される。私がコンピュータだとみなすものはどれでも、双子地球にいる私の双子もコンピュータとみなすだろう。たとえ、双子地球のコンピュータがグラフェン（炭素原子が結合したシート状物質）でできていて、地球のそれがシリコンでできているという違いがあっても、どちらもコンピュータだとみなされるのだ。その結果、私と双子は同じ意味で「コンピュータ」と言うことになる。それは「コンピュータ」が内在主義の言葉であることを示している。

このテーマに関する研究で私は、意味には内在的、外在的の両次元がある、という2次元の意味論[10]を提唱している。フレーゲとラッセルは意味の内在的次元について正しいし、クリプキとパトナムは意味の外在的次元について正しいのだ。だが、この章の目的にとって必要なのは主に外在的次元だ。とりわけ重要なのは、私たちが多くの日常語を利用して双子地球の事例を構築できるという点だ。クリプキとパトナムは、意味に関するこの強い外在主義が正しいことをほとんどの哲学者に納得させてきた。

双子地球とシム地球

パトナムの双子地球は、シミュレーションの内と外で言語[11]を使うことについて考えるすばらしいモデルになる。彼は水槽の中の脳について考えるために双子地球を使ったが、そのことはあとで触れるとして、今は、シミュレーションについて考えるために利用させてもらおう。

想定は次のとおりだ。ここに現実の地球と、シミュレーション宇宙の中のシム地球がある。地球とシム地球という言語は、地球と双子地球という言語とよく似た使い方をされている。

地球で育った者にとって「ハリケーン」という言葉は現実のハリケーンを指している。それは、大気と水が大きくすばやく動くことで起きる嵐で、基礎レベルでは原子からなる。これは私たちの直感による「ハリケーン」の意味とも合っているし、指示の因果説とも合っている。私たちのコミュニティが「ハリケーン」という言葉を使うとき、現実の環境にあるハリケーンが原因になっている。

一方、シム地球で育った者にとって「ハリケーン」という言葉はバーチャルのハリケーンを指す。シミュレートされた大気と水のパターンでできたバーチャルの嵐だ。シム地球でバーチャルのハリケーンはずっとハリケーンの役割を果たしてきた。以前に紹介したバーチャル・デジタリズムに従えば、基礎レベルはビットでできている。指示の因果説は「ハリケーン」という言葉がどのように作用するかを説明する助けになる。シミュレートされたコミュニティの一員がこの言葉を使うとき、バーチャルの環境にあるバーチャルのハリケーンが原因になっている。

「水」についても同じだ。地球では水を、シム地球ではバーチャルの水を指示する。化学物質のH_2Oは地球で水の役割を果たし、デジタル物質のバーチャルの水がシム地球で水の役割を果たす。地球では湿気、シム地球ではバーチャルの湿気。ほかも同じだ。

ここで、「シミュレーションの中のハリケーンはあなたを濡らさない」というデネットのスローガンを分析してみよう。あなたが地球にいるならば、ハリケーンは確実にあなたを濡らす。地球の人間にとって、「ハリケーン、水、湿気」は非デジタルで本当のことだ。一方、シミュレートされたハリケーンにはバーチャルの水しか含まれておらず、物理的な何かを濡らすことはない。しかしながら、バーチャルのものをバーチャルで濡らすことはできる。

私たちがシム地球にいるならば、「ハリケーン、水、湿気」はデジタルのものを指す。それは地球ではバーチャルのハリケーン、バーチャルの水、バーチャルの湿気と呼ばれるものだ。シム地球にいる人が「シミュレーションの中のハリケーンはあなたを濡らさない」と言うならば、それはバーチャルのハリケーンはだれもバーチャルで濡らすことはない、と言っていることになり、まちがった発言だ。バーチャルのハリケーンはバーチャルで濡らすからだ。シミュレーションの中にいれば、ハリケーンはシミュレートされたものであり、そこにいる人を濡らすのだ。

シミュレーションの中の生き物はまちがった信念を多く持っているのではないか、という異議が出るかもしれない。たとえば、シムが「私はニューヨークにいる」と思うが、そのシミュレーションはシリコンヴァレーにあるサーバーによって動かされている。このときのシムの信念はまちがいなのだろうか？　いいや、まちがいではない。シムが「ニューヨーク」と言うとき、その固有名は現実の地球にあるニューヨークではなく、シム地球にあるシムニューヨークを指しているのであり、シムは実際にそこにいる。彼の体はシリコンヴァレーにあるが、バーチャル上で彼はシムニューヨークにいるのだ。そしてシムが「ニューヨークに」と言うときの「に」はバーチャル上の「に」を意味していて、シムのバーチャルの体はバーチャル上の場所に存在していることを意味する。だからシムは正しいのだ。

地球とシム地球を行き来する

人が現実とシミュレーションを行き来すると、言語に何が起きるだろうか？　その人自身が行き来していることを知っているかどうかで大きく違う。環境が変わったことを自分で知っていれば、彼らの使う言葉の意味もすぐに変わる。環境の変化を知らなければ、言葉の意味はゆっくりとしか変わらない。

では双子地球で、まずは環境の変化を知らない人の場合にどうなるか見てみよう。地球を出発した宇宙飛行士が、カプセルで双子地球の海に着水したとする。宇宙飛行士はその海がH_2OではなくXYZでできているとはまったく知らない。「水だ!」と言う彼らの発言は正しいのかまちがっているのか? パトナムはまちがっていると考えた。彼らの使った「水」という言葉はH_2Oを意味しているのに、双子地球にH_2Oはないからだ。「水」という言葉は、彼らがXYZに遭遇したことで、にわかにその意味を変えたのである。

ほかの事例を考えてみよう。地球にいる人間が知らないままシム地球に入ったとする。たとえばアフリカのサファリツアーに参加したのだが、ツアー会社が費用を安く済まそうと、参加者をだましてシム地球のアフリカに送りこんだのだ。それを知らない参加者は、キリンの群れを見て、「キリンの群れだ」と言う。彼らは正しいのかまちがっているのか? 宇宙飛行士のケースに従うならば、まちがっていると言わざるをえない。参加者の「キリン」という言葉は生物のキリンを意味しているが、彼らが見ているのはデジタルのキリンだからだ。

次にこの参加者たちが何年もシム地球に滞在するとしよう。ツアー会社は恐ろしく反倫理的で、参加者はまだそこがデジタルの世界であることを知らない。でも彼らはその場所が気に入っていたし、シミュレーション技術はとてもすぐれていて、自分たちがアフリカにいないとはつゆほども思わなかった。ある時点で、彼らにとって地球の動物園で見たキリンよりも、シム地球で見たバーチャルのキリンのほうが累計数で上まわるだろう。そのときまでに、指示の因果説によると、参加者にとって「キリン」という言葉は、少なくともその意味のひとつとして、バーチャルのキリンも含むようになっている。つまり、キリンという言葉の意味が「デジタルのキリン」を含むほうへゆっくりと移っているので、彼らが「あそこにキリンがいるぞ」と言うとき、それは正しくなるのだ。

扱いにくいケースもある。たとえば、シム地球にいた女性が本人の知らぬままに、シミュレーション世界から外に出て、はじめて植物の木に遭遇したとする。そのとき彼女が「あそこに木がある」と言ったならば、それは正しいのだろうか？　これについて直感的な答えはわかれるだろう。デジタルの木が植物の木を模すことはあっても、その逆はないので、彼女が最初に「木」という言葉を使った原因の一部に植物の木がなっている。それでも私は次のように考えたい。彼女の言った「木」は、それまで彼女が触れあってきたデジタルの木を指しているので、実際には植物の木だから、まちがいなのだ。

もっと現実的なのは、現実とバーチャル世界を行き来していることを本人が知っているケースだ。すでにゲームやほかのバーチャル環境のユーザーは日々経験している。アクションゲームの『グランド・セフト・オート』の世界に入れば、私たちは車を盗むことを話題にする。だがそのゲームのバーチャル世界にあるのはバーチャルの車だけで、本当の車はない。ゲームの中で私たちが「あそこに車がある」と言えば、それはまちがいなのか？

私の考えでは言語は適応性のある道具なので、目的に応じて曲げることができる。だから、私たちが「車」という言葉の使用法を広げたいと望めば、バーチャルの車を「車」の意味の中に入れることも可能なのだ。哲学者と言語学者はずっと前から、言葉が言及するものは文脈依存的であると認識している。「背が高い」という言葉は、バスケットボール選手の話をしているときにはひとつの意味を持ち（180センチの選手は「背が高い」に当てはまらない）、学術界の話をしているときは別の意味を持つ（180センチの哲学者は「背が高い」に当てはまる）。言葉は文脈の中で有効な役割を与えられるのだ。

バーチャル世界の到来によって、日常言語の多くがこのように文脈依存的になってきている。私が日常的な現実の文脈で「そこに車がある」と言うとき、それは通常の本物の車のことを言っている。ところがそれをバーチャルの文脈で言うならば、「車」にはバーチャルのものも含まれるのだ。

「車」の意味が、最初から現実とバーチャルの両方の意味を持つように変化することもありうる。第10章で私は、Xというカテゴリーについて、バーチャルXがリアルなXであるときは、「バーチャル内含」、その他は「バーチャル除外」と呼ぶことができると言った。現在の使用法では、車とハリケーンはバーチャル除外（バーチャルの車は本当の車とみなされない）で、コンピュータとコミュニケーションについてはバーチャル内含（バーチャルのコンピュータも本当のコンピュータとみなされる）だ。だが、言葉は進化し、内含のほうに進んでいるので、この先、車が初期設定でバーチャル内含になる可能性は充分にある。そうなった場合、車の意味は、バーチャルと現実のどちらの文脈で使われても同じになるのだ。

時間が経過し、VRが私たちの生活で中心になるにつれて、多くの言葉がバーチャル除外からバーチャル内含にゆるやかに移っていくことは自然の成り行きだと思われる。そうなれば、私たちの言語使用法は、そのものが何でできているか、環境にどのように固定されたかを強調しなくなるだろう。その代わりにバーチャル内含言語は、現実とバーチャルに共通する要素が強調されるようになる。その要素とは、もの同士の相互作用の構造的パターンや、私たちの心とどのように結びついているか、などだ。

パトナムの意味論的外在主義とデカルト的懐疑論

1981年の著作『理性・真理・歴史——内在的実在論の展開』でヒラリー・パトナムは、意味論的外在主義と指示の因果説を利用して〈水槽の中の脳〉のシナリオを分析した。パトナムは懐疑論について何も言わなかったが、その主張を見れば、どう思っていたかは明確だ。パトナムの結論と私の結論は違うが、興味深く結びついている。

パトナムの主張についてはすでに第4章でとりあげた。彼は「自分は一生のあいだ水槽の中に入っている脳だ」という仮説を首尾一貫しない、もしくは矛盾していると批判した。要するに、私たちは水槽の中の脳ではない、少なくとも一生のあいだ入っていることはない、と証明するのに意味論的外在主義を利用できると考えたのだ（以下、「一生のあいだ」は省略する）。パトナムはシミュレーション説について何か言ったわけではないが、これも矛盾していると考えることはほぼ確実だ。

ではパトナムがどう考えていたか紹介しよう。その状況は次ページのイラストに描いたが、じ

水槽の中の脳であるヒラリー・パトナム。彼が「私は水槽の中の脳ではない」と言うと、それは正しいのだろうか?

つはパトナムは水槽の中の脳なのだ。だが、彼は「自分は水槽の中の脳ではない」と主張し、その理由をあげる。意味論的外在主義では、彼がイラストのような状況にあって「脳」と言うとき、それはシミュレーションの中で彼が指しているバーチャルの脳のように、ビットでできた脳に似たものを指している。だからパトナムが「自分は水槽の中の脳ではない」と言うと、それは「自分は水槽の中のバーチャルの脳ではない」ことを意味していて、それは正しい。イラストのシナリオでは、彼は水槽の中のバーチャルの脳ではない。彼は彼が「脳」と呼ぶ、彼のとなりにある物体ではない。パトナムは水槽の中のノンバーチャルな脳であり、ビットでできた世界とはまったく異なるものなのだ。したがってシミュレーションの中にいる彼が「自分は水槽の中の脳ではない」と言うと、それは真実を話していることになる。一般化すると、シミュレーションの中にいる、いないに関係なく、彼が「自分は水槽の中の脳ではない」と言うとき、それは正しいとパトナムは主張している。私たちのだれもが同じ理由づけをできるので、私たちは水槽の中の脳ではないことが証明できる。

では私自身の議論を提示したい。もしも私が水槽の中の脳ならば、意味論的外在主義は私が「脳」と呼ぶものはバーチャルの脳だと言う。それはシミュレートされた存在で、シミュレートされた私の環境の一部をなしている。だがシミュレートされた私の環境の中で、私はバーチャルの脳であることはできない。私は、シミュレーション実行者が水槽の中の脳と呼ぶものである可能性があるが、それはまったくの別物だ。私にわかるのは、自分は私が水槽の中の脳と呼ぶものではないことだ。すなわち、私は自分が水槽の中の脳ではないことを知っている。

パトナムが正しければ、私は水槽の中の脳だという考えは微妙に矛盾したものになる。水槽の中の脳であるためには、私自身が「水槽の中の脳」と呼ぶところのものでなければならない。だが、私が水槽の中の脳であれば、私が脳と呼ぶものは私の環境内にある、私自身とはまったく異なる何かだ。だから水槽の中の脳であるためには、私は自分でないものにならなければならない。

パトナムへの反論はたくさんある。パトナム自身が言及しているひとつの抜け穴は、彼の論証は、パトナム自身がシミュレートされた脳である可能性を排除していない、という点にかかわるものだ。もしかしたらパトナムは、前ページのイラストの左から2番目の脳のように、2番目のスクリーンに描かれた第2階層のシミュレーションを経験しているかもしれない。その状況にいるのなら、彼が脳と呼ぶものはバーチャルの脳（イラストの左から3番目の脳）で、彼自身もじつは階層がひとつ上だが、バーチャルの脳（イラストの左から2番目の脳）である。このシナリオでは、パトナムは彼が「水槽の中の脳」と呼ぶものだ、と主張することが可能になる。そうならば、パトナムの主張はせいぜい、彼はシミュレートされていない「水槽の中の脳（イラストのいちばん左側の脳）ではない」ことを示すだけだ。第1階層の水槽の中の脳ではなくても、第2階層の脳である可能性は残るからだ。これではデカルト的懐疑論を論破するには不充分だ。パトナムには自分が第2階層の水槽の中の脳であるという懐疑論的仮説に対処する別の方法が必要なのだ。

さらに、パトナムの論証の持つ反証能力は、水槽の中の脳説に対して機能するほど、シミュレーション説に対しては有効ではない。その理由は、前に見たように外在主義は言葉により成り立ったり、成り立たなかったりするからだ。「ニューヨーク」「水」「脳」という言葉は環境と意味が結びついているので、階層がひとつ上にあるものを指示することができない。だが、「ゼロ」や「人」「行動」「コンピュータ」「シミュレーション」のように、意味が環境に依存していない言葉もある。コンピュータは主に構造論的用語として定義され、どんな環境からも独立している。その結果、私がシミュレーションの中にいるとして、ひとつ階層が上の宇宙に存在する人や行動、コンピュータ、シミュレーションについて話しても何の問題も起きないのだ。

これが正しければ、パトナムの議論では、私がシミュレーションの中にいるという説を排除することはできない。たとえ私がコンピュータ・シミュレーションの中にいるとしても、私が「私はコンピュータ・シミュレーションの中にいる」と言うときにそれは真なのだ。第4章で言ったように、もしもシム・パトナムが「私はコンピュータ・シミュレーションの中にいる」と言うならば[12]、その言葉は真である。

パトナムはこう反論するかもしれない。「シミュレーション」という言葉は、「ニューヨーク」や「水」という言葉と同じで、通常の環境かそれに似た環境にしか存在しない特別なシステムに固定されるのだ、と。だがその反論はまちがいだろう。私たちがコンピュータやシミュレーションについて話すとき、私たちはそうした特別なものではなく、より一般的な何かについて話している。私はひとつ上の世界のコンピュータ・シミュレーションの中にいる、と問題なく仮定することができ、それは正しいこともありうるのだ。

これが理由でパトナムの主張は、グローバル懐疑論に対する一般的な反論として機能しないと私は考える。しかしながら、パトナムはまったく別の議論で短くだが、グローバル懐疑論に関連し、私のアプローチに近い主張をしている。その著書『理性・真理・歴史』の一節[13]で彼は、水槽の中の脳が持つ信念は大部分が真であると言っている。

今言ったことから、（意識を持つ人間すべてが水槽の中の脳である世界において）水槽の中の脳が「私の前に木がある」と思うときは、その思考は本物の木を指示していないことになる。それはイメージの中の木を指示している、と主張する理論がある。また、木の経験の原因となるものは、電磁インパルスを指す、あるいは、電磁インパルスを発生させるコンピュータプログラムを指す、とする理論がある。それらの理論は今言ったことによって除外されることはない。なぜなら、そこには水槽の中の脳が発する「木」という言葉の使用と、イメージの中の木の現前や、ある種の電磁インパルスの存在や、コンピュータプログラムにある特徴の存在とのあいだには強い因果関係があるからだ。それゆえ、これらの理論では、「私の前に木がある」と思う脳は正しいことになる。

基本的な主張は〈指示の因果説〉へのアピールだ。水槽の中の脳が「あそこに木がある」と言えば、「木」という言葉の使用はバーチャルの木が原因となっている。だから、水槽の中の脳にとって「木」とはバーチャルの木を指示しているのだ。そして、その脳が「あそこに木がある」と言うとき、たしかにそこにはバーチャルの木が存在する。よって水槽の中の脳の言うことは真なのだ。世界に関するほかの信念についても同様である。

短いが、だいたい同じ主張が、ドナルド・デイヴィッドソンとリチャード・ローティ[14]というアメリカの哲学者によってなされている。ローティが歯切れよくまとめている。

その脳もまた、属する環境の特徴に反応している。だがその環境とはコンピュータのデータバンクだ。それが生みだすノイズを翻訳する唯一の方法は、そのコンピュータが与えつづけるデータと関連づけることだ。したがって、ノイズが「今日は２００３年10月7日火曜日で、私は豆腐を食べている」というように聞こえるならば、それは「今、私はハードドライブのセクター４３７６２に接続している」といった意味なのだ。水槽の中の脳が持つ信念は、私たちの信念と同様にほとんどが真であるに違いない。邪悪な科学者が考えるほど脳をだますのは簡単ではない。

私はパトナムもデイヴィッドソン、ローティも基本的には正しいと思う。水槽の中の脳はその環境にある存在を指示していて、その結果、その信念は大部分が真なのだ。

だが３人とも主張の強力な根拠を示していない。その主張は、条件が厳しすぎて信じにくい外在主義にもとづいている。現状では、その主張は指示の因果説の極端なバージョン──すべての言葉が、その環境の中にある原因となったアイテムを指示している──とみなされるだろう。だがこの極端なバージョンはまちがっている。たとえば、「魔女」や「エーテル」〔20世紀初頭まで、光や熱、電波を伝える媒体として宇宙に充満していると考えられていたもの〕など、何も指示していない言葉もたくさんあるのだ。19世紀の科学でエーテルはどこにでもあったが、もう存在していない。デカルト的懐疑論者ならば、水槽の中の脳にとって「脳」や「木」は「魔女」と同じで、何も指示していない、と言うかもしれない。パトナムはこの懐疑論の見方について実質的には何も語っていない。

そのうえ、すでに見てきたように、外在主義は「木」や「脳」などの言葉では機能するが、「3」や「コンピュータ」「哲学者」などではうまく働かない。外在主義者の分析は、「あそこに3人の哲学者がいる」や「私はコンピュータを使っている」といった文章には適用できない。それでも、シミュレーション・リアリズムは、このような文章でもシミュレーションの中では真であることを求める。だからパトナムの意味論的外在主義は、どうしてシミュレーション・リアリズムが全面的に真になりうるかを説明できないのだ。

これらの批判に反論することは可能だと思う。すでに第9章で、シミュレーションの中の「脳」や「木」はバーチャルのそれを指示していることを話した。重要なのは、地球における本物の脳と、シム地球におけるバーチャルの脳は、よく似た構造的役割を持っていることだ。第9章ではほかに、シミュレーションの中で、「あそこに3人の哲学者がいる」や「私はコンピュータを使っている」と言えば、それは真であることも話した。これらの信念は地球とシム地球のあいだで共有している構造的事柄に深く関係している、と私は考えている。だからそれらの発言は、シム地球で通常の意味においてさえも真実になるのだ。私がシミュレーションの中にいるとしても、私は変わらずに3人の哲学者を見るし、コンピュータを使うのだ。だが第9章の主張とここでの分析は、外在主義ではなく構造主義にもとづいている。

つきつめれば、それは外在主義というよりは構造主義なのだ。構造主義はシミュレーション・リアリズムをうながし、シミュレーション・リアリズムは懐疑論に対する私の返答をうながす。これからの章では構造主義の事例を展開していきたい。

第21章 塵(ちり)の雲はコンピュータプログラムで動いているのか?

オーストラリアの作家グレッグ・イーガンが1994年に発表した傑作SF『順列都市』[1]は、シミュレーションが行きわたった世界が舞台だ。人々は自分のコピーをつくり、そのコピーはバーチャル世界に住んで、本物とよく似た意識的経験をする。主人公のポール・ダラムはコピーで身分が低く、法律的にはほとんど認知されていない。彼は自分のいる世界のシミュレーションを複数つくって実験をしている。

小説では、世界をつくるためには、フルスケールのシミュレーションは必要ないことがわかる。ダラムは自分のシムであるポールが住むシミュレーションを変更して、その一部分を時間と空間から完全に切り離した。それでもポールは存在しつづける。次にポールを細切れにし、ほかと接続しないようにした。それでもポールが消えることはない。細切れになったピースが時空に散らばり、ほかとの接続がなくても、ポールも彼の世界も存在しつづける。

ダラムは細切れのポールをまき散らしたとき、組織化されていないダスト(塵)が散らばっていることで宇宙はできている、というアイデアを思いついた。

（ダラムの）キーキー声。「テスト4番。モデルを50の部分と20の時間の組に分割。部分も時間の状態も、1000のクラスタにランダムに割りあてる」「1、2、3」

（ダラムのシムである）ポールはカウントをやめると、両腕を横に伸ばして、ゆっくりと立ちあがった。ぐるりと一回転しながら部屋を見まわして、異常も欠落もないままであることを確かめる。それから、つぶやいた。「これは塵だ。すべてがそうだ。この部屋もこの瞬間も塵だし、塵は地球全体に散らばり、500秒かそれ以上の時間に散らばっている。それでも、ひとつにまとまったままだ。それが何を意味するかわからないのか？

想像してみろ……何の構造も形も連続性も持たない宇宙を。時空間の破片のような微細な事象の群れだけが存在して……時間と空間は存在しない。では、ある一瞬に空間の一点を特徴づけるものは何になる？　それは、素粒子の場における数値、ひとにぎりの数だ。では、そこから位置と配列と順番の概念を除いたら、何が残る？　ランダムな数の群れだよ。

そういうことだ。それがすべてなんだ。宇宙には形あるもの——時間や距離、物理法則、因果性——は、まったく存在しない」

ダラムの思いついたアイデアは〈塵理論〉だ。その理論は、原子の塵がランダムに散らばった巨大な雲が、時空の外に因果性もなく存在することを前提とする。中核のアイデアは、このよう

塵理論：実在の基礎には計算があり、計算の基礎にはランダムな塵の雲がある

な塵の雲は存在しうるアルゴリズムならば何でも実行でき、それゆえに可能世界ならば何でもシミュレートできるので、その結果として、意識を持つ人々が膨大な数存在することになっている。塵理論のより思弁的なバージョンでは、このような塵の雲は私たちの実在の根底にあるという。

魅力的な理論だ。本当ならば、さまざまな結果をもたらす。塵がどんなアルゴリズムでも実行できるのならば、私たちの世界に無数の物質があることは無視できない結果を持つ。なぜなら、実行可能なコンピュータプログラムのほとんどすべてが宇宙のどこかしらで動かされていて、シミュレートされた世界と生き物が可能なかぎり存在することになるからだ。それは目まいを起こさせるような光景だ。それほど簡単に世界や生き物がシミュレートできるのならば、シミュレーションのアイデア全体が矮小化してしまう。

塵理論にはいくつもの疑問点がある。[2] そのひとつは『順列都市』のプロットに関連することで、小説の中で、だれもフルスケールのシミュレーションをつくろうとしないのはなぜか、だ。だが、すでに塵の中であらゆるシミュレーションが動いているのならば、この疑問はピントのはずれたものになる。もうひとつの疑問はダラムの実験に関することだ。ダラムはこれらのシミュレーションをバラバラにし、接続を止めてから、使っているプログラムによって各ピースをふたたびひとつにまとめているというが、それは本当だろうか？ 仮にバラバラになっていないとしたら、「散らばった塵がシミュレーションをおこないうる」というダラムの結論は性急なものに思える。3つめの疑問は、可能世界のすべてが存在しているのならば、科学はどのように働くのだろうか、ということだ。塵理論では、ほとんどの世界は混沌とし、予測不可能だ。それならば現実に私たちが高度に秩序化された世界を経験していることは驚きでしかない。

塵理論にはもっと根本的な疑問がある。前提がまちがっているのではないか？ その前提では、因果関係のパターンは、アルゴリズムの実施やリアリティの生成、意識の生成とは関係がないとする。実際は、因果関係の複雑な構造はそれらにとって不可欠なものなのだが、その構造はイーガンの塵の雲には存在しない。それならば、塵は真のアルゴリズムをつくり出せず、決してシミュレートされた世界や人を生みだすことはないはずだ。

この点はシミュレーション・リアリズムに関する私の主張の鍵となる。コンピュータ・シミュレーションは、目的のない塵の雲にすぎないものではない。微調整（ファインチューニング）された物理的システムであり、そこにある各要素が、因果関係の複雑なパターンの中で相互作用しているのだ。この因果構造こそが、物理的世界と肩を並べるほどの真の実在をつくり出しているのだ。

この主張を明確にするためには、アルゴリズムと物理的システムの関係を調べる必要がある。

物理的システムにおける計算

コンピュータプログラムと物理的システムはどのような関係だろうか？　計算に関する数学理論は膨大な量に及ぶ。その理論は、チューリングマシンや有限オートマトン、セル・オートマトン（ライフゲームのような）などの抽象的システム、そしてすべての種類のアルゴリズムをとり扱う。そして、さまざまな計算システムがどのような問題をどのように解くかを教えてくれる。

だが、計算は数学にとどまらない。計算は物理的装置の上でおこなわれるので物理的でもある。私のデスクトップコンピュータは今、Emacs（イーマックス）ワープロのアルゴリズムを実行中で、スマホはメッセージのアルゴリズムを実行中だ。人間の脳は、ニューラルネットワークの学習アルゴリズムなどさまざまなアルゴリズムを実行している、と言われている。

計算システムにおける数学と物理学とのギャップは、計算機開発の初期から生じていた。19世紀なかばにイギリスの発明家チャールズ・バベッジが、「階差機関」とより複雑な「解析機関」など一連の計算機の数理設計をおこなった。彼の協力者であるエイダ・ラヴレス[3]は、ある数列を計算させるために解析機関を動かすアルゴリズムを作成した。バベッジはそれらの計算を実行できるように機械システムのくわしい設計図を書いたが、工学上および金銭上の限界から機械が完成することはなかった。

1世紀後に同じイギリスの天才数学者アラン・チューリング（映画『イミテーション・ゲーム』ではベネディクト・カンバーバッチが演じた）はバベッジよりも運があった。１９３６年にチューリングは最初の汎用コンピュータの数理モデルをつくった。汎用とはどんなプログラムでも動かせるコンピュータを意味する。このモデルは「チューリングマシン」として知られるようになる。第二次世界大戦中にイギリス政府の暗号学校が置かれたブレッチリー・パークで、1940年にチューリングと仲間たちは「ボンベ」と名づけた機械を完成させた。それは、ドイツが使っていたエニグマ暗号機による通信文を解読するための非プログラム式の機械だった。1943年までに暗号学校の同僚であるトミー・フラワーズがはるかに複雑な暗号解読機コロッサスを開発した。プログラム可能な電気式コンピュータの第1号である。[4] チューリングの数学的業績がコロッサスとのちのコンピュータに与えた影響については意見が分かれるところだが、数理モデルの出現と物理的実装が10年のうちに起きたことは印象的だ。

物理的システムが数学的計算を実現するとはどのようなことか？　コンピュータ科学では当然のことと受けとめられる場合が多いが、哲学的には興味深い問題である。

ジョン・コンウェイのライフゲームを例に考えてみよう。これは数学的対象、つまり抽象的セル・オートマトン（第8章参照）と見ることができるが、世界中で物理的計算装置の上で実行されている。物理的装置がライフゲームを動かすことについて、ここでは具体的に、一定の大きさと形を持つグライダー銃を動かすことについて考えてみよう。私のiPhoneなどの物理的システムがグライダー銃を動かすとはどういうことなのか？

普通に考えると、次の見方になる。私のiPhoneでライフゲームのグライダー銃を動かすときには、私のiPhoneの内的状態からグライダー銃のセルの状態へマッピング（関連づけ）

がおこなわれる。それは、両者の状態のあいだの対応であり、一定の構造を保持する対応だ。iPhoneに内蔵されたトランジスタが、ライフゲームの格子にあるセルに関連づけられる。各トランジスタは高いか低い電圧を持っている。電圧が低ければ、ゲームのセルはオフであり、電圧が高ければ、セルはオンになる。そのようにしてグライダー銃は実装される。

ここでイーガンの塵理論の登場となる。ランダムな塵の中に充分な数の粒子があれば、塵の雲からグライダー銃をはじめ、あらゆる計算をいつでもマッピングできる、と塵理論は唱える。その結果、塵はどんなアルゴリズムも実行できる。もしもアルゴリズムが実在の基礎であるならば、塵はすべての実在を実現する。もしもアルゴリズムが意識の基礎であるならば、塵はどんな状態の意識でも生みだせるのだ。

このイーガンの説は、ヒラリー・パトナムとアメリカの哲学者ジョン・R・サール[5]の主張に似ている。パトナムは1988年の著作『表象と実在』において、任意の普通のシステム（たとえば岩など）と任意の有限オートマトン（だいたいで言うと、任意の有限コンピュータプログラム）とを選んだとき、前者が後者を実装するようなマッピングがかならず存在する、と唱えた。サールは1992年の著作『ディスカバー・マインド！——哲学の挑戦』で次のように書いている。

いかなるプログラムについても、そして充分に複雑な事物についても、後者の中には当のプログラムを実行する記述があるはずだ。それゆえに、たとえば私の背後にある壁は今ワードスター（WordStar）のプログラムを実行している。なぜなら、そこにはある分子の動きがあり、それがWordStarの構造と同型だからだ。もしも壁がWordStarを実行していて、その壁が巨大であれば、脳にあるプログラムも含め、どんなプログラムでも実行できることになる。

これは、物理計算の概念全体をとるに足りないものにする恐れがある。サールは、壁などの物理的システムがプログラムを実行するかどうかは、客観的問題ではなく、見る人の目の中にあることだ、と結論づけている。一方、イーガンはすべてのプログラムがつねに動いている、という結論だ。パトナムは、心の基礎にコンピュータプログラムがあるという機能主義の哲学的見方はおそらくまちがいだ、としている。哲学における機能主義とは、現象をその役割や働きから理解する見方だ。

偶然にも私は十数年前に、これらの主張への反論を論文にしている。1992年に哲学者が集まってユースネット（今日のフォーラム形式のディスカッションの祖先にあたるインターネット上の討議）で熱い議論を交わしたが、そこから生まれた論文だ。討論の議題は「岩はすべての有限オートマトンを実行するのか?」で、物理計算はとるに足りないとするパトナムの主張を支持する者もいたが、私は反対の立場だった。

数年後に私はそのテーマで2本の論文を発表した。[6] 1本のタイトルはユースネットの議題と同じで、もう1本は「計算の実行について」とした。論文は哲学専門誌に1994年と96年に掲載されたが、イーガンの小説の発表は94年なので、当時は彼の塵理論を知らなかった。だがイーガンの主張に対する私の反論は、パトナムとサールへの反論と同じだ。

〈塵からライフゲーム説〉

『順列都市』の中でイーガンは、塵の粒子がアルゴリズムのプロセスにマッピングされる具体的な方法はあきらかにしていない（サールもくわしいことはあきらかにしていないが、パトナムは少し話している）。しかし、充分に大きな塵の雲がライフゲームのあらゆるプロセスを実行する様子を簡単に説明するのはむずかしいことではない。私はこれを〈塵からライフゲーム説〉と呼ぼう。

ライフゲームの単純なプロセスから始めよう。ブリンカーはゲームにもっともよく出てくる振動子で、連続する3セルがくり返し縦になったり横になったりするものだ。まずライフゲームの世界で、縦横3セル合計9セルの正方形を想像してもらいたい。最初は横中段の列3マスがオンで、上下の列はオフになっている。あるひとつのセルがオンのときに、その周囲にある8セルのうち、オンがふたつか3つあるときは当該セルはオンのままなので、真ん中にあるオンのセルは両どなりのセルがオンだから、オンのままだ。その左右のセルは、周囲にオンのセルがひとつしかないので、オフになる。オフのセルは周囲に3つのオンのセルがあるときにはオンに変わるので、上下の横列の真ん中にあるセルはオフからオンになる。四隅のセルはオンのセルが周囲にふたつしかないので、オフのままだ。その結果、オンの横3セルはオンの縦3セルに変化する。同じ論理で、次は縦3セルが横3セルに戻る。その縦横の変化は永久に続く。

ここで、時空の外に塵の粒子でできた無限大の雲があるとしよう。塵の各粒子は2進法状態で、それを「熱い」と「冷たい」と呼ぶようにしよう。そこには無数の熱い粒子と冷たい粒子があり、それ以外の組織はない。ここで（イーガン、パトナム、サールにインスパイアされて）塵の雲がひとつのブリンカーを動かしていると考えてみよう。

3×3で9個のセルでひとつのブリンカーを構成し、各セルはそのときどきでオンとオフになる。第1世代は中段横列の3つのセルがオンで、上下6つのセルはオフになっている。塵の雲の中にこの構造を見つけるためには、熱い塵の粒子3つと冷たい塵の粒子6つを集めるだけでいい。熱い塵の粒子3つをオンのセル3つに、冷たい塵の粒子6つをオフのセル6つにマッピングする。これで第1世代を塵の雲の中に見つけることができた。第2世代でも同様のことをすればいい。熱い塵の粒子をもう3つ見つけて、中央縦の列のセル3つに、冷たい塵の粒子6つを左右のオフのセル6つにマッピングする。これで第2世代も見つけられた。このプロセスをくり返せば、永遠に縦横に振動するブリンカーを塵の雲の中に見つけることができる。

アルゴリズムを実行するために必要な作業がこのようなマッピングだけならば、塵はブリンカーのアルゴリズムを実行できる。ライフゲームのほかのプロセスでも原則として同じことがおこなわれる。この論理をほかのアルゴリズムにまで拡大するのはむずかしくないので、塵の中に人間の脳のアルゴリズム構造を見つけられるかもしれない。

これには、ライフゲームのアルゴリズムにとって不可欠な構造を塵の雲は持っていないという、わかりやすい異論がある。ライフゲームのブリンカーには、オンとオフをくり返すセルが欠かせ

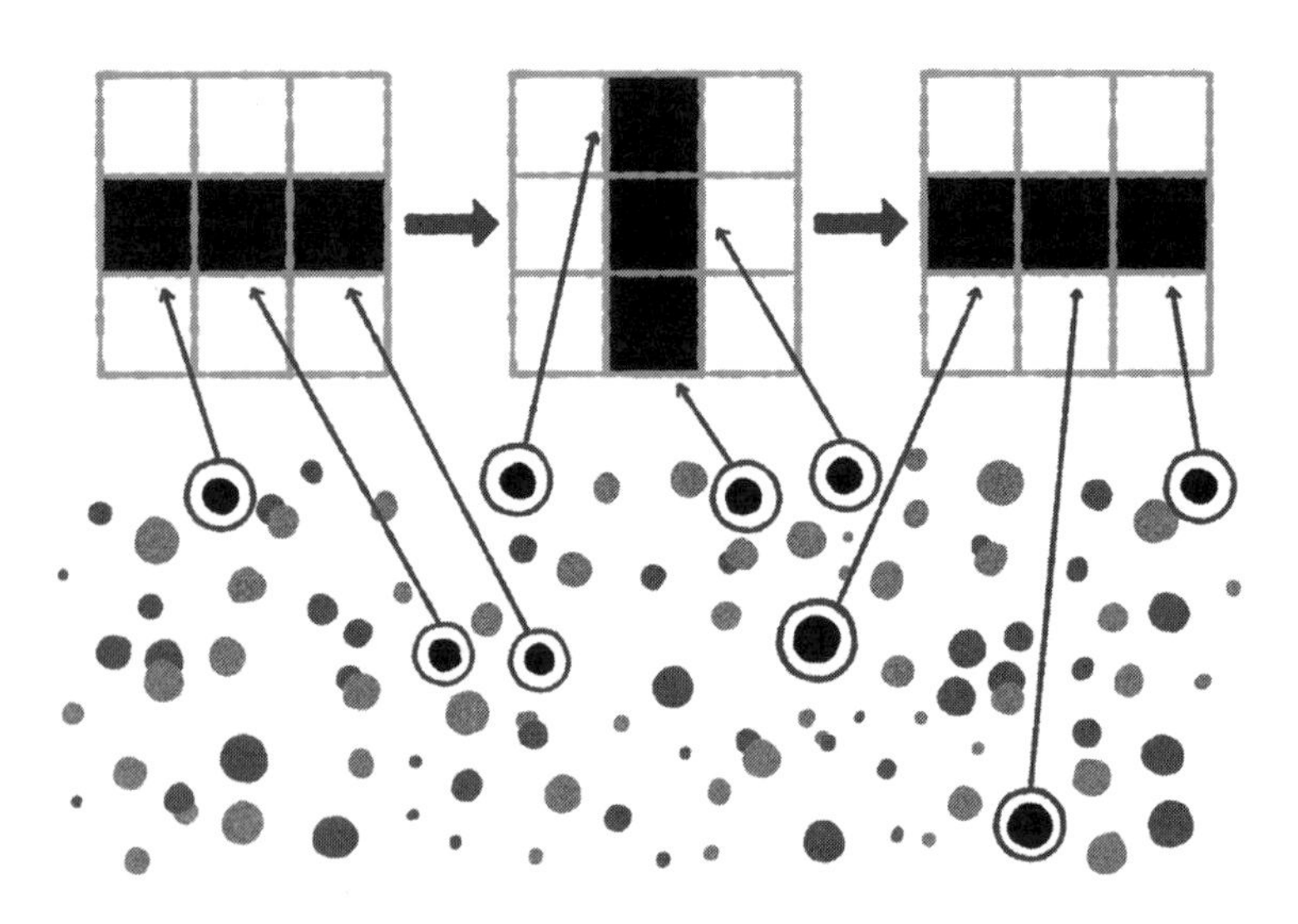

塵からライフゲーム説：ランダムに選ばれた塵のセルが、ライフゲームのルールに制御されたセルにマッピングされる

ないものだが、塵の雲の中ではそのようなことは起こらない。塵の粒子は熱いか冷たいかのどちらかで、両方の状態を行き来するものはないからだ。時間のない中では[7]〔塵の雲は時空の外にある〕、オンからオフ、オフからオンに移行するセルにマッピングできるものはないのだ。要するに、塵の雲はブリンカーの静止した状態を実行できるとしても、動いている状態は実行できないのだ。

ここでイーガンが、動きのある構造に対応できるように塵の雲を修正することはそれほどむずかしくない。塵の雲は長い時間の中に存在すると仮定してみる。その雲にはそのときどきに応じて熱くなったり冷たくなったりする粒子が無限にある。私たちに必要なのは、つねに熱い状態の粒子が1個（真ん中のセルに対応する）と、つねに冷たい状態の粒子が4個（四隅のセルに対応する）と、熱い状態と冷たい状態が入れ替わるセル4個（最初は熱いセルと冷たいセルが各2個。真ん中のセルにとなりあうセルに対応する）を見つけることだけだ。雲の大きさが充分にあれば、こうした9つの粒子をブリンカーで100万世代分[8]も見つけられるはずだ。これで9つの粒子をブリンカーのセル9個にマッピングさせることができるので、目的達成だ。セルはブリンカーに求められるオンとオフの切り替えを正確に実行する。これで雲はブリンカーを動かすことができるだろう。

このバージョンの塵からライフゲーム説は、パトナムとサールの主張に近い。ふたりは、懸命に探せば、イーガンの雲かパトナムの岩かサールの壁に、アルゴリズムに必要な適切な状態の粒子を見つけられる、と主張している。こうしてどんなアルゴリズムでも実行できるのなら、物理的システムにおける計算はとるに足りないものになってしまうだろう。

因果関係を尊重する

しかし、私は塵からライフゲーム説がうまくいくとは思っていない。大きな問題は、この説において物理的システムからコンピュータシステムにマッピングをすることが因果関係を尊重していない点だ。ライフゲームを動かすためには、各セルが正しい順番でオンとオフになることだけでは足りない。セル同士が正しく相互作用をしなければならないのだ。

ライフゲームには、「周囲に4つ以上のオンのセルがある場合には、そのセルはオフになる」

などのルールがあり、物理的システムにはそのルールを守る機能が必要となる。塵の粒子がオフとなる（冷たくなる）とき、ルールは周囲の粒子が4つ以上オンである（熱い）ことを求める。塵にライフゲームを実行させるには、ゲームのルールどおりに各粒子が因果関係に応じた相互作用をしなければならない。ところが、散らばっていてランダムにふるまう塵の粒子は、そのような相互作用を確実にすることはない。だから塵はライフゲームを動かすことはできないのだ。

そのうえ、物理的システムがライフゲームのブリンカーを動かすには、適切な一連の状態を続けるだけでは足りない。ライフゲームを動かすことで真に重要な点は、実行システムがさまざまな初期状態を扱い、さまざまな状態に導いていけることにあるのだ。選択的配列ができるときもルールに従わなければならない。実行システムはどんな初期状態で始めても、やがてはそこからいくつかの決まったパターンに収斂（しゅうれん）することになる。ライフゲームにおける簡単なルールはゲームを動かすのに不可欠な構造だ。そして、塵の雲がこの構造を持っていると考える理由はない。

「もしもこうなったら、そのときはこうなる」という文を条件文というが、「もし」という前件が実際には生じなかったのに、「もし生じていたらこうなっただろう」と後件を推論するものを、哲学者は「反事実的条件文」と呼ぶ。第2章で、もしも隕石が恐竜を絶滅させなかったらどうなるかを考えたが、そのように反事実的条件文は、もしも（実際には起きなかった）何かが起きたならば、ほかのことはどうなったかを考えることだ。たとえば、だれかがガラスのコップを落としたならば、コップは割れただろう。クリケットの試合ならば、もしもボールが打者の足に当たらなければ、ボールはウィケット〔クリケットに用いる木製の小さな三脚門〕に当たり、打者はアウトになっただろう。クリケットファンなら知っているが、こうした反事実的条件文は観察者の目の中にのみあるのではない。ボールがウィケットに当たったかどうか、審判がそれをどうジャッジするかは客観的事実なのだ。

反事実的条件文は多くの現象を理解するのに重要で、とりわけ因果関係のプロセスを理解するためには欠かせない。実際に多くの哲学者は、あるものが別のものの原因となることを考えるときに、両者のあいだに正しい反事実的条件文があることを検討する。たとえば、多少乱暴だが、火が煙を立たせる原因になると言うためには、もしも火がなければ煙は立たないことを言えばいいのだ。計算における因果関係を理解するのにも反事実的条件文は重要だ。ここで、ライフゲームの進行を録画した映像がコンピュータ画面に映しだされているとしよう。このときゲームのルールを変えたとしても、当の画面では新ルールに従ってセルたちが状態を変えることはない。それは、この映像が録画だからだ。そしてまさにこれが理由で、この画面はライフゲームを現に実行しているのではないことになる。このように物理計算は反事実的条件文の正しいパターンと、因果の正しいパターンにかかわるのだ[9]。

ひとたび因果性の観点から計算を理解してしまえば、塵からライフゲーム説はもはや説得力を失う。どんなに慎重に粒子を選んでも、それらは正しい因果構造を持っていないのだ。塵は正しい反事実的条件文を満たすことができない。それでも充分な数の粒子があり、時間をかければ、ブリンカーやグライダー銃を動かす正しい因果構造を持った粒子のグループを見つけられるはずだ、とあなたは思うかもしれない(第24章で紹介する「ボルツマン脳」という思考実験はこれに少し似た状況だ）。たしかにそれならライフゲームを実行できるだろうが、現実の私たちのまわりには、イーガンの塵の雲（時間も空間もなく、散らばっている、構造のない）は存在しない。ゲームを実行するには、入りくんだ因果関係の構造が必要で、それはどこにでもあるわけではないのだ。

イーガン自身は彼のウェブサイトの「塵理論に関するよくある質問」コーナーで、因果関係を理由とした異議について答えている。「一連の状態はそれらが真に因果関係を持つ場合にだけ、意識を経験させられるはずだ、と言う人もいます。しかし、塵理論の本質は、状態間の相関よりも強い因果関係は存在しないという点にあるのです」

このイーガンの意見は、18世紀スコットランドの偉大な哲学者デイヴィッド・ヒュームから始まったと言われることも多い意見を反映している。ヒュームは、因果関係とは単なる規則性にすぎないと主張していた。そのもっとも単純なバージョンを紹介しよう。AがBの原因だと言うことは、AのあとにつねにBが起きるということだ。どうして引き金を引くことが銃から弾丸が発射される原因になるのか？　引き金を引いたあとにつねに弾丸が発射されるからだ。

この単純な因果関係論が正しいのならば、塵も正しい因果構造を持っているだろう。ライフゲームのシステムをつくるために選んだ粒子のあいだでは、あるセルの周囲で4つセルがオンならば、そのセルはオフになるからだ。

因果関係は単なる相関である、あるいは規則性であるという見方は、哲学者のあいだでは支持者は少ない[10]。くわえて、たとえヒュームの因果関係は規則性だという見方を受けいれるとしても、塵は正しい因果構造を持っているとは言えないだろう。ヒュームに賛同する哲学者でさえ、「相関だけでは因果関係はともなわない」という決まり文句は受けいれることになる。実際に、ローカルなわずかな塵の粒子の相関では足りない。因果関係を成立させるためにはもっと強固な規則性が必要で、小集団では足りず、おそらくすべての塵の粒子に（少なくとも塵の粒子の広い層に）規則的な関係が生じなければならない。しかしながら、塵の雲はランダムで、ローカルな規則性しか持たず、真の因果関係に必要な全体の規則性はないのだ。

サールとパトナムの主張にもまったく同じ返答ができる。たとえサールの壁をWordStarのプログラムにマッピングできるとしても、プログラムを実行するために必要な複雑な因果構造と、反事実的条件文の構造を持っていると信ずる理由はない。また、パトナムの岩を通常のオートマトンにマッピングできるとしても、オートマトンを実行するために必要な複雑な構造を持っていると信ずる理由はない。

もちろん、これで話が終わりなわけではない。[11] 比較的単純なシステムならば、強力なこの制約にも応じられる、と主張する哲学者もいる。私はこの意見にも次々と反論してきた。だが、ひとたび因果性の観点から計算を理解してしまえば、マッピングが計算をとるに足りないものにするという単純な主張は無視できる。因果構造は決してつまらないものではなく、計算を実行するためには正しい因果構造が必要だ、というのが結論だ。

因果構造論

　計算とは構造にかかわるものだ、と私は考えている。数学計算は形式的構造の問題だ。ビットの構造は形式的ルールに支配されている。たとえば、ビットがオンの状態のあとにはオフの状態が来る、などのルールだ。それに対して、物理的計算は因果構造の問題であり、因果関係のパターンの中で物理的要素が相互作用することだ。ひとつのトランジスタに高い電圧がかかると、別のトランジスタには低い電圧がかかる、という具合に。

　私の因果構造論では、物理的システムの因果構造が計算の形式構造をそっくり写すとき、そのシステムは数学計算をおこなう。この見方は、コンピュータの構築およびプログラミングという通常の作業にも調和している。チャールズ・バベッジが解析機関（世界初の汎用コンピュータ）の設計図を描いたとき、彼の数学構造をそっくり写すために、システムの物理機構が因果関係の正しいパターンの中で相互作用するように努めた。チューリングが暗号解読機のボンベを開発するときにも同じようにした。現在のプログラミングも同じだ。プログラム可能なコンピュータはプログラムに応じてさまざまな計算を実行できるシステムであり、ここでの因果関係はすべてコンピュータの内部に収められている。プログラマーがプログラムを書き、ユーザーがそれを実行すると、物理的プロセスが始まる。私がiPhoneでアプリを動かすと、スマホ内の物理的な回路が、プログラムの形式ルールを反映したパターンで相互作用する。

　コンピュータは「因果関係機械」だと私は考えている。任意の因果構造を組める柔軟性のある装置だ。それが理由で、シミュレーションにとってすばらしい装置なのだ。ここにシミュレートしたいシステムがあるとしよう。そのシステムはその一部に因果構造を持っている。シミュレーションをつくるときには、コンピュータ内部にその因果構造を再現する。ある意味では、元のシステムは因果的にコンピュータの中に、少なくとも一定のレベルの細かさで写されたのだと言える。因果関係機械を使って元のシステムを再現したのである。

シミュレートした脳にも同じことが言える。脳をコンピュータ・シミュレーションにアップロードするとどうなるだろうか？　私たちは因果構造を維持しようとする。ニューロンをひとつずつチップに置きかえていく段階的アップロードの場合には、その意図はより明確になる。オリジナルのニューロンが持っていた因果関係と同じパターンで、新しいチップが確実にまわりの要素と相互作用できるようにする。すべてがうまくいけば、脳にある860億のニューロンと同じ因果構造で、860億のチップが相互作用するようになる。同様に、脳のニューロンレベルのシミュレーションがうまくいけば、コンピュータの内部に脳と同じ因果構造と相互作用をする860億のデータ構造を持てるようになる。第15章で紹介した段階的アップロードは、チップのシステムとシミュレーションで、脳と同じ状態の意識を持てるようになると考える充分な理由がここにある。因果構造が破壊されれば、意識を維持することはできない。

塵がランダムに散らばった雲の中では、計算も意識も期待できない。だがもし雲が正しい因果構造に組織化されるなら、不可能ではなくなる。計算ができるのだ。計算が充分におこなわれれば、意識も持てるようになる。計算と意識を持てれば、バーチャル世界を持つことができるのだ。

第22章 実在は数学的構造なのか？

１９２８年にルドルフ・カルナップは世界を構築した。彼の傑作である著作『世界の論理的構成（*Der logische Aufbau der Welt*）』において、論理言語で世界を丸ごと記述しようとしたのだ。

カルナップはウィーン学団の中心メンバーだった。第４章で紹介したウィーン学団は、科学に興味を持つ哲学者グループで、彼らの目的は、科学の基礎に哲学を置き、哲学を使って社会変革を促進することだった。活動のピークは１９２０年代後半で、学団の方針を示す、科学的世界像に関する哲学的マニフェストを発表した。

１９３０年代にナチス党支配の時代が迫ると、学団は衰退していき、１９３６年に中心人物のモーリッツ・シュリックが偏執症の元教え子に射殺されるという悲劇で幕を閉じた。のちに彼らの考え方は、粗雑な〈論理実証主義〉だとしばしば戯画化されることになった。この立場は、哲学の大部分を意味のないものとして切り捨てることからなる。だがその後、カルナップと学団の豊かな哲学的アイデアは広く認知されることになった。

ウィーン学団にとってきわめて重要なことは、人間の考える世界の絵から主観的要素をとり除き、客観的で一般的な言語によって実在を記述することだった。カルナップは『世界の論理的構成』において論理的な言語によってこれを試みた。

カルナップの著作は「高貴なる失敗[1]」だとみなされることがある。彼が試みた世界の客観的記述は、彼の主観的経験の記述にもとづいていた。そのようなプロジェクトは最初から失敗が運命づけられている、と多くの者は考える。これまで見てきたとおり、現れ（見え）だけから実在を構築するのはむずかしい。カルナップは努力したが、この根本的な限界を打ち破ることはできなかった。

だが、主観的経験にもとづいて客観的実在を記述しようとしたカルナップの試みには、それ以上のものがあった。『世界の論理的構成』には、物理学によっても世界を記述できると書いている。ある時点でカルナップは、そのために同書の第2巻を書くことを企てたが、実現はしなかった。それでも1932年の論文「科学の普遍言語としての物理的言語[2]」にその骨子を見ることができる。カルナップによるふたつの試みの基礎にあるアイデアは、現代まで科学哲学の中心になっている。

しかし、『世界の論理的構成』で本当に重要なのは、主観的経験や物理学の言葉で世界を記述することではなく、構造によって世界を記述することにある。それは論理的で数学的な構造を意味する。カルナップの目的は彼が「実在の構造記述」と呼ぶものを提示することだった。つまり、論理的で数学的な言葉で実在を完璧に記述することである。

カルナップは鉄道網を利用して構造記述がどのようなものかを例示した。ニューヨークの地下鉄網を使って私も試してみよう。次ページのイラストはマンハッタン島の南半分（ロウアー・マンハッタン）における地下鉄網を記した2枚の地図だ。左の地図には路線名と駅名が入っている。たとえば、8丁目／ニューヨーク大学駅（8St／NYU）（地図のほぼ中央の白い長方形）にはR線とW線が走っていることがわかる。路線名と駅名を消したのが右の地図で、これが示すのは、この地域には決まったパターンで約80の駅があり、約20の路線が走っていることだ。

非構造的情報を徹底的に排除するには、駅の場所を示すヒントをすべてとり去り、「駅」や「路線」という言葉を消し去る必要がある。残ったのは、20の線の中に80の点が特定の複雑なパターンで配置された図だ。これが地下鉄網の〈構造的記述〉である。それは数学者が「グラフ」、つまり相互接続されたノード（結節点）のシステムと呼ぶ種類の純粋な数学的構造を明示している。このグラフは地下鉄網の数学的構造を明示したもので、少なくともその一部である。

この表示をとり払ったグラフはマンハッタン島の南半分に限定したとしても、地下鉄網の完全な特徴づけにはほど遠い。列車と乗客、駅のプラットホームとエスカレーターが抜けている。駅と土地のつながりなどの情報も抜けているのだ。

カルナップの構造主義が夢見たゴールは、構造のほかには何も残っていない地図をつくることだった。原理的には、駅の場所やプラットホームとエスカレーター、列車を論理的もしくは数学的に表示することは可能だ。乗客すら数学的に記述することが可能だという者もいる。もしも地下鉄システムの記述にありとあらゆるものを詰めこんで、それを数学的に変換できたならば、地

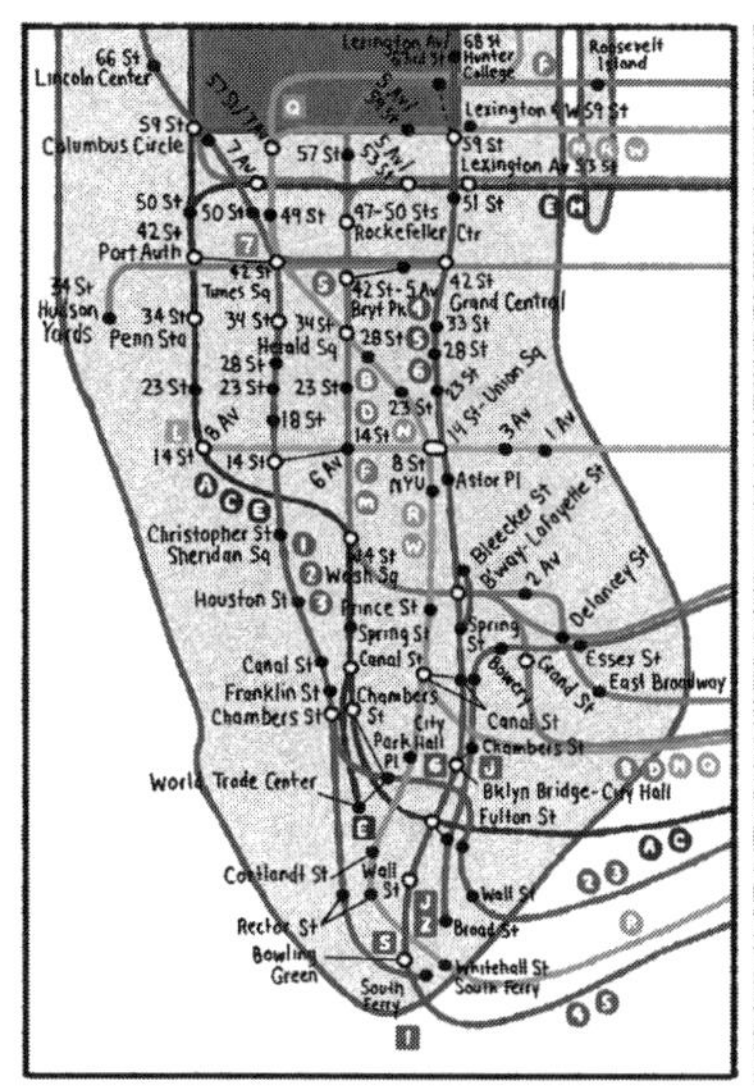

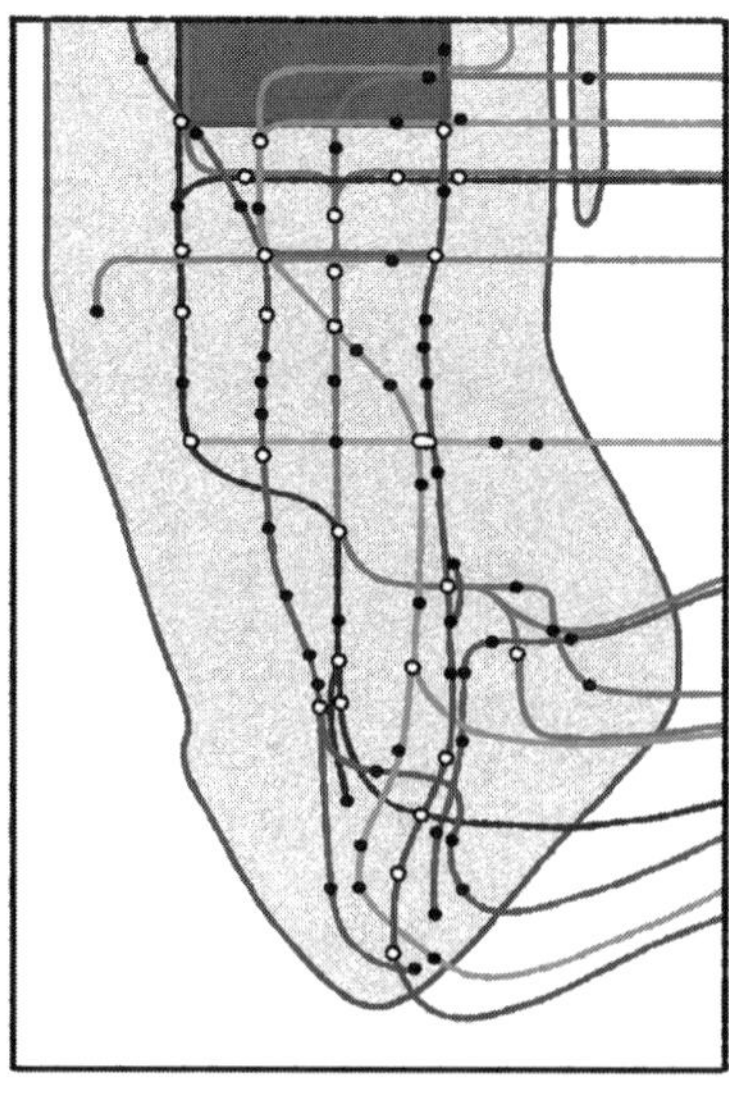

ニューヨークの地下鉄網を描いた2種類の地図：駅名等の入った通常の記述（左）と、名称をなくした構造的記述

下鉄システムの完全な客観的記述となる。このプロセスを地下鉄から宇宙全体にまで拡大していけば、実在すべての構造的記述が得られることになる。

論理と数学だけを使って実在すべてを記述しようとしたカルナップが成功したと考えている人はほとんどいない。たしかに彼は失敗したが、惜しいところまで行った、と私は思っている。2012年の著書『世界を構築する（*Constructing the World*)』で私は、カルナップの試みにおける問題点の多くは克服できる、と論じている。カルナップが物理学および主観的経験で構築したものをベースにして、彼の基本言語を論理と数学を超えるところまで拡張するならば、彼の『世界の論理的構成』は成功しただろう。

だが、本書における私の主張のためには、世界全体を構築する必要はない。ここでは、構造主義がシミュレーション・リアリズム（私たちがシミュレーションの中にいるとしたら、その世界は実在的だ、という考え）を支援するかぎりで構造主義を利用できればよい。私の主張に必要なのは物理学に関する構造主義だけだ（20世紀なかばにフランスの人類学者クロード・レヴィ＝ストロースたちによって提唱された、文化に関する構造主義[3]とは別物であることに注意してもらいたい）。ここでは、構造論的用語を使って物理学の完全なる特徴づけをつくることを意味する。第一近似として、構造論的用語は数学用語（これには論理用語も含むと私は理解している）だと考えることができるが、最終的には、数学を少し超えたところまで行く必要があるだろう。アイデアの大枠は、物理学が世界について語ることは、完全に数学的な特徴づけを与えられる、というものだ。それができれば、シミュレーション・リアリズムを唱えるのは簡単だ。

科学は世界の何を教えてくれるのか？

ニュートン力学や一般相対性理論、量子力学などの科学理論は大成功をおさめ、ほとんどの現代技術の基礎となっている。科学者やエンジニアはそれらの理論を信頼し、その有効性を当たり前のものだと思っている。

それらの理論は実在について私たちに何を語っているのだろう？　素粒子物理学の標準モデルはクォークやヒッグス粒子などの素粒子の存在を仮定する。クォークやヒッグス粒子を直接に観察した者はいない。それらの素粒子は本当に存在するのか？　それとも観測の予測に有効なフレームワークとなる理論にすぎないのだろうか？

これにはふたつの見方がある。〈科学的実在論〉[4]は、成功している科学理論やモデルは何が実在かについて洞察を与えてくれると考える。最良の理論やモデルが何かの存在を仮定するならば、私たちはそれが本当に存在すると信ずるべきだ。たとえば、素粒子物理学の標準モデルがクォークの存在を仮定するのだから、私たちはクォークの実在を信じるべきなのだ。最良の理論が電磁場を仮定するならば、実在すると信ずるべきだ。

それに対して〈科学的反実在論〉は、成功している科学理論を、何が実在かを知るガイドにするべきではなく、さまざまな目的に対する便利で有効なフレームワークとして見るべきだ、と主張する。そのもっとも顕著な例は〈道具主義〉というもので、19世紀オーストリアの物理学者で哲学者のエルンスト・マッハが深くかかわっている。道具主義とは、科学理論を、観測結果を予測するための単なる道具や便利な装置だとみなす立場である。

科学的反実在論によると、クォークや波動関数の存在を仮定した理論がどれほど成功していても、それらが存在すると信ずるべきではないと言う。存在しないとは言っていない。理論をもとに信ずるべきではない、と言っているのだ。量子力学に関する道具主義者の有名なスローガンのひとつに「黙って計算せよ」がある。量子力学はあまりに直感と相容れない考えなので、実在を描くために利用するのはむずかしい。だが量子力学による計算はすべての測定結果を予測できる。量子力学はそのように道具として使い、測定結果の背後にある実在については、意図的に不可知論〔経験を超えた実在にかかわることは認識できないとする立場〕を維持することができる。

科学的実在論を支持するもっとも重要な論証は〈奇蹟論法〉であり、それはヒラリー・パトナムが推し進め、オーストラリアの哲学者J・J・C・スマートがそれに関連する主張で続いたものだ。成功した理論が真実でないとすれば、その成功は奇蹟になる、という主張だ。クォークの存在を前提とした予測をして、そのとおりの結果が得られた場合、そのクォークの存在なしにその結果が得られることは奇蹟になる。鍵となるのは、科学理論が機能する理由を説明するために科学的実在を必要とする、というアイデアだ。

一方の科学的反実在論を支持する最重要論証は、アメリカの哲学者ラリー・ラウダンの唱えた〈悲観的帰納法〉である。過去に発展した科学理論のほとんどすべては、時間が経てば誤りであることが判明している。ニュートン力学ものちに誤りだとわかった。物質の原子論も同じだ。多くの場合、古い理論は洗練された後継理論にとって代わられる（ニュートン力学は相対論と量子論に、物質の原子論は素粒子物理学の標準モデルにとって代わられた）。そして、新しい理論は古い理論の多くの重要な部分を否定し、新しい実体のクラスを要請する。だから今、私たちが信じている科学理論もいずれは否定されるのだ。

科学的実在論のほうが反実在論よりも人気がある。２０２０年にPhilPapersでおこなった調査では、哲学者の72パーセントが実在論を受けいれるか、傾いていて、反実在論を受けいれるか、傾いている者は15パーセントしかいなかった。科学的実在論はラウダンの悲観的帰納法に対して、後出の理論は少なくとも前の理論よりは真実に近づいているので、われわれは少しずつ実在に迫っているのだ、と反論する。だが、現在の科学理論が正確に何を言っているのか、という興味深い問題は残っている。

この数十年間、もっとも人気のある科学的実在論の形式は〈構造実在論〉[5]というものだ。科学理論は世界の構造を記述し、その構造は論理学と数学の用語によって特徴づけられる、と主張する。

構造実在論を明確に主張したのは、1920年代のカルナップとバートランド・ラッセルだった。それから長いあいだ顧（かえり）みられることはなかったが、1989年にイギリスの科学哲学者のジョン・ウォラルが復活させた。ウォラルは、科学的実在論論争における「ふたつの世界をさばくベストな方法」が構造実在論だと言った。まず、成功している科学理論は、そこで主張する理論の構造が物理的世界の構造と適合していることを説明している、と唱えることで、奇蹟論法に対応できる。そして、のちの理論が前の理論の仮定を排除するとしても、前の理論の数学的構造を保持していることが多い、と唱えることで、悲観的帰納法にも対応できるのだ。

構造実在論によると、理論に完全なる数学形式を与えることで、その理論を構造化することが可能だという。[6] 207ページのイラストで、ニューヨークの地下鉄網の記述を構造化した。それは明瞭な地図に組織化し、駅名と路線名を消し、「駅」や「路線」といった用語すら消すことで実現した。同じ方法で物理理論も構造化できる。数学用語で組織化し、事物の名前を消し、「質量、電荷、空間、時間」という用語さえも消すのだ。

理論を構造化するひとつの手法が、イギリスの傑出した哲学者のフランク・ラムゼイ[7]が192

9年に著した「理論」という論文によって紹介された。ラムゼイは翌年、26歳の若さで死ぬが、哲学のみならず数学、経済学で重要な貢献をなした。理論を構造化するときに彼が頼りにしたツールは、のちに〈ラムゼイ文〉と呼ばれ、構造化のプロセスは、理論を「ラムゼイ化する（Ramsifying）」と呼ばれるようになった。

ラムゼイの基本的なアイデアは次のようなものだ。「質量」を例にすると、質量に関して物理学が言っていることをすべて、質量の定義とする。ニュートン力学の運動法則における慣性質量を定式化するのに、「加速度の大きさは物体の質量に反比例する」とするのではなく、「物体にはある性質が備わっている。それは、その物体の得る加速度がその性質と反比例するような性質である」とする。これで「質量」という言葉を使わずにニュートン力学を構成することができる。力や電荷、空間、時間なども同様に処理できれば、物理学をすべて論理学と数学の用語で説明したバージョンができるのだ。

構造主義者の見方によると、現代物理学はつきつめれば、「以下の方程式を満たす7つの性質がある」[8]ことになり、以下の方程式とは、数学形式で記述された量子力学や相対性理論などの根本的な法則を指す。それこそが物質世界（物理的世界）を論理学と数学の用語で記述したものになる。

この数学的構造が物理的世界のすべてなのだろうか？　存在論的構造実在論者は「イエス」と言う。物質的実在は純粋に構造的である。存在論は存在とは何かを研究する。存在論的構造実在論は、物理的世界に本当に存在するものは純粋に構造的である、と言う。したがって、近似値として、物理的世界を論理学と数学の用語で完璧に記述することは可能なのだ。

それに対して、認識論的構造実在論は「ノー」と言う。構造は物理的世界のすべてではない、少なくとも必要なものを満たしていない。認識論は知識とは何かを研究する。認識論的構造実在論は、物理的世界について私たちが知ることのできるのはその数学的構造だ、と言う。だが、物理的世界の根底には構造を超えたものがある点は首尾一貫している。

第8章で紹介した〈純粋ビットからイット説〉を思いだしてほしい。この説は、物理学において真に存在するものは、ビットの純粋な構造だ、と主張する。これは存在論的構造実在論の一種であるが、構造をデジタルに限定しないために、存在論的構造実在論のほうがより包括的だ。私たちはこれを〈純粋構造からイット説〉と呼ぶことができよう。

〈イットからビットへそしてイット説〉は、デジタル物理学におけるビットはより基本的なイットに由来する、と考えるもので、純粋ビットからイット説と対照をなす。イットからビットへそしてイット説の見方は、認識論的構造実在論の考え方の中にある。その説は、科学理論はビット構造をあきらかにするが、さらに科学が言わない何かによってそのビットは実現されている、と主張する。この見方をデジタル構造を超えた形で一般化できれば、〈イットから構造へそしてイット説〉を得ることになり、それは、基本的な何かに由来する構造があり、その構造に由来する物理的事象がある、と考える。

認識論的構造実在論は、基本の「イット」は科学によってあきらかになっていないとする点で、イットから構造へそしてイット説の先を行く。だから〈Xから構造へそしてイット説〉と呼んでもいいだろう。ここでXは不可知の何かか、もしくは、少なくとも現在の物理理論ではあきらかにできない何かだ。

第9章では、シミュレーション説はイットからビットへそしてイット説ととても相性がいいことを見たが、Xから構造へそしてイット説、つまりは認識論的構造実在論とも相性がいいのだ。もしも私たちが完全シミュレーションの中にいるならば、私たちは物理学の構造を知ることはできるが、その根底にあるものを知ることができない。この場合、根底にあるXには、ひとつ階層が上の宇宙にあるコンピュータのプロセスも含まれる。

本書の目的から、ここでは構造実在論が存在論的か認識論的かを決める必要はない。私たちに必要なのは、「世界は構造的だと科学理論は語っている」という弱い主張で充分だ。その主張は構造実在論の存在論的見方にも認識論的見方にも合致する。

物理学は数学にすぎないのか？

構造主義には塵の問題がある。第21章のグレッグ・イーガンの塵理論を覚えているだろう。そこではランダムな塵の雲の中に、すべてのコンピュータプログラムの構造を見つけることができる。もしもそうならば、雲の中では、コンウェイのライフゲームからマイクロソフトのＷｏｒｄ（ワード）まであらゆる種類のコンピュータプログラムが動いていることになる。そのフレームワークは計算をとるに足りない、空虚なものにする恐れがある。

同じ問題が物理理論でも発生する。ランダムな塵の雲の中に、あらゆる物理理論の構造を見つけられる可能性がある。このことと構造主義を組みあわせれば、塵の雲はすべての物理理論を真実にすることが可能になる。充分な量の塵の粒子があれば、時代遅れとなったアリストテレスの運動理論（投げたものの動きを説明しようとした）の構造が塵の雲の中に発見できるだろう。アインシュタインの特殊相対性理論によって否定されたエーテル説の構造も見つけられる。ひも理論も同じだ。これらの理論を真実にできるほど、塵の雲が充分にあれば、それは物理理論をとるに足りない、空虚なものにする恐れがある。

私はこれを〈塵から物理学の問題〉と呼びたい。その問題の深刻さを見るために、もっと深刻な〈数から物理学の問題〉と呼べるものについて考えたい。

その問題は次のように発生する。私たちの物理理論が純粋に数学的だとしよう。それならば純粋に数学的な対象、たとえば数の中にさえ、物理理論の数学的構造を見つけられそうに思える。ニューヨークの地下鉄網の構造的記述は1から80までの数を20の適切な数列に配列することで足りる。物理学の公式化も、量を表す適切な方程式で表示された数学的構造で足りるのだ。

この結論は、宇宙自体も数学的構造であると考える過激な構造主義者にとっては魅力的かもしれない。第8章で紹介したようにピタゴラスは万物は数でできていると考えていた。現代では、宇宙論学者のマックス・テグマークが〈数学的宇宙説[9]〉を提唱している。物理的に実在するものはすべて数学的構造だ、と主張する理論で、宇宙は数学によって記述できる、と言うだけではなく、宇宙は数学なのだ、と言っている。テグマークは古典的な構造主義者の流儀でこれを主張する。つまり、数学的構造だけが、人間の心から独立していて、真に客観的な外的実在を提供できる、と主張しているのだ。

あなたが数学的宇宙説をどう思おうと、物理理論は純粋に数学的だという見方には避けて通れない異議がある。もしもそのとおりならば、矛盾のない理論はすべて真になってしまうではないか、という異議だ。

ニュートン力学を例に見てみよう。物理理論が純粋に数学的であるならば、ニュートンの理論も数学的構造を持っているはずだ。ここで、ニュートンの理論が一定の関数（定義域と値域とがともに実数）の存在を述べている、と仮定しよう。ここで問題になるのは、それらの数学的実体があまりにも簡単に存在するので、ニュートンの理論があまりにも簡単に真になることだ。数やその他の数学的実体は物理学に頼ることなく存在する。もしも、ある世界にひとつの関数が存在するならば、その関数はすべての可能世界に存在する。その中には、アインシュタインの物理学が正しい世界もあるだろう。もしもニュートンの理論がこの関数が存在することしか言っていないのならば、ニュートンの理論は、アインシュタインの理論が成り立つ世界でも真になってしまうのだ。その世界ではアインシュタインの理論のほかに、矛盾のないほかの物理理論なら何でも真になるのだ。

この結論は受けいれがたい。科学は古い理論のまちがいを証明することで前進してきたのに、その証明ができなくなるのだ。ニュートン理論の純粋に数学的なバージョンは変わらずに真となれば、ニュートン力学をまちがいだとする経験的証拠のすべて（マイケルソン＝モーリーの実験や水星の近日点、二重スリット実験）をもってしても、その理論を排除することができない。これまでに考案された矛盾のないほかの理論も同じで、それらすべてが真になる。それでは正しい理論を見つける意味がなくなってしまうではないか。

数から物理学の問題を避けるには、物理理論は純粋に数学的構造であることを超える必要がある。その方法はいくつかある。もっとも簡単な方法は、論理学における中心的概念である「存在」の概念を使うことだ。その記号はEを反転させた「$\exists$」で、たとえば、$\exists x\ (x^2=-1)$は「2乗がマイナス1になる数が存在する」こと、すなわち、マイナス1の平方根である数（虚数）が存在することを記述しているのだ。そして、科学における存在は数学よりも要件が多い。

どんな科学理論も、粒子や場など何かが存在することを唱える。それが具体的に存在しているという意味に解するのが自然だ。つまり、それらは具体的実在の一部として存在するのだ。粒子が単に数学的対象として抽象的に存在している（マイナス1の平方根のように）だけでは充分ではない。科学理論の中でその存在を具体的なものとして説明する必要があるのだ。それが意味するのは、理論が真であると証明するのは簡単ではないということだ。つまり、抽象的存在から具体的存在にすることは、純粋数学から応用数学へ移り、数学理論を具体的な物理的世界と接触させることなのだ。

では、具体的な存在とはどんなものだろうか？　因果的力を持つこと、とする考えがある。粒子は物事を起こす力があるが、数にはない。これは数から物理学の問題を解決する代替手段を示している。鍵となる概念は、物理学は因果関係のパターンを持つが、数学は持たないことだ。このアイデアを補強するために、〈塵から物理学の問題〉に目を向けてみよう。

塵の中に物理学はあるのか？

塵から物理学の問題は、ケンブリッジ大学の数学者だったマックス・ニューマンから始まった。彼は第二次世界大戦中にブレッチリー・パークで、最初の汎用コンピュータであるコロッサスの設計を助けた。さかのぼる1927年にニューマンはバートランド・ラッセルの著作『ものの分析（*The Analysis of Matter*）』のレビューをおこなった。ラッセルはこの本で構造主義者から見た物理学を示していて、物理理論はつねに論理学と数学の形式に変換できる、と唱えている。しかし、ニューマンはラッセルの見方では解決できない問題を発見した。

もしも対象となるものが充分な数あるとしたら、おそらく塵粒子の雲の中にその数学的構造を見つけられるだろう。たとえば、ニューヨーク地下鉄網の80の駅を構造的に記述したものは、80の対象が集まった集団なら何でもその記述に当てはめることができる。80の塵の粒子がどんな配列になっていても、何かしらの線的つながりの割りあてを地下鉄網として利用できるのだ。あるいは、前章で例にあげたライフゲームの構造的記述について考えてみると、2次元に配置されたセルが決まったルールでオンとオフの状態を表している。そこに充分な量の塵を与えれば、ルールどおりにオン・オフ配置を割りあてる方法を見つけることができる。

このことは物理学の構造的記述においても、ライフゲームと同じくらい当てはまる。充分な数の塵の粒子があれば、私たちはいつでも塵の中に純粋な数学的構造を見つけられる。それは、構造的記述は世界について私たちにほとんど何も教えてくれないことを意味する。せいぜいのところ、世界にある事物の数だけだ。これによって理論はふたたび空虚なものになる。理論があまりにも簡単に真になってしまうからだ。

〈塵からライフゲーム問題〉を解決した方法は、コンピュータに計算をさせるために、物理的システムは正しい因果構造（因果関係の正しいパターンがひとつの状態から別の状態に移るのを支配していること）を持つ必要があるとしたことだ。とくにライフゲームを動かすためには、セルが正しい線的配置にあるだけでは足りない。セルが正しい反事実的条件文を満たしている必要があるのだ。たとえば、もしも対象のセルがオンの場合、その周囲にオンのセルが4つあったなら、そのときは対象セルはオフになるのだが（実際にはそうではない）、という反事実的条件文である。ひとたび、私たちが原因とこの種の反事実的条件文構造を必要とするようになれば、その構造は塵の粒子の任意の集まりの中に発見することはできなくなる。結果として、計算の実行はとるに足りないことでも、空虚なことでもないのだ。

　同じ方法で、塵から物理学の問題も解決できる。ライフゲームがルールを持っているように、物理理論は法則を持っている。たとえば、ニュートンの万有引力の法則を満たすためには、一定の質量を持った対象が一定のふるまいをするだけでは足りず、対象が正しい反事実的条件文を満たさなければならないのだ。もし一定の質量を持つふたつの対象が近い距離にあったなら、そのときはお互いに一定の力で引きあうはずだ。この法則に従った反事実的条件文の構造をひとたび必要とすると、塵のランダムな集合の理論の中にその構造を見つけることはできなくなる。数は塵同様にこの種の因果構造を持たないので、この要件はおまけとして、数から物理学の問題も解決してくれる。結果として、物理理論はとるに足りないことでも、空虚なことでもないのだ。

物理理論をこのように理解すれば、現代物理学の構造主義バージョンは次のようになるだろう。「以下の方程式を満たす7つの性質がある」。ここで言われる「以下の方程式」とは、数学形式で記述された量子力学や相対性理論などの根本的な法則を指す。それこそが実在世界を論理学と数学の用語で記述したものになる。さて、法則の概念は数学の一部ではないので、理論内で法則を使うことは、理論の内容が純粋な数学を超えていることを意味する。だが法則は、物理理論の構造の一部であり、この理論を人々が解釈する一部にもなっている。私たちに求められるのは次の認識だ。すなわち、物理理論の方程式は自然法則を記述するものであり、そこでは物理的システムが正しい反事実的条件文を満足させることを求められる。

ニューマンの問題の解決策はほかにもある。「以下の方程式を満たす7つの性質がある」という根本的性質に訴える方法が有望だ。ルドルフ・カルナップはこれに関連する、自然的性質に訴えることを主張した。カルナップによると、自然性の概念は論理学の一部である。この考えは、ほとんどの人にとって正しそうには思えない。だが、根本性や自然性、法則、因果関係、具体的実在などの概念は広い意味での構造的概念であることは、もっともに思える。実際に、構造主義者は自分たちの理論が、世界の純粋な数学的特徴づけを超えて、広い意味での構造的な特徴づけを書くことを認めている。

数学を超えねばならない最後の理由は、観察との結びつきだ。物理理論はただ外部世界について語っているだけではなく、外部世界と私たちの経験や観察を結びつけている。道具主義は、科学理論は観察結果を予測するための単なる道具だと言った。一方、構造実在論者やほかの科学的実在論者は、科学理論はそれ以上のことをなすと考える。しかし、少なくとも観察結果を予測することは私たちの理論の重要な部分をなしている。

私たちの観察結果が純粋な数学的構造に変換できるかどうかは、まったくわからない。色や形を持った対象を経験するなど、観察は基本的に意識的経験であり、意識経験には数学的記述が与えられるのは確かだ。さまざまな色経験や、色の違いによる経験の違いについては一定の測定が可能だ。しかしながら、意識経験は数学的記述に収まりきらないところがある。第15章で紹介したフランク・ジャクソンによるメアリーに関する思考実験について考えてみよう。色を研究する科学者のメアリーは白と黒の2色しかない部屋にいる。彼女は脳における色の処理プロセスを数学的に記述することはできるが、それは彼女が実際に赤という色を経験するとはどんなことかを教えてはくれない。

実際のところ、構造実在論者は通常、観察を構造化しようとはしない。構造は理論に結びついている部分と、観察に結びついている部分がある。たとえば、量子力学にあるシュレーディンガー方程式（波動方程式）は構造論的用語だけで表されているが、ボルンの規則〔物理学者マックス・ボルンが提唱。波動関数の値と粒子の観測確率の関係を示す〕はその構造と観測の確率的結果とを結びつけるものだ。

以上により、「物理理論は実在の純粋な数学的構造を特徴づける」という見方はふたつの点で修正されなければならない。[10] 第一に、物理理論が特徴づけるのは因果構造である（この特徴づけは、少なくとも反事実的条件文を特定することでおこなわれる）。第二に、物理理論は構造と観測の結びつきも特徴づける。物理理論が正しいためには、世界は確固たる正しい因果構造を持ち、観測と正しく結びついていなければならない。これらの制約により、塵から物理学の問題は回避できる。任意の物理理論を真とできる正しい構造を塵は持っていないのだ。

ときに、ひとつの物理理論がほかの理論を真とすることもある。[11] たとえば、一定の前提のもとでは、統計力学（分子運動に関する理論）の構造から熱力学（熱に関する理論）の構造を引き出すことができる。この場合、統計力学は、塵理論によるマッピング（対応づけ）のように、熱力学の数学的構造を証明するだけではなく、熱力学の原理（たとえば、圧力、体積、温度を結びつける理想気体の法則など）を証明し、この原理が導き出す反事実的条件文を用いて、一定の因果構造の存在を証明する。それはまた観察との結びつきも証明できる。このように、熱力学の因果構造および観察的構造の存在を証明することで、統計力学は熱力学を真とするのだ。

構造主義からシミュレーション・リアリズムへ

この話はシミュレーション説にどうつながるのだろうか？　中心となる考えは、統計力学が熱力学の構造を証明したように、適切に準備されたコンピュータ・シミュレーションは物理理論の構造を証明する、というものだ。構造主義が正しければ、コンピュータ・シミュレーションは物理理論を真とすることができる。それはシミュレーション・リアリズムの形式だ。もしも私たちがシミュレーションの中にいるのならば、私たちのまわりの世界はリアルなのだ。

くわしく話すために、ここでは「ノンシム宇宙」は標準的な物理学に対応する現実の宇宙だとしよう。私たちがノンシム宇宙にいるならば、物理理論は少なくともおおよそで真である。シム宇宙はノンシム宇宙を完璧にシミュレートしたものだとする（それがノンシム宇宙に含まれていることは要件ではない）。私たちがシム宇宙にいるならば、そこの物理理論は、少なくともおおよそ真である、というのが私の意見だ。シム宇宙にある、原子や分子などの物質的事物は、だいたいが私たちの考えているとおりのものだ。そうならば、シミュレーション・リアリズムは真になる。

構造主義で始まり、シミュレーション・リアリズムで終わる論証[12]は次のとおりだ。

前提

1．私たちの物理理論は構造的理論である。

2．もしも私たちがノンシム宇宙にいるならば、私たちの物理理論は真である。

3．シム宇宙はノンシム宇宙と同じ構造をしている。

結論

4．ゆえに、もしも私たちがシム宇宙にいても、私たちの物理理論は真である。

第1の前提は、物理学に関する構造主義者の主張だ。前に言ったように、物理理論が正しいためには、世界は正しい因果構造を持ち、観察と正しく結びついていなければならない。ここで構造的理論とは、数学的に書かれた法則を使って因果構造と、観察との結びつきを明記するものと理解してくれればいい。

構造主義を否定することで、第1の前提を否定でき、物理理論は構造主義が言うよりも強い主張であると言うこともできる。否定するもっとも有望な方法は、物理理論は、構造論的用語では引き出すことのできない空間や時間やソリッド（中身の充実。次章参照）などについて語るものだと主張することだ。その戦略については第9章で見たが、次の章でふたたび触れよう。

第2の前提は、私たちが導入にあたって明示したところのものだ。導入されたノンシム宇宙は私たちの物理理論が真となる宇宙であった。重要なのは、物理理論は完璧に真である必要はないことだ。原子や分子が存在し、私たちがだいたい考えているように物質的事物が時間と空間に分布している程度に物理理論が真であればよい。重要なのは、ノンシム宇宙で私たちの物理理論が真であってもなくても、それがシム宇宙において、その理論を偽にするような新しい大きな障害は生まれないという点だ。

鍵となるのは第3の前提で、それはノンシム宇宙のすべての構造がシム宇宙にもあることをうたっている。なぜこの前提が信じられるのか？　シム宇宙はノンシム宇宙の完全シミュレーションであり、ノンシム宇宙にあるすべての因果構造、観察的構造を忠実に写したものだからだ。

観察について言えば、シム宇宙の観察者はノンシム宇宙の観察者とまったく同じパターンで観察できるように準備が整っている。シム宇宙は完全シミュレーションなので、反事実的条件文の観察も同じになる。もしも望遠鏡で月を見たならば、ノンシム宇宙にいる私と、シム宇宙にいるシムの私に月は同じに見えるはずだ。

因果関係について言えば、シム宇宙はノンシム宇宙の因果構造も丸写しにしている。ノンシム宇宙の事物はシム宇宙でデジタルの事物になる。ノンシム宇宙でふたつの事物が相互作用をすれば、シム宇宙でもそれらに対応するデジタル事物が同じパターンで相互作用をする。たとえば、ノンシム宇宙でバットがボールに影響を与えれば、シム宇宙でもデジタルのバットがデジタルのボールに影響を与える。ノンシム宇宙のすべての力学パターンはシム宇宙に丸写しされる。

シム宇宙とノンシム宇宙で因果構造が同じなのはなぜだろうか？　コンピュータによる完全シミュレーションなので、オリジナルの持つ要素すべてに対応するデジタル事物を持っているからだ。シミュレーションが稼働すれば、前章で見たとおり、それらのデジタル事物は因果的力を持つものとして物理的に実現される（回路内の電圧のパターンとして）。それらの力学はシミュレートした物理的事物の力学と同じだ。異なる状態を含む反事実的条件文の状況においてさえも力学は同じだ。その結果、オリジナルのシステムにおける部分間の因果構造も、同じものをシミュレーションが持つことになる。

ただし、シム宇宙の因果構造はノンシム宇宙とまったく同じではない。とくに、私たちがシム宇宙にいるとするならば、ノンシム宇宙が必要としない余分な構造をシム宇宙はたくさん持っているからだ。まず、シム宇宙はシミュレーション実行者によってつくられ、その者がいつでも止めることができる。それから、コンピュータにはシミュレーションの一部ではないプロセスがあるだろう。シミュレーションの一部であるデジタル事物でさえ、それ自体が回路などの余分な構造を持つ基礎的事物によって実現したものだ。

シム宇宙にこのような余分な構造があるにしても、その物理理論を誤りとするような構造はない。余分な構造のそれぞれについて、ノンシム宇宙にそれがあるとどうなるかという思考実験をすることができる。各ケースで物理理論が損なわれることはない。

たとえば、シム宇宙の作成者は自分のシムをシミュレーション内に置くことができる。もしも私たちがノンシム宇宙にいるならば、作成者がシム世界の構造を追加しても、それで物理理論が偽になることはない。たとえ作成者がシム宇宙をいつでも止められる力を持っていても、少なくとも止まるまでは原子やほかの物質的事物は存在するので、物理理論は正しいままだ。シム宇宙とノンシム宇宙が両方とも、大きなマルチバース（多元宇宙）に組みこまれているとしても同じで、何かによって物理理論が誤りになることはない。せいぜい、その理論が私たちの宇宙にのみ適用でき、宇宙全体（コスモス）では適用されないことになるだけだ。

ノンシム宇宙においては完全で根本的な物理理論が、シム宇宙では不完全で根本的でない理論になってしまうのではないか、と心配する人もいるだろう。たしかにシミュレートされた世界の外では適用できないので、それは不完全なものだ。また、シム宇宙はノンシム宇宙と基礎の物理法則がまったく異なるので、根本的でもなくなる。シム宇宙の粒子は、基礎にあるコンピュータプロセスによって実現され、そのコンピュータプロセスは異なる物理法則によって実現される。だがノンシム宇宙でも、物理理論がこのように不完全であったり、根本的でなかったりすることもある。たとえば、このノンシム宇宙は、異なる法則を持つ宇宙にあるブラックホールから生まれたベビー宇宙かもしれない。私たちのよく知る物理理論の基礎にはさらにいくつものレベルの理論があるのかもしれない。これらが本当でも、物理理論が誤りにはならないし、原子やそのほかの物質的事物が消えてしまうわけではない。私たちがシム宇宙にいるならば、原子が基礎物質ではないかもしれないが、それでも原子は存在する。

シム宇宙にはコンピュータの独自の役割も存在する。多くのコンピュータ・アーキテクチャ〔コンピュータにおける基本設計や設計思想〕の中で、デジタル事物同士の相互作用はＣＰＵ（中央処理装置）が仲立ちをする。それが意味するのは、ノンシム宇宙で陽子と電子が直接に相互作用すると、シム宇宙でもそれに対応する陽子と電子がＣＰＵの仲立ちにより間接的に相互作用することだ。両者には構造的な違いがある。だが複数あるノンシム宇宙の中には同じ構造的な違いを持つバージョンもある。因果関係における機会原因論〔ある事象が他の事象の原因に見えたとしても、それは機会原因（単なるきっかけ）にすぎず、真の原因は神にあるとする説〕と同じように、物質的事物同士の相互作用はすべて神が仲立ちをする、と私たちは想像するだけでいい。機会原因論は、ガザーリーをはじめとするイスラム哲学者から始まり、のちにフランスの哲学者ニコラ・マルブランシュにとりあげられた。すべての相互作用を神が仲立ちするのであれば、因果関係は驚くべき構造になるが、それでも原子やほかの物体は変わらずに存在する。

第3の前提の主張を要約すると次のようになる。シム宇宙にはノンシム宇宙に比べて過剰な構造があるかもしれないが、ノンシム宇宙にあるすべての構造はシム宇宙に丸写しされるので、それを理由にシム宇宙の物理理論が真であると言えるのだ。

結論は、もしも私たちがシム宇宙にいるとしたら、私たちの物理理論は真である、ということだ。少なくとも、クォークや光子、原子、分子といった物理理論の中の物質的事物は存在し、理論が言うとおりに時間と空間の中に広く分布しているのだ。このことがひとたび証明されれば、細胞や木や石や惑星、その他の物質的事物も存在することを疑う理由はなくなる。

この結論にはある程度の限界がある。それは、シミュレーションの中の存在が意識を持つことは確立できないので、他者の心（他我）の問題に答えられないことだ。[13] さらに、この結論は、シム宇宙のような完全シミュレーションにしか適用されない（シミュレーションについては第24章でくわしく触れよう）。とはいえ、以上の戦略により、私たちが完全シミュレーションの中にいるならば、外的世界における通常の物理的対象は存在する（すなわち、ノンシム宇宙の対象と同等に存在する）という点が確立されるのだ。これはシミュレーション・リアリズムの一形式である。

構造を実現するもの

私たちが完全シミュレーションのシム宇宙にいるとしよう。私が正しければ、そこには、私たちの物理法則が言うようにクォークや原子、分子がある。だがシム宇宙で基本のレベルにあるのは私たちの物理法則ではなく、ひとつ階層が上の宇宙にあるコンピュータなのだ。その宇宙を「メタ宇宙」と呼ぼう。メタ宇宙自体がシミュレートされているかどうかは関係ない。そこには独自の物理法則があり、シム宇宙の物理法則とはまったく違っているかもしれない。シム宇宙とノンシム宇宙は4次元の時空を持つが、メタ宇宙は26次元ということもありえるし、そこには私たちの想像を超えた存在がいるかもしれない。

メタ宇宙の物理法則とシム宇宙の物理法則はどんな関係だろうか？　当然のことだが、後者が前者によって実現されている。私たちの世界の生物現象は化学法則によって実現されていて、その化学法則は物理法則によって実現されている。シム宇宙の物理法則は、第14章で「超物理世界（メタフィジクス）」と呼んだメタ宇宙の物理法則によって実現されるのだ。

もしもシム宇宙がノンシム宇宙の完全シミュレーションならば、私たちがメタ宇宙について知りうることはない。私たちがシム宇宙にいるとしても、すべての証拠は自分たちがノンシム宇宙にいるときと同じになる。自分たちの宇宙がメタ宇宙のシミュレーションだと推測することはできても、シミュレーションが不完全で証拠が漏れているのでないかぎり、私たちには推測が正しいかどうか知ることはできない。

このように見てくると、完全シミュレーション説は認識論的構造実在論、すなわち、〈Xから構造へそしてイット説〉ととても相性がいいことがわかる。この説は、物理的世界の構造について科学が何を言っても、その根底にはXという本質があり、科学はXについて何も教えてくれない、と考える。完全シミュレーションにおける物理法則はノンシム宇宙のそれと同じ構造を持つが、その根底にはメタ宇宙の性質がある。私たちは構造について知ることはできても、その根底の性質を知ることはできないのだ。

もちろんメタ宇宙は独自の物理法則を持っている。この場合、シム宇宙の構造はその上にあるメタ宇宙の構造によって実現される。メタ宇宙の構造がどのように実現されるかは確言できない。おそらく、メタ宇宙の上にあるメタメタ宇宙の構造によるのだろう。その問題は今は保留して、最上位の宇宙に注目しよう（それがどこにあるにしても）。

　最上位の宇宙の構造はどのように実現されるのだろうか？　ふたつの可能性がある。ひとつ目は、最上位の宇宙が純粋な構造を持っていることだ。それならば、最上位で〈構造からイット〉の見方（科学的実在論のひとつのバージョン）をすることになる。

　ふたつ目の可能性は、最上位の宇宙が純粋でない構造を持っていることだ。その構造は非構造的な何かによって実現される。それならば、最上位で〈イットから構造へそしてイット〉の見方をすることになる。ここでもそれは認識論的構造実在論と相性がいい。

　どちらの可能性が正解なのか私にはわからない。純粋な構造の宇宙は簡素でエレガントだが、それは道理にかなうだろうか？　純粋ビットからイット説を思いだしてもらいたい。そこに純粋なビットはあるだろうか？　つまり、電荷や電圧などのように基本的なところでは同じビットでも、どこかに単純で純粋な違いがあるかもしれない。より一般的な〈純粋構造からイット〉の見方でも同じ問題が生ずる。純粋な構造とは、それ以上基本的な構造がない論理的で数学的な構造だが、それはどのように存在するのか？　私の心の中の保守的な部分は「それは思考不可能だ」と言いたがっているが、オープン・マインドな部分は「かつて思考不可能であったものも、いつか思考しうるようになるだろう」と言いたがっている。

　純粋でない構造の宇宙のほうがわかりやすいが、それでも謎である。第8章で紹介した〈イットからビットへそしてイット説〉を思いだしてもらいたい。もしも、すべての構造のもとに真に基本的な「イット」があるならば、この「イット」はどういう性質をしているのだろう?　どうすればわかるのか想像もつかない。だから、Xから構造へそしてイット説におけるXの正体も永久にわからないままだという恐れがある。

基本のXに関して、とても魅力的な説がある。それは「意識は構造に還元できないかもしれない」という説で、少なくとも私のような哲学的見方をする者にとっては魅力的だ。フランク・ジャクソンのメアリーの部屋という思考実験では、構造だけでは赤色という意識経験をとらえることができない。意識経験が構造を持っているとしても、構造を超えるところがあるように思われる。それならば、構造の根底にある基本的実在には意識の基礎が含まれているのだろうか?

イットからビットへそしてイット説から始めるならば、その論法は、これも第8章で紹介した〈意識からビットへそしてイット説〉につながる。この論法をデジタル構造を超えて一般化すれば、〈意識から構造へそしてイット説〉につながる。この説にはいくつかのバージョンがある。おそらく物理学の構造は、観念論者の言うような、ひとつの全宇宙的(コズミック)な心で実現する。あるいは、「心は万物に存在する」と唱える汎心論者の言うような、基礎レベルで多くの小さな心が相互作用をすることで実現されているかもしれない。

意識からビットへそしてイット説は、意識と、深いレベルにある構造とを統合できるという利点を持つ。その際に、唯物論とは違って、意識を構造にまで削っていくことはしないし、二元論とは違って、意識を身体構造と切り離すこともしない。もちろん、この見方は多くの問題を抱えている。とくに、基礎の物質レベルの意識をどのようにして、私たちが経験する独特な種類の意識に変えるかという「組みあわせの問題」がやっかいだ。しかし、意識からビットへそしてイット説はおもしろい推測として留保しておくことにする。

カント的謙抑(けんよく)

イマヌエル・カントの道徳論は第18章で紹介したが、彼は実在について独特な見解を持っていた。そこには現象の領域と、物自体の不可知の領域があり、私たちは現象は知ることができるが、物それ自体については何も知ることができない、とした。[14]

あなたが1個のコップを見ているとしよう。あなたが見ているのは現象だ。だが、現象の根底には、物自体がある。カントは、コップの根底にある物自体を知ることはできない、と考えた。それは不可知のXである。

カントは自分の見方を〈超越論的観念論〉と呼んだ。彼の考えでは、現象とは、私たちが時間と空間の中で認識する普通のものであり、それは人間の心と深く結びついている。他方で、物自体は同時に、人間の心と知識を超えるので、不可知である。人間の認識能力の限界を明示したこの考えはしばしば、〈カント的謙抑〉と呼ばれる。

興味深いことに、私の完全シミュレーション説の分析は、カントの超越論的観念論と似るものになった。[15] 完全シミュレーションの中にいる私がコップを見るとき、私はそのコップの性質をあ

イマヌエル・カント、現象としてのコップとデジタルのコップ自体。これを超えて、不可知な物自体はあるのか?

る程度は知っている。色や形を知っているし、より一般的には構造的特徴を知ることができる。それらの性質はコップの様相として、現象として見ることができる。だが私はコップの根本的性質を知ることができない。じつは、現象の裏には、メタ宇宙のコンピュータで動かされるデジタル事物がある。シム宇宙では、あるる事物がデジタル事物であることを私は知ることができないので、メタ宇宙にあるデジタルのコップ自体を、シム宇宙の住人は不可知のものと考えるだろう。

もちろん、このカントの見方とのアナロジー（類推）は完璧ではない。カントはメタ宇宙におけるデジタルのコップを、単なるひとつの現象ととらえるだろう。なぜなら階層がひとつ上にいる人間はそれを時間と空間の中で認識できるからだ。カントは、こうしたデジタルのコップの背後にこそ、真に不可知な物自体がある、と考えた。しかし、メタ宇宙における物理法則の構造でも同じことが言えるのは見てきたとおりだ。

それでも私たちの見方とカントの見方を対応づけられることは興味深い。実在の構造と、カントの言う「可知的な現象領域」は対応する。そして、その構造の基礎にあるものが何であれ、物自体は不可知だとするカントの見方にも対応する。

カント哲学の解釈でおおよそ同じことを言っているのは、オーストラリアの哲学者レイ・ラングトン[16]だ。1998年に出版した『カント的謙抑（*Kantian Humility*）』で次の主張をしている。カントの現象の領域は、時間と空間の関係および因果関係を含む、もの同士の関係の領域である。カントの物自体の領域は、ものの内在的性質（ほかのものとの関係とは独立して持っている性質）の領域である。実在の関係的性質は可知だが、内在的性質は不可知だ。

要するに、現象の領域は、関係の広いネットワークであり、それは私が関係のネットワークとして描いたニューヨークの地下鉄網に似ている。この関係のネットワークは実在の構造的な絵を生みだす。物自体の領域は、実在のもっとも根本的なレベルは除くと、地下鉄網の中に置かれた駅の内在的性質に似ている。これらの内在的性質は実在の内在的な絵を生みだす。この解釈によると、カントは〈Xから構造へそしてイット[17]〉の見方をしていて、その構造には関係のネットワークが含まれ、Xには不可知の内在的性質が含まれる。

つまり、ラングトンはカントを認識論的構造実在論者だと考えているのだ。その呼び名はカントの著作から200年あとにつくられたものではあるが。カント研究者の中には、ラングトンの見解は、カントの複雑な実在に対する複雑で観念論的な見方を正当に評価していない、と反対する者もいる。それでも私はこの見解を理解できるし、正しいかもしれないと思っている。さらにシミュレーション説を理解する手助けにもなってくれる。だからカントがこのような見方をしていることを望んでいる。

カントの解釈について、だれがどんな細かいことを言おうと、シミュレーション説に関する私の解釈がカント風であるのは明確だ。シミュレーション説を述べているものとして読むことのできる哲学書は多い。古くはプラトンや荘子において、そうした解釈は可能だ。ひょっとすると、こうした読み方でもっとも人気のあるのは、デカルトの懐疑論やバークリーの観念論をそのように解釈することかもしれない。とはいえ、私が正しければ、そのように解釈すべきベストなものはカント的謙抑なのである。

第23章 私たちはエデンの園から追放されたのか？

エデンの園では、物事が科学理論以前の実在の姿をしていて、すべてのものが見たとおりである、と私は考えるのが好きだ。

エデンでは3次元**空間**にすべてがレイアウトされている。**空間**はユークリッド空間で、いかなるものとも相対的な関係にない。ここでは**時間**の経過とともに事物は姿を変えていく。**時間**は瞬間から瞬間へと一方向に流れ、エデンの園と宇宙とを通じて絶対的な同時性が存在する。

エデンのリンゴは原始的で完璧で光り輝くような**赤色**をしている。私たちがリンゴに気づくと、リンゴとその**赤色**は何かに仲介されることなく、直接に私たちに訴えかけてくる。

エデンの岩はどれも**ソリッド**だ――硬く、中身が詰まっていて、隙間はない。また絶対的な**重さ**を持つ――場所によって変わることはない。

エデンの住人は**自由意志**を持っている。完全な自主性を持って行動でき、行動はあらかじめ決められてはいない。彼らの行動は**道徳**の基準に照らして、**正しい**か**まちがっている**かが決まる。

ところが、堕落のときが来た。私たちは科学の樹になる果実を食べ、エデンの園を追われることになった。

私たちは自分たちの住む世界が、完全な3次元**空間**ではないし、絶対的な**時間**が流れていないことを知った。ここは4次元で非ユークリッドの時空なのだ。時間と空間は準拠する座標系に対して相対的であり、絶対ではない。

ものには決まった固有の**色**はなく、私たちが**知覚**するときにその色が現れることがわかった。色は複雑な物理的性質を持ち、こみ入った方法で私たちの目と脳に影響を与える。色は直接、知覚に訴えるのではなく、脳の視覚系を通して生じるのだ。

岩は**ソリッド**ではないこともわかった。中はスカスカの空洞で単に硬いだけだ。絶対的な**重さ**がないこともわかった。ものの重さは地球と月では違うし、宇宙空間では重さはなくなる。

まだ結論は出ていないが、証拠を見ると、私たちに**自由意志**はないかもしれない。脳は私たちの行動を決めるか、少なくとも、行動を強く束縛する機械系のように見える。だが、私たちにはエデンとは違う内容の自由意志はあるかもしれない。それは「自分の行動を選び、ほとんどの場合でその選択どおりに行動する」という自由意志だ。私たちの行動が**正しい**か**まちがっている**かを決める絶対的な**道徳**基準もなさそうだ。その代わりに私たちがつくり支持する道徳系があるだけであり、それによって行動が正しいかまちがっているかが決まる。

私たちはもはやエデンの園には住んでいない。楽園でない世界に少しずつ慣れていっているのだ。それでもエデンの園は、現実を描いた絵の中ではいまだに重要な役割を果たしている。**知覚**

は私たちに**色**に満ちた世界を見せてくれるし、**ソリッド**な物体は**空間**にあって、**時間**とともに変化していく。人は**自由意志**で行動し、**正しい**ことも**まちがった**こともする。

これらすべては、シミュレーション説に対する人々の直感的反応を説明するのに役立つ。私たちがシミュレーションの中にいるとしたら、見た目どおりのものはない、と私たちは直感的に思うのだ。空間内に、ソリッドで色のついたものが決まった方法で置かれている宇宙に私たちはいるように見える。だが、それがシミュレーションの中の話であるならば、宇宙はそのような姿をしていないはずだ、と。

私たちの直感的反応を私は次のように診断する。私たちはエデンの世界の**ソリッド**で**色**のついたものが、ある決まった方法で**空間**に置かれている世界にいるように思える。だが、もしも私たちがシミュレーションの中にいるのならば、世界はそのような姿ではない。シミュレーションでは**ソリッド**で**色**のついたものが**空間**に置かれてはいないはずだ。

同じことが、量子力学や相対性理論という私たちの科学世界にも起きている。科学的にとらえ直された世界の絵からは、ずいぶん前に**ソリッド**、**色**、**空間**は消えている。私たちはそれらの概念を新しく考えた。シミュレーション説はこの科学的世界観に劣るものではない。どちらにもエデンの世界の**ソリッド**、**色**、**空間**は入っていないが、ソリッド、色、空間は入っている。

ではソ**リッド**、**色**、**空間**とソリッド、色、空間はどう違うのだろう？　この章ではそれについて話したい。

マニフェストイメージと科学的イメージ[1]

1962年にアメリカの哲学者ウィルフリド・セラーズは「哲学と人間の科学的イメージ」という論文で、世界を見るふたつの見方を強調した。〈マニフェストイメージ〉〔manifestには、明白な、意識に現れるなどの意味がある〕は一般の人々の認識と思考の中に現れる世界で、〈科学的イメージ〉は科学的知見により特徴づけられた世界である。

セラーズは人間に関する両者のイメージの違いに注目していた[2]。マニフェストイメージの人間は、自由で意識を持つ生き物で、その行動は動機と決断に由来する。一方の科学的イメージの人間は、生物有機体で、その行動は脳内の複雑な神経プロセスに由来する。大きく異なるこのふたつのイメージをどのように妥協させればいいだろうか?

この両イメージ[3]に、私たちがふだん考え、話していることがほとんど入っている。原則として、私たちはマニフェストイメージの太陽（私たちが日常生活で思っている太陽）と、科学的イメージの太陽（科学があきらかにした太陽）を区別することができる。雲や木についても同じだ。そして、ソリッド、色、空間をはじめ、前節で名前をあげた現象の多くも同様に区別できる。

それでも、ふたつのイメージが衝突することも多い。ある点ではマニフェストイメージが合っているように見え、別の点では科学的イメージが合っているように見える。イメージが衝突した場合はどうすればいいのだろう?　片方を完全に放棄するか、両立できるようにイメージを変更するか?

マニフェストイメージと科学的イメージ：エデンの園で科学の樹から果実を食べるパトリシアとポールのチャーチランド夫妻

カナダ系アメリカ人哲学者のポールとパトリシアのチャーチランド夫妻[4]は、１９６０年代にともにピッツバーグ大学でセラーズから学んでいた。ふたりは長いあいだ、科学的イメージに優位性があり、両イメージが衝突したときには、マニフェストイメージを捨てるべきだ、と唱えている。人間に関するテーマでは、この見解は序章で紹介したパトリシア・チャーチランドのニューロフィロソフィーの研究へとつながった。その研究は、人間の心について古くからある哲学的問いに脳科学で最良の答えを出そうとしている。脳と神経系を中心にする神経科学による人間の新しいイメージを、私たちは受けいれるべきだ、と。

セラーズ自身は哲学の任務のひとつ

は、科学的イメージの中にマニフェストイメージを組みこむことだと考えていた。マニフェストイメージのさまざまな部分に対して以下のことができるだろう。

1. 消去：魔女と魔法を捨てたように、科学的イメージを支持してマニフェストイメージを捨てる。チャーチランド夫妻は、人間の心について私たちが通常抱いているイメージの多くはこのように捨てるべきだ、と主張している。
2. 同定：水をH_2Oと同定するように、マニフェストイメージの一側面を科学的イメージの一側面に同定していく。
3. 独立性：日常の私たちは自由意志を強く持っていると考えているように、マニフェストイメージの一側面が科学的イメージの中になくても、それを保持する。セラーズは、標準的な物理学の言葉で「意識」を説明しきれなくても、それは存在すると主張していた。
4. 再構築：私たちが「ソリッド」に抱くイメージを、ほとんどが空っぽの空間である科学的イメージと一致させるべく変えたように、科学的イメージと両立できるようにマニフェストイメージをつくり変える。

このふたつのイメージを調整する普遍的な答えはない。この4つの戦略それぞれに適切な場面があるだろうが、私見では再構築がもっとも重要で、正しいことがいちばん多いだろう。エデンの園を追放されるたとえ話でこの戦略の実行をうながしたい。

この章の冒頭で話したエデンの園の話は、マニフェストイメージを考えるための私の思考実験だ。エデンはマニフェストイメージがすべて正しい架空の世界で、そこにある**色**や**空間**や**自由意志**はマニフェストイメージどおりだ。

現実の私たちはエデンの園に住んでいない。ここにはマニフェストイメージどおりの**色**や**空間**はないが、世界から色や空間を排除すれば済む問題ではない。この世界にも色や空間はあるのだから。私たちは科学的知見をもとに、**色**や**空間**の概念を色や空間の概念につくり変えることによって、この世界にその居場所を確保している。

マニフェストイメージを再構築する

科学的イメージの観点からマニフェストイメージを再構築するにはどうすればいいか？　科学界はソリッドや色や空間をどのように発見するのか？　この再構築は多くの場合で、エデン的な原始主義から科学的機能主義へ移行することをともなう。

マニフェストイメージにおける「**ソリッド**」はどのようなものか？　それは物体の固有の特徴に思える。マニフェストイメージのテーブルは隙間なく全体に物質が詰まっていて、硬い状態だ。だが、人間が科学の樹の果実を食べると、普通の物体は**ソリッド**ではないことを学ぶ。テーブルは空っぽの空間に粒子が散らばっているだけだ。

ソリッドなものはない、それは単なる錯覚だった、と言って、マニフェストイメージを捨てることはできるが、そんな対応をする者はいない。ものをソリッドかそうでないかで分ける方法は便利なので、捨てられないのだ。氷と水との重要な違いをソリッドかそうでないかで表すのは便利なのだ。

楽園から追放された私たちは、エデンの感覚における**ソリッド**なものはない、と言うこともできる。だが、それでもソリッドなものは変わらずに存在する。私たちはその言葉の意味を新しくした。現在のソリッドは、「浸透されることに抵抗し、容易に変形しないこと」という意味だ。この定義は、物体それ自体の特徴ではなく、ほかの物体との相互作用による特徴を表している。

つまりソリッドに関して、私たちは実質的に〈機能主義〉に移行したのだ。哲学における機能主義とは、現象をその役割や働きから理解する見方で、ソリッドの主な役割は、「浸透されることに抵抗すること」である。ある物体がこの役割を果たすならば、それはソリッドなのだ。機能主義でよく唱えられるスローガン風に言うならば、「ソリッドはその働きによってソリッドなのだ」となる。

機能主義は心の哲学的見方として始まった。心はその働きによって心なのだ。だが、それはいろいろな領域に適用できるものだ。たとえば、教師に関して私たちはだれもが機能主義者になる。つまり、生徒を教える役割を果たす者が教師だと考えている。教師はその働きによって教師なのだ。毒についてもだれもが機能主義者で、人の具合を悪くする役割を果たすものが毒だと考える。毒はその働きによって毒なのだ。

機能主義は構造主義の一種と見ることができる。因果的な役割と効力を重視する。原始主義から機能主義に移るときに、私たちはソリッドが科学的イメージの中でも生き残れるように考え直した。ソリッドの意味を変えることで、語る対象を変えてしまっているのではないか、と思う人もいるだろう。だが重要なのは、「浸透されることに抵抗し、変形しない」という意味は、もともとずっとマニフェストイメージのソリッドの一部であったという点だ。ソリッドの概念をつくり直すときに、マニフェストイメージからその部分を強調し、ほかの部分を弱めるだけで、マニフェストイメージの**ソリッド**と科学的イメージのソリッドとのあいだに連続性を与えられたのだ。

「色」についてもだいたい同じだ。マニフェストイメージにおける**色**は、物体の表面を覆う属性として原始的にとらえられている。リンゴは**赤く**、芝は**緑**、空は**青い**。マニフェストイメージの色は複雑な物理的性質を持っていないし、見る人間から独立している。エデンの園で**色**は、外部世界の単純で固有の性質なのだ。

フリードリヒ・ニーチェはかつて、「ひどい深さのない美しい表面はない」〔真の美しさは表面的なものではなく、内的なものだ、という意味〕と言った。[5] エデンから追放された科学者たちは外部世界にある事物をくわしく調べて、事物自体は固有の色を持っていないことを突きとめた。その代わりに複雑な物理的性質を持っていて、光を反射し、それを知覚者に届けるのだ。知覚者がリンゴを赤いと認識するまでには、リンゴから目へ、目から脳への光の伝播と電気的伝達の長い連鎖がある。

これについてガリレオら一部の科学者は、リンゴは赤くなく、その色は、外部世界の実在ではなく見る人間の心の中に存在する、と言った。[6] この見方は理路整然としていたが、科学者や哲学者が哲学的気分にあるときでないかぎり、受けいれられなかった。不人気だった理由のひとつは、その見方を採用すると、世界にあるものを分類する「色」という重要なツールを捨てることになるからだった。リンゴとバナナとのあいだで、リンゴは赤く、バナナは黄色いという違いは重要なものだ。外部世界から色をとり除けば、この分類ツールを完全に失うことになる。

もっと多くの支持者を集めた反応は、私たちはエデンの園にいないが、それでも物体には色がある、とするものだ。リンゴは原始的な意味で**赤い**わけではないが、それでも赤いのだ。芝の**緑**もそうだ。17世紀イギリスの偉大な経験論者のジョン・ロックが、この反応を筋の通ったものにするために不可欠のツールを提供した。私たちが色を頭に浮かべるのは、単純な可感的質としてではなく因果的力としてである。赤色は客観的な第一性質ではなく、正常な知覚者の内部で固有の感覚経験を引き起こす因果的な力なのだ、と主張したのだ。大まかに言うと、リンゴが赤いのは、赤く見せる力を持っているからだ。

それは、色の原始主義（色とは対象そのものに原初的に備わった可感的質だと理解する立場）から色の機能主義（色が果たす機能的役割から色を理解する立場）への移行となる。色はその働きによって色なのだ。赤色はその働きによって赤色なのだ。そして、色の主な役割は、人間の知覚者に特定の経験をさせることにある。

空間に関するマニフェストイメージと科学的イメージ

マニフェストイメージの**空間**はどういうものだろう？　日常で経験する空間は、あらゆるものが入る3次元の容器で、大部分がユークリッド空間だ。空間は絶対的である。もしも何かが正方形ならば、それは絶対であり、ほかのものに対して相対的に正方形であるというのではない。**空間**は基本である。あらゆるものが存在する領域であり、空間の基礎となるものはない。**色**が内在的なものであるのと同じように、**空間**も内在的で、それが持つ特別な**空間的**質は言葉では説明できない。

科学の樹の果実を最初にかじったとき、ニュートン物理学が3次元のユークリッド空間をもち出したが、それはエデンの園の姿とさほど違わなかった。だが、アインシュタインの物理学で違いはとても大きくなった。一般相対性理論によると、絶対的でユークリッド的で3次元の空間はない。存在するのは、そのつどの準拠系に相対的で非ユークリッド的で、統合された4次元的時空の部分である。同様に絶対的な正方形も存在しない。準拠系に対して相対的におおよそ正方形だというだけだ。

相対性理論でも時空はまだ基礎として残っていたが、のちの理論では疑問が投げかけられている。量子力学のある解釈において基礎となるのは、量子波動関数によって存在させられる高次元空間であり、私たちの3次元空間は派生的なものにすぎないと考える。〈ひも理論〉など量子力学と相対性理論を両立させようとする理論では、空間は前提的な基本ではなく、創発的なものだという見方が増えている。多くの理論の基本法則は空間を前提としておらず、派生的レベルで現れるものとされている。

これも私たちがエデンから追放された要素だ。マニフェストイメージの**空間**は存在しない。そもそも真の空間など存在しないのだ、と言う人がいるが、それでは、ここでも世界をつじつまの合うものにするための中心ツールを捨てることになる。規模や距離、角度など空間計測は私たちが世界を見るために欠かせないものだ。私たちはエデンを追放されたが、それでも空間は存在する、と言ったほうがまだ意味が通る。原始的で絶対的な**正方形**は存在しなくても、正方形の物体は存在する。空間はあらゆるものが入る3次元の容器ではないが、物体は空間に位置を持つのだ。

空間機能主義は、果たす役割から空間を理解する。空間はその働きによって空間なのだ。マニフェストイメージの連続性を維持するためには、そのイメージの中に空間の役割を入れる必要がある。その役割とは何だろう? ソリッドの主な役割は、ほかの物体との相互作用の中にあり、色の場合は知覚の中にあるが、空間は少なくとも3つの役割を持つ。

ひとつ目は、運動を媒介する。エデンでは、ものはたえず空間の中を動いていた。ふたつ目は、相互作用を媒介する。エデンでは、空間にある物質的事物が接触するか、少なくとも近い距離にあるときに相互作用が生まれる。距離が離れると作用はない。3つ目は、私たちの空間認識の原因となる。エデンでは、少なくとも通常の場合、正方形は正方形に見える。

空間機能主義は、空間の役割を果たすものならなんでも空間だとみなす。その役割とは、動きと相互作用を媒介し、空間認識の原因となることだ。

カナダの哲学者ブライアン・キャントウェル・スミスのスローガンがここにはふさわしい。スミスは昔からあるスローガン「距離があると作用はない」にひねりを加えて、「作用をなくすのは距離だ」と言った。距離があっても少しの作用は存在するが、近い距離ほどの相互作用はない、という考えを科学界は支持しているようなので、次のように言いかえるのがいいだろう。「作用を減らすのは距離だ」

「運動は連続する」というエデンにおける概念を「距離があると運動はない」と言うことができる。先ほどと同じように質を上げるために言いかえる。「運動をなくすのは距離だ」。あるいは「運動を減らすのは距離だ」。つまり、私たちは距離をその働きによって理解していて、距離の主な役割とは、運動と相互作用を媒介することなのだ。

このように、たとえ科学的イメージにおいて空間はなくても、空間は存在するのだ。相対論的空間は変わらずに運動と相互作用を媒介し、空間的経験を生みだしている。理論上で空間は基本ではなくても、次のふたつをおこなうような量を見つけることによって、空間を派生的レベルに位置づけることができる。(1)空間的経験をもたらす。(2)とくに肉眼で見える対象について、運動と相互作用を媒介する。これは、空間がどのように創発するのかを説明する助けになる。

VRにおけるソリッド、色、空間

こうした機能主義的分析によって、VRやシミュレーションの中でソリッド、色、空間はどうなるかがわかる。バーチャルな物体には、エデンと同じ意味の「**ソリッド**、**色**、**空間**」は存在しない。それでも機能的な意味では変わらずに存在する。

バーチャルな物体の「ソリッド」とはどういうことか？　現実の物質的事物と同じで、バーチャル的に「浸透されることに抵抗し、変形しにくい」ものだ。もしもバーチャルな事物をほかの事物が通り抜けるのならば、それはソリッドではなく、通り抜けられないのならば、ソリッドだ。現在のＶＲでは事物同士は通り抜けられないが、プレイヤーの手は通り抜けるときがあり、今のところはせいぜい部分的にソリッドなだけだ。だが、将来においてはその点も改善されて、完全なソリッドが実現するだろう。

バーチャル事物の色についてはどうだろうか？　現実の事物と同じで、バーチャル的に赤いものは、通常の知覚状態における赤色の経験と同じものを生みだす。バーチャルのリンゴは、ヘッドセットを通してバーチャルの知覚に対して赤色の経験を生みだす。それならば、それをバーチャル的に赤とみなしていいだろう。

バーチャル事物はいかにして空間的なのか。現実の空間と同じで、バーチャルでも空間体験を生み、動きと相互作用を媒介する。ＶＲでは通常、これはコード化された場所を含むデジタルな性質となる。ＶＲ内では事物が瞬間移動をするなど、距離など関係ないことがある。アバターが遠くのボールを指さすだけで拾えるなど、距離があっても物体に相互作用ができる。それでも距離があれば、動きも作用も減るのが通常だ。少なくとも最良の動きや相互作用ができるのは距離が近いときだ。

第10章で、空間性はＶＲに重要だと話した。今ならばその理由がわかる。つまり、空間は運動や相互作用の尺度なのだ。空間がなければ、事物は宇宙の中を連続的に動くことができないし、ふたつの事物が簡単に相互作用もできない。宇宙のうちにローカルなものとグローバルなものの違いが存在するためには、構造によって分析される運動と相互作用、すなわち、とりわけローカルな環境で特殊な仕方で顕現する相互作用が存在する必要がある。そうしたものがあるとき、空間があることになるだろう。

バーチャル空間は決して物理的空間と同じではない（少なくともシミュレーション説がまちがいならば、かならずそうなる）。同じことはバーチャルの色やソリッドについても言える。バーチャルの空間と色とソリッドは、物理的世界における空間と色とソリッドの類似物だ。物理的世界で空間が果たす役割を、バーチャル世界でバーチャル空間が果たしている。

一方、シミュレーション説が正しければ、ソリッドはバーチャルのソリッドの一種で、物理的世界におけるソリッドと同じ役割を果たす。同じように色も空間もバーチャルの色と空間だ。このビットからイットの世界では、それぞれに色と空間の役割を果たしている。

もしも私たちがシミュレーションの中にいるならば、空間にあるものはすべて見た目どおりではない[8]、という強い直感がある。今ならば、これを〈エデンの直感〉と診断できる。たしかにシミュレーションの中では、すべては見た目どおりではない。だが、相対性理論や量子力学、ひも理論にも同じことが言える。私たちが空間について「空間の役割を果たすもの」と再定義したときに、それらの物理理論に空間の居場所ができ、シミュレーションの中にも空間の居場所ができるのだ。

現実は錯覚なのか？

結局、ナーラダに人生のすべては錯覚だと告げたヴィシュヌ神が正しいのだろうか？　エデン追放の観点で見ると、現実は錯覚となるのだろうか？　私たちはエデンの世界にいるようだが、そうではない。ものは**赤色**や**四角**に見えるが、外部世界に**赤色**や**四角**はない。アメリカの哲学者コーネル・ウェストは「全部が錯覚なのか？」と言った。

答えはイエスでありノーだ。知覚が「ものが**赤い**」と言うのなら、それは錯覚になる。真に**赤い**ものなどないのだから。だが、「ものが赤い」と言うのなら、それは錯覚ではない。赤く見えるものはたくさんあるのだから。知覚は正確でないときや、錯覚の要素が少し入るときもあるが、それでも現実の正確なガイドとして利用できる。

私たちはエデンを、外部世界に関するとても信頼できる知識を得られる場所だと考えている。そこでは何でも直接に知ることができる。だが、私が正しければ、エデン的外部世界モデルはデカルト的懐疑論に直面するはずだ。もしも、私たちのモデルが**空間**、**時間**、**色**を外部世界に属させたならば、それを偽だとすることはとても簡単だ。ところが、外部世界に含まれるのは、空間、時間、色にすぎないと考えるようになると、こうしたモデルが真だと考えることはとても簡単になる。

エデンから追放されると、マニフェストイメージの世界の「もろい」姿は「強固」な姿に変わった。原始的で固有の特性としての**色**のエデン的モデルはもろくて、疑ったり否定したりするのは簡単だった。ところが、追放後の色のモデルは機能的特性となり、強固になったのだ。色の役割を果たしているものが存在するのは確かなのだから。

　エデン追放後の世界において重要な点は、外部世界の固有の特質に関する私たちの知識よりも、外部世界の構造に関する私たちの知識が強固になったことだ。私たちはリンゴは**赤い**と認識する。エデンではその世界にあるものに直接見たり触れたりできたので、リンゴの**赤さ**を直接に認識できた。だがエデン追放後は、リンゴと私たちのあいだには長い因果連鎖が存在するようになった。リンゴは緑色でも色がなくても原理的に同じ光を反射し、私たちにリンゴは**赤い**という同じ経験をさせる原因となる。そのため私たちにはリンゴが**赤い**のか**緑色**なのか、あるいは**色**があるのかないのか、わからない。それでも、私たちはリンゴが赤いのか緑色なのかは知ることができる。リンゴは普通赤く見え、知覚を引き起こす赤色としての役割を果たしている。赤色の構造的概念によれば、赤色であるために必要なものはそれだけだ。

　同じように、外部世界に真の**空間**が存在するのかどうかを確かめるのもむずかしい。構造が同じならば、空間がある世界とない世界が私たちに与える経験は似たものになるからだ。だが、空間の役割を果たすものを突きとめるのははるかに簡単だ。空間の構造的概念によれば、空間であるために必要なものは空間としての役割だけなのだ。

　認知科学者のドナルド・ホフマンは近著の『世界はありのままに見ることができない——なぜ進化は私たちを真実から遠ざけたのか』の中で、懐疑論のための進化論的事例を展開している。[3]進化は世界に関する私たちの信念が正しいかどうかなど気にしていない、とホフマンは言う。気にしているのは私たちが世界に適応できるか、つまり生き残り、子孫を残せるかどうかだ。そして、私たちの信念が全体として真である場合よりも、そのほとんどが偽である場合のほうが起こりやすそうなので、私たちの信念のほとんどはまちがっていると考えるべきだ、と唱える。ほぼ確実に、世界は見た目どおりではないというのだ。

ホフマンの主張はエデンの知覚モデルにも当てはまる。エデンにおける私たちの信念はまちがいである可能性が高い。私たちはリンゴが**赤い**ことも、ボールが**丸い**こともわからない。だがひとたび、構造主義者の知覚モデルに移行するならば、私たちの実在モデルは強固になる。かなりの自信を持ってリンゴは赤いと、ボールは丸いと言えるのだ。現実は見た目どおりではない、と結論づける必要はない（このケースについてはサイトの付録「consc.net/reality［英語］」でくわしく話している）。

つまり、エデンの世界の知覚に関するかぎり、私はホフマンに賛成なのだ。この知覚は実在を把握していない。外部世界には**色**や**大きさ**はない。エデンにおける性質は、知覚における一種のインターフェースとなるというホフマンの考えは、むしろ喜んで支持したい。その結果、私たちはエデンの世界を、外部世界の真の構造を理解するための便利なガイドにできるのだ。たとえ真の外部世界がエデンの描く姿ではなくても、ガイドとしての役に立つ。

一方で、外部世界の真の性質について知覚は何も教えてはくれない、というホフマンの考えには反対だ。ものの色や大きさについて教えてくれるのはいいことだ。色や大きさを知ることは、そのものに固有の**色**や**大きさ**について何も教えてくれないかもしれないが、それでも外部世界の構造について多くを教えてくれるのだ。

不完全実在論

スロヴェニアの哲学者スラヴォイ・ジジェクは1996年のエッセイで「VRの究極の教訓は、真の実在のバーチャル化だ」と語った[10]。今の私たちはこの言葉に正しい要素があることを知っている。VRについて考えていくと、バーチャル世界は普通の物理的世界と同じくらいリアルだ、という結論に至る。すでに普通の物理的世界は効果的にバーチャル化している、と言いかえてもよい。それならば物理的世界はバーチャル世界と同じ程度にしかリアルではないことになる。**色**と**空間**を持つエデンの世界にいるのではなく、関連する役割を果たしている構造の世界なのだ。

これを考えると、外部世界は見た目どおりだと考える素朴な実在論は拒絶すべきだろうし、単純な錯覚説も拒絶すべきだ。正しい見方は一種の〈不完全実在論〉だ。**色**は存在しないが、色はあり、それは**色**の役割を多く果たしていて、今も変わらずに、世界を理にかなうものにするのに欠かせない要素である。

重要な哲学的テーマの多くについて、不完全実在論が正しい見方であると私は考えている。私たちは、あらかじめ決定されていない行動を内的基準に照らして遂行するという**自由意志**は持っていないかもしれないが、自由意志は持っている。人間から完全に独立した絶対的な道徳的基準にもとづく**善悪**は存在しないが、善悪は存在する。

自由意志だけが真の自由意志で、自由意志など真実のものではない、と言う者もいるだろう。ここでは、単語をめぐる議論に陥る危険があるが、その根底には重要な問題がある。**自由意志**と自由意志の問題は、[11]私たちが何を大事に思っているかを表しているのだ。

私たちはなぜ自由意志を大事に思うのだろうか？　大きな理由のひとつは、それが道徳的責任に必要だと考えているからだ。私たちは自由に行動するときにだけ、その責任を負う。では行動の責任のために**自由意志**は必要だろうか？　答えは明白ではない。あなたが自由意志を持って行動し、行動を選択し、たとえその選択があらかじめ決定されていたものであっても、あなたに**自由意志**を持つときと同じ責任がある、と主張することは可能である。もしもそうならば、自由意志は道徳的責任にかかわる何か大切なものを私たちに与えてくれるのだ。そして私たちは**自由意志**を完全には必要としない。それならば、**自由意志**を大事に思うには別の理由があるのだろう。

不完全実在論は、実在を錯覚と見ているのか？　答えはイエスでありノーだ。エデンの実在は錯覚だ。そこの**色**は錯覚だし、**空間**、**ソリッド**、**自由意志**も錯覚だ。もしも私たちがリンゴは「**赤く**」「**丸い**」と信じているならば、それはまちがいだ。だが色や空間、ソリッド、自由意志は実在だ。もしもリンゴは「赤い」「丸い」と信じているならば、それは正しい。不完全実在論では、マニフェストイメージは一部が錯覚だが、その構造的核心部分は錯覚ではない。

「**意識**」についてはどうだろうか？　**意識**は錯覚だが、意識は存在するのか？　これは長い歴史を持つきちんとした見方だが、複数の問題に直面している。私たちは色と空間を構造化するときに、**色**と**空間**を心の中に移す。赤色の特別な赤さは外部世界の一面ではなく、**意識**の一面として残っている。**意識**を構造化するためには、これらの特質をどこかほかに移すか、完全に消すしかない。

構造主義者は**意識**の特別な質を錯覚だと退けるかもしれない。それらの特質が存在していないにもかかわらず存在すると思っているのだと。だが、外部世界における特質よりも、意識の特質を排除するほうがむずかしい。赤色の特別な赤さに関する内観的な経験が一種の材料となる。ジャクソンによる〈白黒の部屋に住むメアリーの思考実験〉がここで注目される。メアリーは脳の構造的特徴をすべて知っているが、彼女が部屋を出たときに、構造的知識では与えられなかった実際の色の経験という新しい知識を得た。構造主義者がこの新しい知識を錯覚だと退けないかぎり、そこには意識を構造に還元するための大きな障害が残るのだ。

私は意識に関する不完全実在論を全否定するわけではない。意識について私たちが持っている信念の多くはまちがっているので、科学が充分に進歩すれば意識について多くの驚くことがわかるはずだ。だからマニフェストイメージの**意識**と科学的イメージの意識には違いがあるはずだ。現状では、意識は構造以上のことをしていると考える強い理由があるので、少なくとも、純粋な構造によって意識を完全に説明できれば、それはひとつかふたつの科学革命[12]とみなせるだろう。そして、そういう革命はこれまでに何度も起きているのだ。

プラトンのイデア論とエデンからの追放

プラトンにとって最重要な実在は、「イデア」の世界だった。万物においてそのもっとも純粋で完璧な性質の中にある根本的要素を、プラトンはイデアと呼んだ。たとえば、**大きさ**や**正方形**、**ソリッド**、**美**、**善**それぞれにイデアがある。イデアは永遠であり、絶対的で不変なのだ。[13]

通常の物理的実在はイデアの世界の単なる模造にすぎない、とプラトンは考えた。通常の四角い物体はイデアの**正方形**の影にすぎない。彼は洞窟の寓話を使って、通常の実在とイデアの世界との違いをあきらかにした。現実世界はイデアの影であり、イデアの世界ははるかに深い実在なのだ。選べるならば、だれもがイデアの世界を選ぶだろう。

私のエデンの世界も、プラトンのイデアの世界といくつか共通点がある。エデンはイデア界と違って時間を超越しているわけでも不変でもない。時間と空間の中で出来事は起きる（少なくとも、**時間**と**空間**の中で）。だがそこには、完全な形の**正方形**や**ソリッド**や**善**などの根本的要素がある。エデンの住人はそれらの要素を直接に知っていて、直接にアクセスできる。

対照的に、科学の構造的世界はプラトンの洞窟の影に似たところがある。科学の世界に「**赤さ**」はなく、その役割を果たす何かがあるだけだ。通常の実在にある事物は、エデンにある事物の影のように見える。

エデンからの追放は、プラトンの洞窟にこもることに似ているのだろうか？　エデンではない世界で私たちは、よい生活を送るために欠かせない何かを失ってしまったのだろうか？

私はそれに「ノー」と答えよう。エデンを追われたあとも、私たちは変わらずに意識を持っているので、それを通して色や空間や因果関係などの純粋な形に触れることができる。私たちのまわりの事物は**赤く**ないかもしれないが、エデンのときと同じように赤色の世界を経験できる。私たちは普遍的な形式として赤色の知識を持っており、それはプラトンがもっとも重要な種類の知識だと考えたものだ。

エデンからの追放による錯覚の始まりは、私たちの人生を悪くしただろうか？　エデンで人々は**赤い**もの、**四角い**ものを直接に知覚した。私たちも**赤い**もの、**四角い**ものを経験しているように見えるが、私たちの世界では単なる赤いもの、四角いものなのだ。だが、たとえそれが私たちの人生を不完全なものにするとしても、それで人生がひどく悪くなるとは思えない。

エデンの園は一種の仮説の理想像だ。それを「リアリティ0・0」と考えることができる。エデンから追放されたあとの、通常の実在がリアリティ1・0だ（私たちがシミュレーションの中にいないと仮定して）。VRがリアリティ2・0となる。通常の実在とVRの両方において、エデンは解体され、意識を中心とする構造的核だけになった。だがVRは実在と同等のまま残っている。

第24章
私たちは夢の世界のボルツマン脳なのか？

人間とシムとボルツマン脳が、とあるバーに入っていった……。私はこのジョークのオチを知らないが、おそらくボルツマン脳が破裂するのだろう。この「ボルツマン脳」とは、物質がランダムに集まった結果、偶然にも一瞬だけ、人間の脳とまったく同じ形になったもので、物理学的思考実験としてそれを唱えた19世紀オーストリアの物理学者ルートヴィッヒ・ボルツマンの名前をとってそう名づけられた。ボルツマン脳のほとんどはすぐに壊れて、元のカオスに戻る。とても起こりそうもないことだが、充分に広い宇宙ではいつかは起きるかもしれない。実際、一部の物理理論では、無限の時空の中では私の脳を模したボルツマン脳が数え切れないほど生まれている、と考えている。

これらのボルツマン脳はその一瞬の輝くときに、私と同じような経験をするかもしれない。ここから次の問いが生まれる。「今の私がボルツマン脳でないことはどうしたらわかるのか？」。私は長い過去を覚えているようだし、長い未来を期待しているが、ボルツマン脳も同じかもしれな

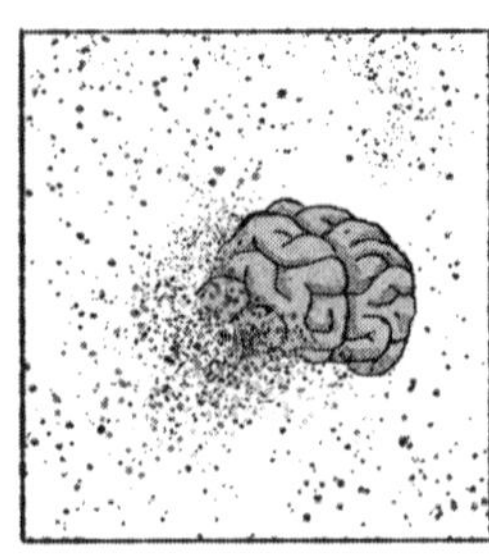

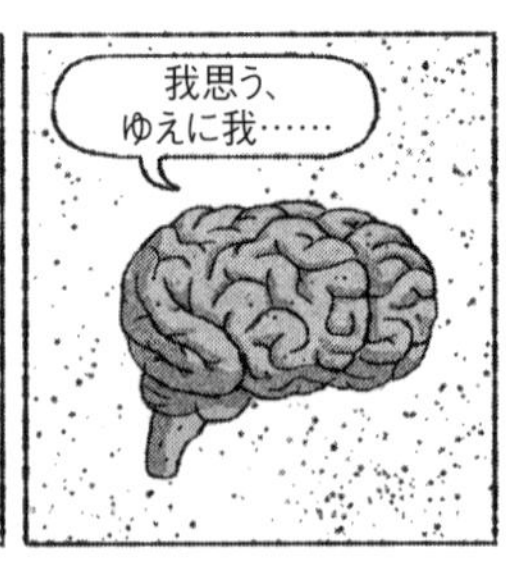

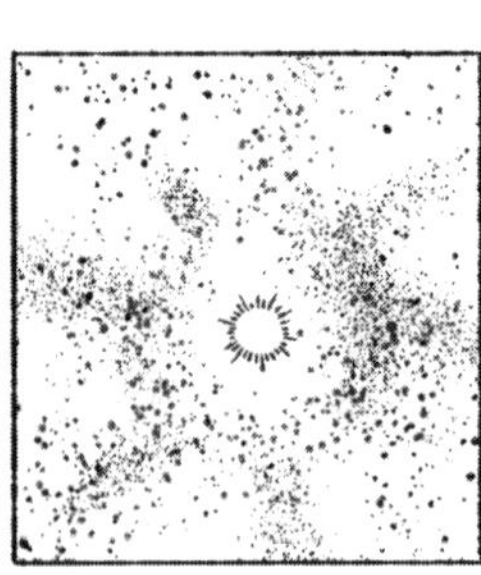

ボルツマン脳の短い一生

い。この仮説をテストするには、一瞬あとに自分が生き残っているかどうか確かめる方法がある。しかし、数秒後に生存している自分を見つけても、自分はボルツマン脳で、仮説をテストしているという偽りの記憶を持って、数秒前に形成されたのかもしれない。

もしも自分がボルツマン脳ならば、私の外部世界の現実は脅威にさらされていることになる。シムと違ってボルツマン脳は外的現実の詳細なシミュレーションに囲まれているわけではない。ほとんどは無秩序な環境だろう。私の考えが正しければ、シムの持つ信念の大部分は正しいのだが、ボルツマン脳が外部世界について信じていることのほとんどすべてはまちがいだ。そこでボルツマン脳は懐疑論からの問いかけを復活させる。自分がボルツマン脳であるかどうかわからなければ、自分のまわりの世界がリアルなのかどうかわからないのではないか?

懐疑論からの問いかけは多く、ボルツマン脳はそのひとつにすぎない。本書のほとんどで、私が考察対象としているのは、『マトリックス』のような完全に近いシミュレーションだ。マトリックス的シミュレーションのもっとも極端なバージョンは、ひとつの宇宙が丸ごとシミュレートされたもので、そこでの物理法則も忠実かつ正確にシミュレートされ、私はそのシミュレーションの中で一生を送る。そこにおける現実が錯覚でないことはこれまでに話してきた。だからこのバージョンのシミュレーション説は、外部世界に関する私たちの知識の脅威とはならない。

だが、ほかのバージョンはどうだろうか？　まずはローカル、一時的、不完全という3タイプのシミュレーションについて見てみよう。これらの状況では、私たちの信念の多くがまちがっていることは確実なので、外部世界に関する私たちの知識の脅威となるのではないか？　ほかにはデカルトの夢説と悪魔の説がある。今、私は夢の世界にいるのではないだろうか？　それは私たちの知識の脅威とならないのか？　最後にボルツマン脳説で、外部世界に関する私たちの知識は生き残れるのか？

この章では、ローカル・シミュレーションからボルツマン脳まで、これらの仮説の多くを検討する。ここには重要な問いかけはあるが、グローバル懐疑論につながるものはない。だから一歩下がって、デカルトの問いに答える際に、どれだけ先へ進んでいるかを評価することができる。本章の終わりに向けて、私たちは外部世界に関する知識をある程度は得られるはずだ。

ローカル・シミュレーション

ローカル・シミュレーションでは、宇宙の一部だけがシミュレートされる。たとえばニューヨーク市が対象となり、それ以外はシミュレートされない。第2章で見たように、ローカル・シミュレーションを実行するのは簡単ではない。今、私はニューヨークに住んでいるが、オーストラリアで暮らしていたときの記憶を持っている。世界のあちこちの土地に関して記事を読んだり、動画を見たりする。ニューヨークから離れることもあるし、ニューヨークの外にいる人ともよく話をする。ここでの私の生活をシミュレートするだけでも、外の要素もいろいろとシミュレートしなければならない。

それでもグローバル・シミュレーションと比べるとローカルは、私の生活にほとんど影響しない部分をシミュレートしないので、端の部分をカットすることができる。南極など無人の地や深い海の底などは簡単なモデルで済ませられるだろう。あるいは、地球については詳細にして、月や太陽については地球に与える影響だけをくわしくし、それ以外の宇宙はもっと簡単にすることもできるだろう。

私たちがそんなローカル・シミュレーションの中にいると想像してみよう。そこでの実在とは何だと言えばいいだろうか？　地球における通常のもの、テーブルや椅子、犬やネコ、海や砂漠などはリアルだと言える。ローカル・シミュレーション説は〈ローカルなビットからイット創世説〉と同等である。それは、創造者がビットを動かすことで地球をつくったが、宇宙のほかの部分にはあまり注意を払っていない世界だ。その結果、地球とその上にあるすべてのものはリアルだ。たぶん太陽や月もリアルだろうが、私たちが考えるその物理的構造はくわしく再現されていないかもしれない。遠くの星は私たちが考える姿からさらに離れるだろう。観察されていない星

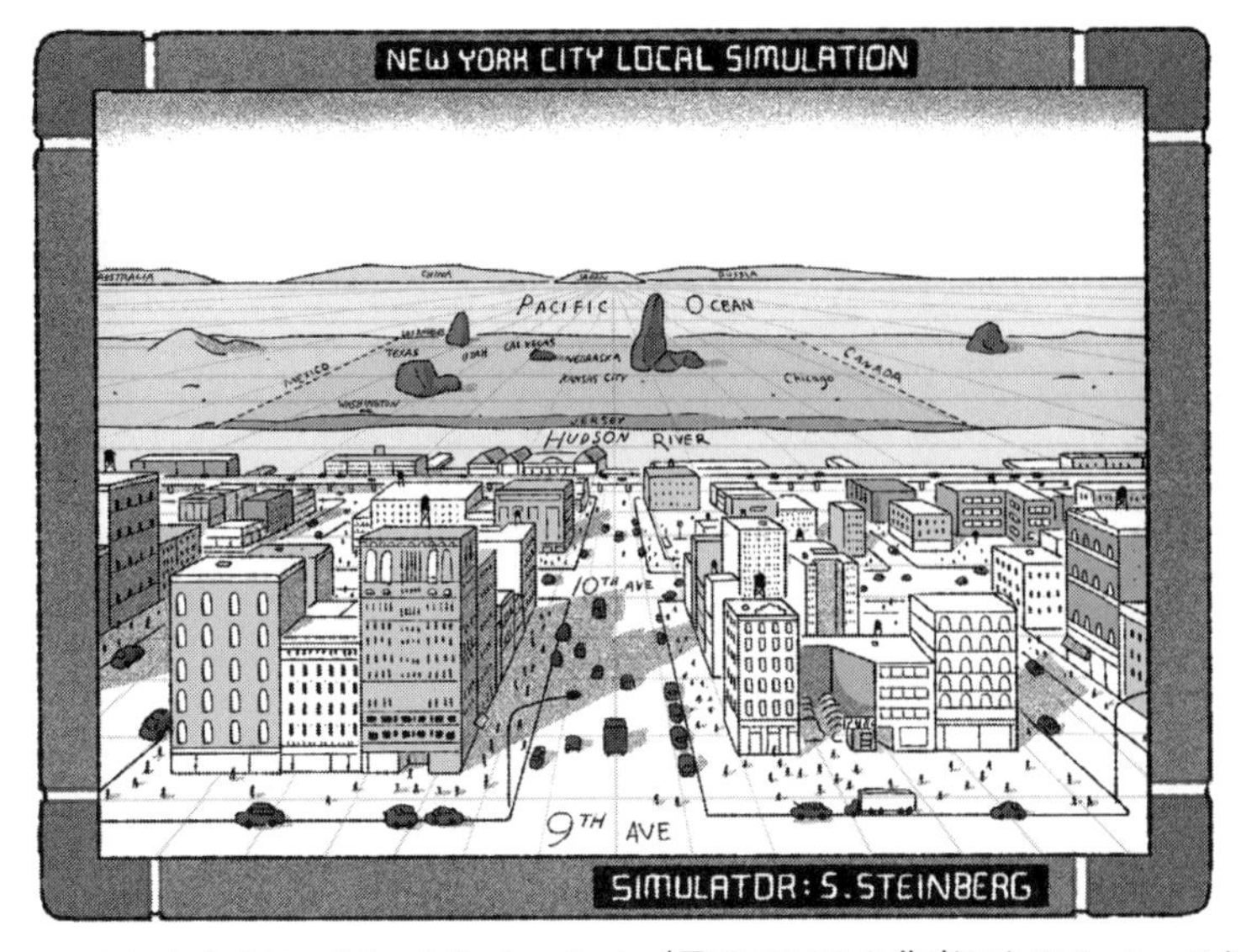

ニューヨーク市のローカル・シミュレーション（元のイラストの作者であるソール・スタインバーグに謝罪の念をこめて）

は存在すらしていない。

　これが正しければ、ローカル・シミュレーション説はローカル・シミュレーション・リアリズムにつながる。それは、シミュレートされた遠くのものはリアルでないとしても、ローカルなものはリアルだ、と考える。広い世界に関する私たちの知識はまちがっているかもしれない。たとえば、太陽は地球と同じ物理法則に支配されていると信じることや、観察されていない星が存在すると信じることは誤りかもしれない。だがローカルな環境に関する通常の信念はほとんどが真なのだ。たとえローカルなシミュレーションの中に私ひとりがいて、机の前の椅子に座り、窓の外に広がる町の景色を見ているだけだとしても。

　ローカル・シミュレーションの中にい

る私たちの置かれた状況は、映画『トゥルーマン・ショー』の主人公トゥルーマンに似ている。彼は自分が島に住んでいると信じていたが、じつはドーム状のセットに住んでいて、すべてが彼のためにアレンジされていた。トゥルーマンはドームの外の世界について、いろいろと信じることはあったが、その多くがまちがっていた。それでもドーム内にあるテーブルや椅子など普通の事物はリアルで、それらに関する信念はだいたい正しかった。

『トゥルーマン・ショー』のようなローカル・シミュレーションのシナリオは、ローカル懐疑論のシナリオだ。そのシナリオでは、私たちの信念の一部はまちがいだが、ローカル環境に関する核となる信念はほとんどが正しいのだ。そこでローカル・シミュレーション説は、私たちのいくつかの信念に対する懐疑論を支持するために利用されうる。もしも、自分が地球というローカル・シミュレーションの中にいることを知らなければ、火星やその先の宇宙に関して自分が知っていると思う多くのことを、実際には知らないことになる。もしも、自分がトゥルーマンのようにセットのドームにいることを知らなければ、ドームの外の世界について多くを知らないことになる。

本書の主な目的は、外部世界に対するグローバル懐疑論に反論することにあるので、これまでローカル・シミュレーションから発生する限定的な懐疑論についてはあまり触れてこなかった。しかし、それに対処する方法を考えることは価値がある。そのためには、シミュレーション・リアリズムを超えて、私たちがローカル・シミュレーションの中にいないことを主張しなければならない。

私たちはローカル・シミュレーションの中にいる、という考えに対するもっとも明確な反対意見は、バートランド・ラッセルの「単純さ」の訴えだ。『トゥルーマン・ショー』のシナリオのようにローカル・シミュレーションはグローバルなそれよりもはるかにむずかしい。何をいつシミュレートするのかという決断をつねにくださないといけないからだ。それに対して、グローバルのほうは自然の法則をいくつか模すだけで、シミュレーションを始められる。

一方でグローバルはローカルよりも費用がかかるだろう。シミュレートする対象が地球よりも宇宙のほうが多く、必要なプロセスもはるかに多いはずだ。宇宙のグローバル・シミュレーションに要する費用を考えたら、ローカルのほうが一般的であることは当然である。だから、私は自分がローカル・シミュレーションの中にいないことを確信できないのだ。

それでも、ローカル・シミュレーションの対象範囲がそれほど狭くならないことは、すでに見たとおりだ。地球や太陽系を対象にするシミュレーションでは、遠くの星々や地球の核など、対象に含めない部分で疑いが生まれる。結局、どこまでの疑いならば受けいれられるかという程度の問題になるのだ。

一時的シミュレーション

ローカル・シミュレーション説の変種に〈一時的シミュレーション説〉がある。実施期間が限られているシミュレーションで、対象期間を21世紀だけにするとか、今日始めたばかりのシミュレーションなどが該当する。

この説の一バージョンでは、最初に私たちは物理的世界にいて、それからシミュレーションの中に移動するのだが、シミュレーションの出来がいいために私たちは移動したことに気がつかない、というシナリオがある。たとえばあなたはきのう寝ているときに誘拐され、とてもよくできたシミュレーションに移されたのだ。こういう場合に、あなたのまわりの世界はリアルなのだろうか？

このシナリオでは、あなたが見るネコはリアルなネコではなく、バーチャルのネコだ。シミュレーションの中に長くいて、成長していくわけではないので、第11章で考察したとおり、バーチャルのネコと生き物のネコは大きく違う。バーチャルのネコはリアルなデジタル事物で、人間とは独立した因果的力を持つが、生き物のネコではない。あなたにとってのネコは「生き物のネコ」なので、あなたが自分の前にネコがいると思うとき、それはまちがいなのだ。

同時に、あなたの信念の多くは正しい。自分の成長の記憶はすべて正確だろうし、故郷や祖父母はあなたが記憶しているとおりだろう。あなたがシミュレーションの中にいるあいだに世界が滅びていなければ、世界のほかの場所で起きていることに関する信念も合っているだろう。まちがっているのは、現在のあなたの環境に関して信じていることなのだ。そのため、一時的シミュレーション説はせいぜいでも、あなたの現在と最近の環境についてローカルな疑いを生じさせるだけで、外部世界に関するグローバルな懐疑論は生じさせない。

時間をさかのぼらせて、一時的シミュレーションの対象期間を拡大するとどうなるだろうか？

あなたが生まれて以降の全人生がシミュレートされ、それがあなたの知る唯一の現実なのだから、そこにある事物はリアルとなる。そばにいるネコもリアルだが、そのネコはビットでできている（第20章で触れたが、あなたが「ネコ」と言うとき、それはつねにバーチャルのネコを意味する）。たとえあなたが5歳のときにシミュレーションの中に入ったとしても、今まで充分に長い時間をそこで暮らしてきたので、あなたにとってシミュレートされたネコはリアルなネコになっている。では2年前にシミュレーションの中に入ったならば、どうか？　わからない。あなたにとって「ネコ」という言葉はバーチャルのネコと生き物のネコの両方を意味するようになっているかもしれない。とにかくグローバル懐疑論の脅威がないことは確かだ。

ラッセルはかつて次のように問うた。「もしも神が5分前に、われわれの記憶も化石記録も現にあるそのままの形で、この世界をつくったとしたらどうだろう？」[1]。シミュレーションについても同じ問いかけができる。もしもシミュレーション実行者が私たちの記憶もすべてプログラミングして、5分前にシミュレーションを動かしはじめたとしたらどうだろうか？　このラッセル的なシナリオに関してよくある見方は、過去だけでなく、現在の環境に関する私たちの信念はほとんど正しい、というものだ。だが私はその見方を怪しく思う。私たちの記憶や化石記録をどうやってつくるのだ？　わかりやすい方法は、過去のくわしいシミュレーションを作成し動かして、そこから私たちの記憶や化石記録をとりだすことだ。だがそれでは、ひとつのシミュレーションで人生を始め、別のシミュレーションか現実環境に移るのに似たことになる。その状況では、過去に関する信念はだいたい正しいと言えるが、この5分間の信念はまちがいかもしれない。

直近の5分間や1年間の信念を疑う者[2]にはどのように返事をするのがベストなのだろう？　ここでも単純さに訴えるのがいいと思う。[3]物理的世界で人を育てて、その後、その人をシミュレーションの世界に移すのは、とても複雑で手間がかかる。あるシミュレーションから別のシミュレーションに移すのも同じだ（とくに両シミュレーションが連続するひとつの環境になくて、大きな違いがあるときは大変になる）。ローカル・シミュレーションのシナリオとは異なり、これをすることに明白で効果的なメリットはなく、実行例が多いとは思えない。だから少なくとも、単純さはこの種の懐疑論への反論になる。

一時的シミュレーションの極端なバージョンは、現在の瞬間だけがシミュレートされている、と考えるものだ。これが簡単なときもある。もしも私が暗い部屋で昼寝から目覚めたばかりならば、シミュレーション実行者は最小限の世界モデルと、少しの思考や経験だけを用意すればシミュレートができる。一方、もしも私が寝ておらず、今いる世界とつながっているならば、一時的シミュレーションはもっと多くの作業が必要になる。少なくとも、私が知覚していること、考えていることとすべてに関するモデルか基礎が必要になる。私が思考や知覚の対象を変えれば、実行者はその対象をシミュレートしなければならない。だが、このシミュレーションはとても短い時間しか動かないので、そこまでは必要ないだろう。

そんな短時間のシミュレーションの中にいることは可能なのか？　確信を持っているわけではないが、それが普及していると考える理由はほとんどない。どんな場合でも、私が思考し知覚するもののために、シミュレーション実行者の用意する世界モデルはつねに、先ほど検討したローカル・シミュレーションと同様に、少なくともローカルな現実でなければならない。ほかに興味深いケースは、私の脳全部の短時間シミュレーションをおこなうことだ。その場合、私の脳の歴史的環境もモデルとして用意することになる（すぐあとで触れるが、〈プログラム済みのふたつの脳〉のシナリオと同じだ）。こうしたケースすべてで、モデルは少なくとも私のローカルな現実の基礎となるので、グローバル懐疑論は避けることができる。

不完全なシミュレーション

不完全シミュレーションでは、物理法則は完璧にはシミュレートされない。これについては複数のケースがある。

「近似シミュレーション」では、物理法則も近似で、数値の小数点以下はどの位かで省略して、端を切り捨てる（第2章で紹介したビーンとダヴディ、サヴェージの研究のように）。そんな不完全シミュレーションの中では、物理学はだいたい正しいくらいだ。粒子や力などはあるが、それらは物理法則に正確にではなく、だいたい従っているだけだ。それでもテーブルや椅子など日常的なものに影響は及ばない。

「抜け穴（ループホール）シミュレーション」では、物理法則はほぼ完璧にシミュレートされているが、ときおり抜け穴があって、『マトリックス』におけるネオの赤い錠剤のようなものやほかのコミュニケーション手段でその世界を超えたところとつながることができる。そのシミュレーションの世界では、物理法則はだいたい正しい。ときおり例外に当てはまり、特別な出来事が発生するが、それは物理的世界で神がときどき奇跡を起こすのと同じだ。ここでも日常的な物質的事物に影響は出ない。

「巨視的シミュレーション」では、通常のものを巨視的レベルでシミュレートするが、その基礎となる生物学的法則、化学法則、物理法則などは必要なときしかシミュレートしない。多くの巨視的現象は物理法則にもとづくので、適切な巨視的シミュレーションはほとんどの場合で物理法則を無視するという指摘は当たらない。だが少なくともときどきは、下のレベルの現象では細部を切り捨てることはあるだろう。物理法則がほとんどシミュレートされていない世界では、大部分のものが原子でつくられていないので、物理法則に関する私たちの信念の多くはまちがいになる。もしもそのシミュレーションがテーブルや椅子を直接に操作しているのであれば、物理法則や化学法則を介在させることなく、じかにビットでテーブルや椅子をつくるので、私たちはこのタイプのビットからイット説の見方をするべきだろう。だがここでも、日常のものは変わらずにリアルだ。この状況では、私たちの知る物理法則は真なのかという懐疑論的疑問が起こるかもしれないが、日常の現実については問題ない。

ローカル・シミュレーション説と同じで、近似シミュレーションと巨視的シミュレーションは運用費用が安いという理由でまあまあ普及するだろう。だから自分たちがこのようなシミュレーションの中にいる可能性は排除できないので、物理法則と巨視的世界に関する私たちの知識には懐疑論的疑問が残る。

懐疑論に対してはいくつかの防御法がある。これらのシミュレーションがもっともうまく働くのは以下の3条件がそろったときだ。(1)シミュレーション実行者が物理法則に関する先行モデルを持っている。(2)すべての観察（あるいは、少なくともすべての観察記録）が物理法則と調和していること。それが意味するのは、(3)観察で必要となるかぎりで物理法則と巨視的構造を細かくシミュレートできることだ。この3つがそろえば、その世界では、観察と観察された現実が「ジャストインタイム方式」（必要なときに必要なものを必要なだけ供給する）で物理法則に支配されている、と言えるのだ。つまり、観察されなかった現実が、のちに観察と関連することがわかった時点で、詳細なシミュレートがおこなわれる。さらには、現前する物理法則を宇宙の法則（少なくとも観察された宇宙における法則）にできる、と言えるだろう。これにより残った懐疑論はわずかとなる。

一般的に言って、不完全シミュレーションがもたらすのは、悪くても理論に関する比較的限られた懐疑論だけだ。通常の巨視的世界への疑いは生じない。

プログラム済みのシミュレーション

第1章で紹介したロバート・ノージックの経験機械は、台本があらかじめ決まっているプログラム済みのシミュレーションだったことを思いだしてもらいたい。それと対照的なのは、通常のオープンエンドなシミュレーションだ。ユーザーに選択の機会を与え、物事の展開次第で、異なる歴史をシミュレートできる。

もしも私たちがプログラム済みのシミュレーションの中にいるのならばどうだろうか？　私たちのまわりの世界はまだリアルなのか？

プログラム済みのシミュレーションがどれだけ有効なのかはわからない。ユーザーが台本にない行動をとったらどうなるのか？　シミュレーションは対応できないので、ユーザーがつねに台本どおりの行動をするように入念に準備しなければならない。おそらくユーザーの脳をそのように操作するのだろう。そういうケースについてはあとで触れよう。別の可能性としては、シナリオをユーザーに合うように微調整することだ。ユーザーの脳は前もって分析されていて、ユーザーが決して逸脱しないような台本をつくるのだ。

このシミュレーションをうまく動かすためのすばらしい準備方法をアダム・フォンテノーから教えてもらった。ふたつの脳のシミュレーションだ。まず、まったく同じふたつの脳を、おそらく同一のシミュレートされた脳を用意する。そして、シミュレーションをふたつのバージョンで動かすのだ。最初のバージョンは試運転で、プログラム済みではない。そこにひとつの脳を入れて経過を見て、脳が受けるすべての入力を記録する。その記録を2番目の脳に与えて、2番目のバージョンであるプログラム済みのシミュレーションに入れる。まったく同じ脳にまったく同じ入力を与えるので、決定論に従うと、2番目の脳は最初の脳とまったく同じ反応をする。意識は脳の活動で決まるのならば、2番目の脳はまったく同じ意識経験をするはずだ。だが、2番目の脳は外部世界と相互作用をしていない、あるいは、シミュレーションとも相互作用をしていない。ただプログラム済みの一連の入力を受けるだけだ。

ふたつの脳のシミュレーションの事例は、シミュレーションと懐疑論に関する私の見方にとって、よりハードな試練だ。もしも私たちがその種のシミュレーションの中にいたらどうなのか考えてみよう。私たちは外部の実在についてなんと言うべきか？　私たちが受けとる入力の背後にはシミュレートされた事物すら存在しないのだから、私たちが知覚している外部世界は存在しない、と言いたくなる。さらに、私たちがどんな行動をとろうと、外部世界に違いをもたらすことはないのだ。私たちの行動体系は入念に調整されていて、私たちがどんな決断をしようと、脳の外には影響を与えない。このシナリオはグローバル懐疑論と結びついて私たちの脅威となる。

しかし、グローバル懐疑論を避けることは可能だと思う。このシナリオはひとつの環境にふたつの脳というほかのシナリオに似ている。たとえば、第14章で紹介したダニエル・デネットの「私はどこ？」という小説風エッセイがそうだ。デネットの話では、生物学的脳とシリコンの脳が同じ入力を受けとり、ずっと同調させておき、ある日、別れさせる。グレッグ・イーガンの短編「ぼくになることを」も似ていて、脳に何かあったときのバックアップとして、だれもがデュアルシステム〔同じシステムを2系統用意して、つねに両者で同じ処理をおこなう方式〕を持つ[4]社会を舞台にしている。これらのシナリオでは、行動を制御できるのはひとつのシステムだけで、もう片方は脳の外にある何ものにも影響を与えられない。

デネットとイーガンのふたつの脳のシナリオは、ふたりの人間がいて、ふたつの経験の流れがあると考えるのが自然だ。ふたりとも外部世界に対するかなり正確な知覚とかなり正確な信念を持っている。だが行動を制御するのは片方だけだ。そうでないシステムは自分がボールを蹴るのだと信じているが、それは誤っている。ボールがそこにあるのを知覚し、蹴ろうとするが、実際に蹴るのはもう片方の脳なのだ。

ふたつの脳のシミュレーションのシナリオは、デネットとイーガンのシナリオによく似ている。ふたつの脳はともに入力を受けとり、それを処理し、行動という経験を持つが、実際に行動するのは片方だけだ。ふたつの脳のシミュレーションのシナリオとデネット、イーガンとの唯一の違いは、前者では2番目の脳への入力が時間的にあとになることだ。だがこれは重要な違いではない。もしもデネットのシリコンの脳への入力が生物学的脳よりも1秒遅くても、世界を正しく知覚していると言える。しかし、このときシリコン脳が「今、目の前にボールがある」と思うならば、実際は1秒前のことだから、まちがいになるのではないか？　だが、こうした疑問は時間のエデン型モデルに依拠している。私たちが一時的機能主義を採用し、「今」という言葉を物理的世界に適用するならば、世界において今という経験を引き起こす時間に似た何かを意味する（それに対して、「赤」は赤という経験をもたらす特性を意味している）。だから2番目の脳の信念も変わらずに正しいのだ。それゆえ多少の時間的な遅れが違いを生むとは考えられない。一般的には、2番目の脳の信念はかなり正確だ。その脳がサッカーボールを見たときに、1番目の脳が相互作用したのと同じデジタルのサッカーボールで、少し時間が遅れるものの同じ経験をする。その世界は完璧にリアルだ。自分の決定が世界に影響を与えるという信念はまちがっているが、それはデネットとイーガンのシナリオにおける2番目の脳でも同じだ。

私たちは、自分の意思決定やそのほかの精神状態が行動を決め、世界に影響を与える、と考えているが、最悪の場合、これらのふたつの脳のシナリオはその知識に挑戦してくる。私たちの心は世界に影響を与えられないという脅威がそこにあるのだ。それ自体重要な問題で、もっと議論の必要な議題でありつづけている。ここでも、さまざまな防御法があるだろう。ふたつの脳のシナリオは複雑すぎて普及しない、と言えるかもしれない(一方で、イーガンの小説のように、シミュレートされた存在が自分のバックアップをしているケースはあるかもしれない)。脳はふたつあっても、それに対応する心はひとつだけで、その心が世界に影響を与えているのだ、と主張することもできるだろう。いずれの場合でも、心が世界に与える影響に関する懐疑論は、私たちが取り組んでいる問題とは別のものだ。したがって私が正しければ、ふたつの脳の事例は外部世界に関するグローバル懐疑論を正当化するものではない。

神と悪魔

神や悪魔の出てくる昔の懐疑論シナリオはどうだろうか? 神は頭の中に宇宙のモデルを持っていて、あなたの感覚的経験は神に由来するというシナリオだ。この場合、神はコンピュータの役割を果たしている。[5] 神はおそらくテーブルや椅子に対応する思考を有するか、少なくともそれらを構成する粒子に対応する思考を持っている。コンピュータではテーブルや椅子はビットでできているのに対して、このシナリオでは神の心にあるアイデアでできている。だが、そのテーブルと椅子は完全にリアルだ。存在し、因果的力を持つ。神の心に由来しているので、完全には心から独立していないが、あなたや私のような普通の観察者の心からは独立している。

悪魔のシナリオはどうだろう？　悪魔は悪い意図を持っているものの、神の事例と同じだ。悪魔は、あなたに感覚入力として何を送り、受けとった出力をどうするかを記録するために、ある種のモデルか内なるシミュレーションを必要とするだろう。もしも悪魔が宇宙を支配する物理法則のフルスケールモデルを持っているのならば、悪魔のシナリオは完全シミュレーション説に近くなる。細部をカットし、範囲を限定したモデルならば、ローカルか一時的か、不完全シミュレーションに近くなる。いずれにしても、そこにあるテーブルや椅子は存在し、それらは悪魔の心の中のプロセスでつくられる。

ほかの悪魔のシナリオはあなたの論理的思考を混乱させる。デカルトは、人間が2＋3をまちがえるように神が操作できるというアイデアを考察した。神はそのように人間をだまさないので、悪魔の仕業だと考えた。では、悪魔が人間の心を操作して、2＋3を6だと信じさせているとしたらどうなるだろうか？　これは極端に懐疑的なシナリオだが、論理的思考により排除できる。だが、もしも私の心が悪魔に操られているのならば、私の論理的思考は信頼できない。一般的なシナリオにすると、もしも悪魔が私の心を操作して、外部世界のいろいろなものについて、まちがったことを信じさせているとしたらどうだろうか？　このシミュレーションでは信念が首尾一貫している必要さえない。自分の世界が首尾一貫しているという私の印象それ自体が悪魔に操作されたものかもしれないからだ。

この種の懐疑論を私は、〈メタ認知懐疑論〉つまり、みずからの論理的思考に対する懐疑論だと考えている。外部世界に関する懐疑論とは異なる、やっかいだが魅力的な問題を提起する。それでも外部世界に関する懐疑論の結論と同じだ。悪魔が私の論理的思考を操っている可能性を排除できないのならば、私は外部世界について何を知っているのだろう?

手短に述べよう。数学について充分に論理的に考えたならば、それは知っていることになるのだ。2+3が5になることを論理的に考えて、証明できるならば、私たちは2+3が5だと知っていることになる。たとえ悪魔に心を操られている可能性を排除できなくても、2+3が6になることは充分な理由を持って排除できるのだ。悪魔によって論理的思考をねじ曲げられて、2+3は6だという証拠があると言う人がいるかもしれない。彼らは論理的思考がまちがっているので、真実を知らないのだ。だが充分に論理的に考えたならば、私たちは真実を知ることができる。外部世界に関する知識も同じだ。私の前に椅子があるという結論を論理的思考でサポートできれば、悪魔に操作されているという可能性だけでは、私の論理的思考を害することはできない。私は椅子について知ることができるのだ。

夢と幻覚

夢説はどうだろう? 今、私は夢を見ているのか? 夢はほとんどが不安定で断片的だが、今の私の経験はそうではない。ここで普通でない夢、つまり、安定して細切れではない夢を想像してみよう。この場合、シミュレーションを動かしているのが私自身という点は異なるが、神や悪魔説に似ていると言えよう。私の夢の経験は、私の心のどこかにある世界のモデルによって決まる。

夢を見ているのが短時間ならば、一時的シミュレーション説の中の始めたばかりのシミュレーションに似たものになる。この場合、まわりの世界に関する私の信念はまちがっているかもしれないが、記憶は正しいだろう。

一生のあいだ、ずっと夢を見ているとしたら、夢の中の環境が私の現実になる。夢の中にフルスケールの全宇宙が含まれているという極端な事例は、完全シミュレーション説に似たものになる。その場合、私の世界のすべてはリアルになる。夢の中の体もリアルだ。本当に人生を生きることになる。私は夢の中で別の体と人生を持つことになるが、それが理由で、その体と人生はリアルでなくなることはない。フルスケールよりは起こりうるが、夢に出てくる世界が部分的な場合には、ローカル、一時的、不完全シミュレーション説に似るだろう。電子と遠くの銀河はリアルでないかもしれないが、テーブルや椅子や私の体は夢の中の存在であり、多くの点でリアルなのだ。

荘子の胡蝶の夢も同じだ。荘子の心を基礎とする夢の世界にリアルな夢の蝶がいる。[6] 夢の世界にいる荘子もリアルな夢の荘子だ。短く不完全な夢ならば、夢の蝶と荘子は、ゲームのアバターのように単純な存在だろう。極端な事例として、フルスケールの世界で一生続く夢ならば、夢の蝶と荘子は現実のそれらと同じようにリアルで複雑な存在になるだろう。荘子は自分が蝶の夢の中にいるかどうかわからなかったが、それは私たちがシミュレーションの中にいるかどうかわからないのと同じだ。荘子はひとつ上の階層で夢を見ている蝶なのかもしれない。だが、たとえ夢を見る蝶であるとしても、彼は荘子でもあり、その世界はリアルなのだ。

〈一生続く夢の説〉は、ひとつの重要な点で実在性を欠いている。夢の中における実在は私の心にもとづいていて、その夢は私によってつくられる。ただし、つくるのは私が意識していない何かによってなのだ（夢は無意識を知る重要な手がかりだ、とフロイトが考えたのはこれが理由だ）。それゆえ、もしも私が一生続く夢の中にいるのならば、そこの実在はすべて私自身がつくったものになる。その世界は、私が第6章で築いたリアリティ・チェックリストで3番目の要素、「心から独立していること」が抜けている。それは、夢の中の事物はリアルでないと考えるひとつの合理的な根拠になる。だがもしも、一生続く夢の説が正しければ、私が知覚する普通のものは、たとえ心の中にある夢の事物であっても、存在していることになる。それらに関する私の信念はほとんどが正しいのだ。夢の事物が錯覚である必要はない。

　では普通の夢はどうだろうか？　私の見方には、普通の夢は一種の実在だという意味はあるのだろうか？　普通の夢は比較的短く、一生続くシミュレーションよりは一時的なVR経験に近い。そして、ほとんどのシミュレーションよりもはるかに不安定で断片的だ。本人が夢だとわからないことが多い。その結果、夢の中では多くの錯覚やまちがった信念が出てくる。あなたはドラゴンを追跡していると思っているが、実際は違う。だが、充分に筋の通った夢ならば、あなたが追跡しているドラゴンはリアルになるかもしれない。あなたの心の中のプロセスによってつくられたバーチャルのドラゴンだ。VRの中でバーチャルのドラゴンをバーチャルに追跡できるように、夢の中でも同じことができるかもしれない。夢の中でバーチャルのドラゴンは存在し、心のプロセスとして因果的力を持っている。だがそれは、心に従属していて、錯覚で、リアルなドラゴンではない。リアリティ・チェックリストの5項目中ふたつを満たしているので、きわめて限定的なリアリティを持つ資格がある。

明晰夢（めいせきむ）はどうだろうか？　夢だと自覚しながら見ている夢のことだ。通常のVRもユーザーはVR内にいることを知っているので、明晰夢はそれの心に従属した形の類似物だろう。これまで、熟練ユーザーならば自分がバーチャル上にいる感覚があるので、錯覚に悩まされないことを話してきた。おそらく同じことが明晰夢をよく見る人にも言えるのだ。彼らは夢の中で何か経験するとき、それは現実ではなく夢だとわかっているので、その経験は錯覚である必要はない。明晰夢の中のドラゴンはリアルなドラゴンではないし、心に従属しているが、明晰夢の中の事物は普通の夢よりは一歩リアルに近づいているかもしれない。

統合失調症などの精神障害が原因の幻覚と妄想についてはどうだろうか？　幻覚の事物を本物だと思ってしまったときには、それはいくつかの点で普通の夢に似ている。幻覚の事物は錯覚であり、その人の心がつくり出したものなので、因果的力を持つバーチャル事物として存在していると考えられる。自分の病気に慣れた患者の一部は、幻覚の事物をバーチャルのものや自分の心がつくり出したものだととらえるかもしれない。明晰夢と同じように、これらの経験はすべてが錯覚というわけではない。だがここでも、幻覚の中の人は本物ではなく、心がつくり出したものだ。

単に想像するだけで、バーチャルのものや世界がつくり出せる、と私は言っていない。象を頭に思い浮かべても、インタラクティブなシミュレーションではないのが普通だ。その象に対して異なる行動をとって、異なる結果が得られることはない。もしもそうなら、象に似た因果的力を持つ真にバーチャルな事物はそこにないのだ。過去の記憶を呼び起こすのも同じだ。もしもこれがシミュレーションよりは台本に近いものならば、バーチャル事物と同じように強い因果的力を有する記憶の中の事物はそこにはない。外部世界に関する幻覚の多くもこれに似ているだろう。インタラクティブな世界のモデルを持つ特別な事例では、心に従属するバーチャル世界に似たものがあるかもしれない。

（小説、インタラクティブ小説、文字ベースのアドベンチャーゲームも関連する問題を起こすので、サイトで触れておく[7]）

カオス説とボルツマン脳

グローバル懐疑論は、日常のものはすべてリアルではなく、日常の信念はほとんどすべてがまちがいだ、と唱えるが、ここまで検討してきた懐疑論的シナリオでグローバルになりうるものはなかった。その理由は各シナリオで、私たちの経験を生むものがあるからだ。経験を生むためには、私たちが通常、外部世界に属していると考える構造をかなりの量必要とする。その結果、私たちの通常の信念の多くが正しいものになるのだ。

真のグローバル懐疑論のシナリオには、外部世界によって私たちの経験が体系的につくられないことが必要となる。[8] それを満たすシナリオのひとつが〈カオス説〉で、外部世界など存在せず、あるのはランダムな経験の流れだけだ、と唱えるものだ。このランダムな流れが、私の経験してきた整然とした流れになったのは、多くの偶然のおかげというわけだ。少なくとも、私が今経験している、完全な記憶経験をともなう、きわめて秩序だった意識の状態を、ランダムな流れは生みだしているのだ。

カオス説が正しければ、外部世界はリアルではない。私が知覚しているように思えるテーブルや椅子はリアルではない。知覚はリアルだが、その先には何もない。カオス説を受けいれるならば、私は外部世界に関する自分の信念をほとんど否定せざるをえなくなる。

だが、このカオス説はまったく起こりそうにない。私の経験が秩序だったものになるには、偶然の上にいくつもの偶然が重なる必要があり、それはほぼありえない。だから私は確率論的にこの説を否定するのだ。したがってカオス説がグローバル懐疑論を支援する確率はほとんどない。

それでもカオス説の仲間に、まじめに検討すべき〈ボルツマン脳説〉がある。今の宇宙が偶然できるよりも、物質のランダムな揺らぎによって、偶然に完全な機能を備えた人間の脳ができるほうが起こりやすい、と唱える説だ。この章の冒頭で紹介したように、一部の物理理論は、宇宙の歴史の中ではボルツマン脳が数多く誕生すると予想している。拡大する宇宙がいつか熱力学的平衡の状態に達するとき、その平衡状態から生ずる「揺らぎ」がいつかは偶然に私の脳とまったく同じ構造をつくり出すというのだ。

はてしなく広がる宇宙と悠久の時間を考えれば、私の脳に似たものが無数に形づくられること は考えられる。では、私はそのひとつなのだろうか？　ボルツマン脳のほとんどはできてすぐに崩壊し、消えていく。しかし、ごく一部だが、それでも無数の脳が数秒間、私の脳と同じように機能しつづけ、ニューロン間で真の因果的プロセスを実行するならば、それらの脳は私と同じような記憶と意識経験を持っていると考えられる。

もしも私がボルツマン脳ならば、私が経験した外部世界の事物はリアルなのだろうか？　ごく一部のボルツマン脳にとって、それはリアルだ。きわめてまれだが、「ボルツマン都市」や「ボルツマン惑星」が生まれ、そこでは脳が、通常の物理的環境に囲まれている。だが圧倒的多数のボルツマン脳においては、外部世界の情報はその脳の中に入っていない。それらの脳にとって、外部世界の経験は錯覚なのだ。

問題がひとつある。宇宙の歴史においては、私の脳の構造を持ったボルツマン脳が無数に生まれる。そこには同じ構造を持った非ボルツマン脳がせいぜいひとつあるかもしれない。第5章でシミュレーション説の理由づけに統計的推論を使ったが、ここでも似たものを適用できる。統計的推論では、私はほぼ確実にボルツマン脳だ、という結論になり、それは私の外部世界が錯覚であることを意味する。ボルツマン脳は私たちをグローバル懐疑論へ引き戻すのだ。

だが、理論物理学者のショーン・キャロルが指摘してきたように[9]、私が確実にボルツマン脳だという仮説は「認知的に不安定」なのだ。ボルツマン脳説が本当だとしても、私は支持できない。なぜなら、その説を支持すると、外部世界に関する私の知覚が錯覚であることを支持しなければならなくなり、そうなると、外部世界の知覚にもとづく私の科学的推論のすべてを否定することになるからだ。とりわけ、最初にボルツマン脳の存在の根拠となった物理理論につながる科学的推論も否定せざるをえない。それらの理論だけが、ボルツマン脳を真剣に考える根拠になっているので、根拠がなくなれば、最初の状況に戻ることになる。「私がボルツマン脳だという仮説はどうにもありえない」と。

次のような反論があるだろう。たとえ科学による後押しがなくても、私たちがランダムな揺らぎのある宇宙にいて、そこでは無数のボルツマン脳を、少なくとも「ボルツマンの心」を生みだしている可能性はいくぶんかでも、たとえば1パーセントでもあるのではないか。しかし、そのような宇宙ではもっとも意識的な存在でも、ひどく混乱した経験をすることになる。秩序だった経験をするひとにぎりの存在[10]だけが、今の私のように首尾一貫し規則正しい外部世界を経験するのだ。だから、きわめて秩序のある私の経験は、私たちがランダムな宇宙にいると唱えるこの説の強い反証になり、秩序ある宇宙にいる強い証拠となる。

結論：実在からは逃げられない

外部世界はどうなるのだろうか？　少なくとも、外部世界に関するグローバル懐疑論はどうなるのか、を考えたい。

デカルト的懐疑論は、あるシナリオを採用して次のような論証をする。

前提
1. 知識の問いに対してはノーと答える。われわれはシナリオの中にいないことを確かめられない。
2. 実在の問いに対してもノーと答える。われわれがそのシナリオの中にいるのならば、リアルなものは何もない。

結論
3. ゆえに、何がリアルかわれわれにはわからない。

デカルト的論証を有効にするためには、知識と実在の問いについてノーと答えられるようなシナリオを探す必要があるが、まだそんなシナリオは見つかっていない。これまで検討してきたシミュレーションのシナリオはすべてが、実在の問いにイエスと答えるものだった。少なくとも外部世界で私たちが知覚するものの一部はリアルだからだ。悪魔や一生続く夢のシナリオなどシミュレーションに似たものでも、同じことが言える。カオス説やボルツマン脳説などは実在の問いにノーと答えるが、知識の問いはイエスになる。「自分たちがボルツマン脳ではないことを確かめられる」。したがって、グローバル懐疑論を支援できるシナリオは見あたらない。

私の見立てはこうだ。まず、以下の区分をする。私たちの経験における規則性を説明できるか（シミュレーション説とそれに類する説など）、説明できないか（カオス説とそれに類する説など）。説明できないのならば、そのシナリオは驚くほど多くの偶然に頼ることになるので、確率的にありえない。この場合、知識の問いに対する答えはイエスとなる。「自分たちがそのシナリオにいないことを確かめられる」

説明できるのならば、そこには何らかの外部世界が存在することになる。さらに、すべての規則性を説明するためには、その外部世界は、私たちが知覚し、信じている外部世界とある程度構造を共有していなければならない。構造主義を考慮すると、それは実在の問いに対するイエスの答えを導く。「もしも私たちがこのシナリオの中にいるのならば、私たちが知覚し、信じているものの一部はリアルだ」

もう少し簡潔にしてみよう。私たちが知覚し信じるすべてのものは何らかの説明ができるはずだ。説明が可能ならば、そこには私たちが知覚し信じるものの多くを正当化する構造を持つ外部世界がある。説明が構造を生み、構造が実在を生むのだ。

これが正しければ、外部世界に関する伝統的なグローバル懐疑論の主張は誤りになる。それでも、ほかの種類の懐疑論もまだ多くあり、それを支持する主張も多くある。シミュレーション・リアリズムはそれらを論破していない。

とくにさまざまな形のローカル懐疑論を排除できていない。現在私が知覚しているものに関する懐疑論もまだテーブルの上に残っているが、それは私が一晩前にシミュレーションに入ったという仮説を否定できないからだ。近い過去に関する懐疑論も同じだ。ローカルおよび巨視的シミュレーション説のために、遠い宇宙や極小のものに関する懐疑論もテーブルの上にある。他人の心、行動における心の役割、論理的思考に関する懐疑論も残っているが、それらはふだん考える外部世界を超えた懐疑論だ。

実際のところ、私のひとつひとつの信念はいろいろなローカル懐疑論の仮説に脅かされている。たとえば、私の机の上にiPhoneが置いてあることを自分は知っていると思っている。しかしそれは、鏡によって私の知覚がねじ曲げられているのかもしれないし、気づかないままほんの数分前にVRに入ったのかもしれない。私のパートナーはブラジル人であることを自分は知っているつもりだが、もしかしたら彼女は架空の経歴を持つロシアの優秀なスパイかもしれない。これは外部世界に関するグローバル懐疑論の断片的変種につながるのだろうか？　そこではローカルな理由で私の信念がひとつひとつ脅かされるのだ。

しかし、この断片的懐疑論には限界がある。私は世界の形や自分の人生の形をあまりひどくはまちがえようがないのだ。たとえば、自分には体があることを知っている。少なくとも、持っていたことは知っている。というのも、もしかしたら元の体は蒸発してしまい、私はほんの5分前にアバターとともにシミュレーションの中にアップロードされたのかもしれない。しかし、アバターも体だから、私は今でも体を持っている、と言えるのだ。たとえアバターは体だとみなされなくても、自分がかつて体を持っていたという信念は正しい。最初から体など持っていなかったというシナリオがあるかもしれない。ずっと水槽の中の脳だったのかもしれない。それでも、自分が体を持っていたという経験は、シミュレーションの体やそのモデルとなった体のようにどこかに由来するものだ。だとしたら、そこに私の体はあるのだ。私が複数の体を持っているとか、体がバラバラになっているとか、体を持っていたという記憶を植えつけられたのだ、などシナリオにひねりを加えることもできる。だが本書で論理的思考を続けてきた私たちには、それらのシナリオはすべて私がかつて体を持っていたことを示している、とわかるのだ。

私が体を持っていたという経験があることについて、何通りかの説明ができるだろう。それらは体に何らかの役割があったことを示していて、その体は私の体なのだ。ここでも、説明が構造を生み、構造が実在を生むのだ。

世界や自分の人生に関する私の信念について、いろいろと異議が出るだろうが、同じ論理的思考で対応できる。私はほかの人がいることを知っている、少なくとも、かつていたことを知っている。ここでは、その人たちに意識があることを知っているとは言っていない。他人の心（他我）の問題はほかの機会に話そう。意識があろうとなかろうと、そこに他者が存在していることを私は経験しているのだ。その経験はシミュレーションがつくったもので、つい最近、私の記憶に埋めこまれたのだ、と言う人がいるかもしれない。だがそれは、他者は、私の記憶をつくるシミュレーションの一部としてあるデジタルの存在だと言っているだけだ。ほかの異議にも同じように対応できる。

この考えを拡大することもできる。私はそこに水が存在することを知っていると思っている。少なくとも、かつては水があったことを知っていると思っている。木やネコについても同じことが言える。そこには一度も水や木やネコは存在しなかった、というシナリオを考えだすのはむずかしい。ネコはいつも、ネコの着ぐるみを着た子犬だったのかもしれない。たとえそうでも、ネコの格好をした子犬は存在する。木の経験は植えつけられた記憶かもしれないが、それならば、記憶の源はまぎれもなく木なのだ。水の経験は、物理的世界にARのシミュレーション技術でつけ加えられたものかもしれないが、それならば、水は存在して、それはバーチャルだと正しい判断をすることができる。

断片的懐疑論に答えていく戦略には限界がある。特定の人が存在することを自分は確実に知っているとは主張できないからだ。私はよく話をするニューヨーク大学の同僚のネッド・ブロックが存在していることを確信できるだろうか？　たぶん無理だ。俳優がネッドを演じている可能性を排除できない。オーストラリアが存在することを確信できるか？　これも無理だろう。地理的陰謀で、私がオーストラリアで過ごしていると思っていたときに、じつは映画撮影用のスタジオにいたのかもしれない。そうした陰謀はとても手間がかかり、それを理由として可能性から排除できるだろうが、こうした反懐疑論戦略についてはいつかくわしく話したいと思う。

ここで何が起きているのか？　ここでも構造主義が機能しているのだろう。私たちの経験の秩序正しさは、少なくとも世界のだいたいの構造を把握するよいガイドになっている。経験を起こさせる何かしらの原因があって、それが一定のパターンで相互作用しているのだ。経験は構造を把握するための完璧なガイドではない。それで世界のくわしい構造を得られると考えるのはいつでも誤りとなる。しかし、経験と単純さのアピールを組みあわせれば、少なくともおおよその構造を教えてくれる。ローカルおよび一時的シミュレーション説など懐疑論のシナリオがあるところでさえ、世界に関する私たちの通常の概念として多くの構造を共有できる。複雑な懐疑論の説は構造のかなりの部分を共有させてくれる。もっともらしいすべてのシナリオに共通する構造的特徴を、おおよその構造だと考えることができる。

おおよその構造だけでは、世界のすべてを知るには不充分だ。わが同僚のネッド・ブロックのように、特定の個人のことを教えてはくれない（俳優が彼を演じているのかもしれない）。今、部屋に子ネコがいることを教えてはくれない（その子ネコは似た構造のバーチャルかもしれない）。他者に意識があるのか教えてはくれない（構造の似た哲学的ゾンビかもしれない）。だが、私に体があることや、他者が存在することなど、世界に関するとても基本的なことを教えてくれるのだ。

これをスタートとして、はるか先まで行けるかもしれない。私たちには、外部世界に関する懐疑論に答えるための戦略がある。経験から構造を導きだし、構造から実在を導きだすことだ。経験から構造をどれだけ導きだせるのか、構造から実在をどれだけ導きだせるのかは、未解決の問題として残っている。それでも少なくとも、外部世界の謎にわずかでも近づけるのだ。

話すべきことはまだたくさんある。実在をどれだけくわしく知ることができるかは未解決の問題だ。私たちが決して知ることのないであろう遠い過去の客観的事実がある。もしも私たちが完全シミュレーションの中にいるとしたら、私たちが決して知ることのないであろうシミュレーションを超えた世界に関する事実があるだろう。どのくらい実在にアクセスできて、どのくらいアクセスできないのかを私たちは知らない。だが真実はそこにあり、私たちはその一部を知ることができるのだ。

謝辞

多くの助力がなければ、私は本書を世に出すことはできなかった。

本書で論じていることに関して、多くの哲学者、科学者、先進技術開発者に知識面で助けられて、感謝している。スタニスワフ・レムからウォシャウスキー姉妹まで、ＳＦに関する多くの作家やクリエイターにも影響を与えられた。この分野において、注目されることが少なかった以下の哲学者の研究にとくに感謝したい――１９５０年代のスザンヌ・ランガーによるバーチャル事物とバーチャル世界に関する研究、１９４０年代と60年代におけるＯ・Ｋ・ブーズマとジョナサン・ハリソンによる懐疑論の研究、90年代におけるマイケル・ハイムとフィリップ・ツァイによるＶＲの形而上学的考察。

数十年前に両親が私にアップルⅡ＋をプレゼントしてくれたのが始まりだった。１９８０年代はじめ、私は10代のときに、ダグラス・ホフスタッターとダニエル・デネットの共編著である『マインズ・アイ――コンピュータ時代の「心」と「私」』を読んだことが、バーチャル世界についてまじめに考えるきっかけになった。この本が私に与えた影響は大きい。大学院生のときに、〈水槽の中の脳〉について長い時間、グレッグ・ローゼンバーグと議論したことも、今日の私を形成する役割を果たしている。

本書のテーマについて最初に話したのは、ジョン・ヘイルのセッティングにより2002年3月にデイヴィッドソン大学で「水槽の中の脳になるのも、それほど悪いことではない」という題で講義をしたときだ。その1、2か月後に偶然にも、クリス・グラウが映画『マトリックス』のウェブサイトに寄稿することを依頼してきて、私はこのテーマをさらに考えることになった。それ以降、私は多くの人の前でこれらの話をしてきて、そのつど、興味深く貴重なアイデアをもらってきた。2015年と翌年に、ブラウン大学、フランスのジャン・ニコ研究所、ジョンズ・ホプキンズ大学、リスボン大学で連続講義を持ち、テーマの一部を深く掘りさげることになった。その後、オンラインの哲学ジャーナル *Disputatio* 上でシンポジウムがおこなわれ、貴重な批判的分析を受けることになり、それをデイヴィッド・イェーツとリカルド・サントスが編集してくれた。

トニエッタ・ウォルターズ（別名フーラ・グラフ）は、元祖メタバースサービスのセカンドライフを私に試させてくれ、哲学の会合場所にするアイデアを与えてくれた。ジャッキー・モリー、ベティ・モーラー・テッシュ、ビル・ウォーレンは彼らのVR研究室を案内してくれ、実際にVR技術を体験させてくれた。メル・スレーターとマビ・サンチェス＝ビベスとたびたび意義のある会話を交わした。ニューヨーク大学におけるゲーム研究者（ベネット・フォディー、フランク・ランツ、ジュリアン・トゲリウス）およびコペンハーゲンのゲーム研究者（エスペン・オーセト、パヴェル・グラバルチク、イェスパー・ユール）は、おもしろいアイデアの宝庫だ。ダミアン・ブロデリック、ジャロン・ラニアー、アイヴァン・サザランド、ロバート・ライトは、草創期のVRとバーチャル世界に関する私の質問に辛抱強く答えてくれた。

私は本書の初期バージョンを、ニューヨーク大学の「心と機械」という講義で使った。フィードバックを与えてくれた多くの学生に感謝したい。なかでもジョアン・ペドロ・レイリア・コレア・エボリに敬意を表したい。私はこれほど熱心な学部学生に会ったことはない。哲学における有望な未来は、その悲劇的な死によって断ち切られたのだった。

カティ・バログ、シュテフェン・コッホ、ケルヴィン・マックウィーン、チャールズ・シーワート、スコット・スタージョンは、自分たちの講義で私の原稿を教材にして、ありがたいフィードバックを与えてくれた。以下の人たちからは、歴史的事柄に関して貴重なインプットをもらった——ミリ・アルバハーリ、デイヴィッド・ジェームズ・バーネット、バナフシェー・ビーザイ、クリスチャン・コーセル、デイヴィッド・ゴッドマン、アーニャ・ヤニック、クリストフ・リンベック、ベアトリス・ロンゲネス、ジェイク・マクナルティ、ジェシカ・モス、パオロ・ペーチェレ、アナンド・ヴァイジャ、ピート・ウルフェンデール。そして、エヴァン・ベラル、アダム・ラヴェット、エイダン・ペン、パトリック・ウーには、政治哲学に関する助力をもらった。

バーチャル世界で会っている哲学者仲間、とりわけ、トマス・ホフウェーバー、クリス・マクダニエル、ニール・マクドネル、ローリー・ポール、ジリアン・ラッセル、ジョナサン・シェーファー、ロビー・ウィリアムズには、パンデミックのあいだじゅう、さまざまなVRプラットフォームで会い、貴重な経験と元気を与えてもらった。

以下に紹介する多くの人々から原稿の全部もしくは一部について、貴重なフィードバックをもらった。アンソニー・アギーレ、ザラ・アンワルザイ、アクセル・バルセロ、デイヴィッド・ジェームズ・バーネット、サム・バロン、ウムット・バイサン、ジリ・ベノフスキー、アルテム・ベセディン、ネッド・ブロック、ベン・ブラムソン、アダム・ブラウン、デイヴィッド・ジェイ・ブラウン、リチャード・ブラウン、キャメロン・バックナー、ジョー・キャンベル、エリック・カヴァルカンティ、アンディ・シャロム、エディ・ケミン・チェン、トニー・チェン、ジェシカ・コリンズ、ヴィンス・コニツァー、マルチェッロ・コスタ、ブライアン・カッター、バリー・デイントン、アーニー・デイヴィス、ジャネール・ダースティン、ヴィリアス・ドランセイカ、マット・ダンカン、ラミ・エル・アリ、リサ・エマーソン、デイヴィッド・フリーデル、フィリップ・ゴフ、デイヴィッド・ミゲル・グレイ、ダニエル・グレゴリー、ペリー・グレイツァー、アヴラム・ヒラー、イェンス・キッパー、ニール・レヴィ、マシュー・リアウ、アイザック・マッケイ、コーリー・マリー、スティーヴ・マシューズ、アンジェラ・メンデロヴィッチ、ブラッドリー・モントン、ジェニファー・ネーゲル、エディ・ナミアス、ゲイリー・オステルタグ、ダン・パリス、デイヴィッド・ピアース、スティーヴ・ピーターセン、グァルティエーロ・ピッチニーニ、アンヘル・ピニジョス、マーティン・プレイツ、パーヴォ・プルッカネン、ブライアン・ラバーン、リック・レペッティ、アドリアナ・レネロ、アントン・レウトフ、レジーナ・リニ、ダミアン・ロシュフォード、ルーク・ルーロフス、ブラッド・サード、サッシャ・ザイフェルト、エリック・シュウィッツゲーベル、アンキタ・セティ、ケリー・ショー、カール・シャルマン、マーク・シルコックス、ヴァディム・ヴァシリエフ、カイ・ウェイジャー、ケリー・ワイリック、ショーナ・ウィンラム、ローマン・ヤンポリスキー。そして、バリー・デイントンとジェニファー・ネーゲルには、最終章で反懐疑論的結論を書く私に、一歩踏みこめと叱咤激励してくれたことに感謝する。

　タイトルについて案を出してくれたダン・パリスとディラン・シムズに感謝する。ほかにも多くの友人がオンラインでタイトルやその他の事柄を話しあってくれた。兄弟のマイケルは第1章の章題を考えてくれた。彼は今でも「これは実在するのか？」というその章題を本のタイトルにするべきだったと考えている。

著作権エージェントのジョン・ブロックマンには、知的コミュニティを紹介してもらい、長年の経験を与えてもらった。カティンカ・マトソンとマックス・ブロックマンには大いに助けてもらった。W・W・ノートン社の編集者のブレンダン・カリーは、幅広いフィードバックとすばらしいアドバイスを与えてくれた。ペンギンプレスのローラ・スティックニーは有用なアイデアをたくさん持っている。サラ・リッピンコットとケリー・ワイリックには、本書の事実確認と文章の直しを徹底的にしてもらった。ノートン社のベッキー・ホミスキーには、出版までのプロセスを導いてもらった。

すばらしいイラストを描いてくれたティム・ピーコックに感謝する。彼のイラストは、複雑なアイデアに命を吹きこんでくれただけでなく、本書における哲学的議論で欠かせない要素となっている。ティムの創造力によって、多くのアイデアが斬新な方向に進むことができた。彼と仕事をしたことは、本書の執筆において、とてもエキサイティングな部分だった。

私のパートナーで、哲学者で心理学者のクラウディア・パソス・フェレイラは、本書を執筆中の数年間、そばにいてくれた。私たちはニューヨークで生活していて、新型コロナウイルス感染症のパンデミックをともに切り抜けてきた。クラウディアはバーチャルよりも現実世界を好んでいるが、執筆に際しては、あらゆる援助を与えてくれた。愛とともに、本書を彼女に捧げる。

解説　鬼才チャーマーズが提示する新たな世界観

山口　尚（哲学者）

バーチャル・リアリティと実在

本書『リアリティ＋』は、バーチャル・リアリティにかかわる近年のさまざまな技術革新を取り上げながら、実在や知識をめぐる哲学の伝統的な問題へ新たな光をあてることを目指す作品である。取り上げるトピックは多岐にわたるので、「解説」ではとりわけ重要と思われる議論に焦点を絞る――すなわち「まずはここを押さえるべきだ」と言えるポイントを取り上げる。その話題は最終的には、後述する形而上学にかかわってくるだろう。

本書においては互いに関連する複数の立場が主張されるが、その中核に存するひとつは《バーチャルな事物も真の実在の一部だ》という立場である。バーチャルなものを、真の実在よりも格下の何かとは見なさない――これが本書の中心的なスタンスのひとつである。では、これはさらに具体的にどのような立場だろうか。

この点を説明するにあたり、まずは本書が取り組む主要な問いを定式化しよう。

真の世界を生きているのか

最近の数十年において——本書の「序章」で指摘されることだが——コンピュータ・シミュレーションの技術が大幅に進歩し、いろいろな没入型バーチャル環境が開発されるに至っている。現時点でこうした環境を体験するためにはヘッドセットやグラスの装着が必要となるが、将来的には脳へ直接的に介入してバーチャル世界を生きることができるようなテクノロジーが出現するかもしれない。こうした現代的状況に鑑(かんが)みると、私たちは次の可能性に気づかざるをえない。それは、じつのところすでに完全没入型のバーチャル・シミュレーションの技術は開発されており、しかも自分はこれまでの人生ずっと気づかずにバーチャル世界のうちで生きてきた（例えば生まれてからずっと脳へ直接介入するタイプの完全没入型のバーチャル世界の中にいる）、という可能性である。

はたして自分は、作り物でない真の世界を生きているのか。それとも何らかの仕方でシミュレートされた仮想的な世界を生きているのか。これは——本書でも繰り返し考察される問いだが——古くから存在する哲学の問題の、現代的にアップデートされたバージョンだと言える。例えば哲学の伝統においては《私たちは自分がいま夢を見ている可能性を排除できない》ということを論拠として、もしかすると私たちがいま見ている世界は夢まぼろしではないのかと問われてきた。ここで「夢を見ている可能性」を「シミュレーションの世界の中で生きている可能性」で置き換えると、現代バージョンの問いが出来上がる。はたして私たちは自分がいまシミュレーションの世界の中にいる可能性を排除できるだろうか。すなわち例えば、『マトリックス』のネオのように、自分では気づかずに機械の生み出す仮想の世界を生きている、という可能性を排除できるだろうか。そして、もしそれができなければ、いかにして私たちは自分がいま生きている世界が偽りのバーチャル世界でないことを確かめられるのだろうか。

これが本書で取り組まれる中心的な問題である。チャーマーズはこれにさまざまな角度からアプローチするのだが、彼は究極的には《私たちは自分がシミュレーションの世界を生きている可能性を排除できない》という点を認める。では自分が偽りの世界を生きている可能性は排除できないのか。自分が作り物でない真の世界を生きていることは確かめられないのか。自分の生きている世界がリアルな実在世界であることを知る術はないのか。

この問いへのチャーマーズの答えは「ある」というものだ。彼の考えでは、たしかに私たちは自分がシミュレートされた世界を生きている可能性を排除できないが、それでも私たちは《世界に現れる多くの事物は幻覚や錯覚の類でない》と確認できる。そしてこの答えを導くさいに決定的な役割を果たすのが本書の最重要の主張のひとつ、すなわち先述の《バーチャルな事物も真の実在の一部だ》という考え方である。

この考え方にはよく分かるところがある。じっさい、仮に私たちがこれまでずっとコンピュータでシミュレートされたデジタル世界に（それと気づかずに）生きてきたとすれば、はたして私たちがこれまで見てきた事物は幻覚や錯覚であったことになるだろうか。いや、この場合には、そのデジタル世界のネコや机や山が、私たちにとってのリアルなネコや机や山になるのではないか。たとえデジタル事物であったとしても、私たちが出会ってきたネコは、呼べば「ニャン」と鳴くことがあり、寒い日には寄ってきて膝の間で暖をとり、そのお返しとしてモフモフで癒やしてくれる。仮にすべてがバーチャル世界の内部の出来事であったとしても、私たちにとってのネコ（この場合はデジタルのネコ）が私たちにとっての真のネコなのであって、「じっさいにはネコなどいなかった」と述べる必要はない（そしてチャーマーズはさらに《そのように述べると間違いになる》とも論じるのである）。

実在（リアリティ）の概念を捉え直す

以上を踏まえると、デジタルでバーチャルだからと言って、それを「フェイク」と見なす必要はないと言える。バーチャルと非バーチャルの区別は、リアルでないものとリアルなものの区別とは一致しない。例えば「このネコはバーチャルだがリアルだ」というのは正当に主張可能な命題だ。もちろん、仮に私たちがシミュレートされたバーチャル世界で生きているとすれば、私たちのこれまで信じていたことのいくつかは誤りであったことになるだろう。とはいえ、その範囲は限定的である。そして目の前に机があることや空が青いことやネコがモフモフしていることは、たとえそれがバーチャル世界で生じているとしても、そのために幻覚や錯覚になってしまうことはない。チャーマーズもこんな具合に考えて（しかもこれをていねいに議論して）、《バーチャルな事物も真の実在の一部たりうる》と主張するのである。

ところでこうした立場をとると何が言えるか。この場合――先の問いへ戻ると――たとえ自分がシミュレーションの世界のうちにいるという可能性を排除できなくても、私たちが出会う多くのものが決して「フェイク」ではなくリアルな事物だと言ってよいことになる。こうなると、たとえ《自分は機械の生み出すバーチャル世界を生きている》という可能性が排除できなくても、《自分は偽りの世界を生きているのかもしれない》と悩む必要はなくなる。このようにチャーマーズは、実在（リアリティ）の概念を捉え直し、私たちをして真の世界を生きていると確信せしめる世界観を提示するのである。

だいたい以上のようなこと（そしてこれと関連して指摘できるさまざまなこと）をチャーマーズは本書においてたいへん詳細かつ精密に論じている。その正確な議論は本文を読んでフォローすべきものであるから、この解説では次の点を強調しておきたい。すなわち、とりあえずたったいま説明された内容をしっかり押さえたうえで本書に取り組むのがよいと言えるかもしれない、と。なぜなら、その内容を押さえておくと、そこを土台として他のさまざまな議論も理解しやすくなるだろうからだ。

哲学の鬼才チャーマーズとは

本書は一般向けの著作であるので、ここまではできるだけ明快に、同書を読むために役立つことを述べた。他方で読者のみなさんの多くは《現代の哲学において著者デイヴィッド・J・チャーマーズはどんなポジションにいるのか》ということも知りたいであろうから、以下その点を説明する。

デイヴィッド・J・チャーマーズ。オーストラリアの哲学者。1966年生まれ。『意識する心』の著者。「心の哲学」における反物理主義の立場で有名。PhilPapers（フィルペーパーズ）すなわち哲学の文献にかんする情報を集めた便利なウェブサイトを運営する。

いったい現代の哲学においてチャーマーズはどのような位置づけを得ているのか――この問いへ答えるには、それに先立って現代の哲学の状況を押さえる必要がある。ではいったい現代の哲学のシーンはどのようなものか。それは第一次近似として〈分析哲学と大陸哲学というふたつの流れの並存〉というかたちで捉えられる。とはいえ「分析哲学」や「大陸哲学」とは何か。

ひとつずつ順序立てて説明していこう。

少し気取った表現を使うと、現代の哲学はふたつの互いに相容（あいい）れない思潮が一定の緊張感のもとで対峙（たいじ）しながら展開してきた、と言うことができる。この〈ふたつの思潮〉とはもちろん先述の「分析哲学」と「大陸哲学」である。

一方の「分析哲学」と呼ばれる思潮は、現代論理学や集合論などの形式的な学問を背景とした〈論理分析〉を武器とする学系であり、もっぱら英語圏でヘゲモニーを得ている。古くはラッセルやウィトゲンシュタイン、より新しくはクリプキやデイヴィドソンなどの名を連ねるトレンドがそれである。他方の「大陸哲学」と呼ばれる思潮は、現象学やマルクス主義や精神分析などの西洋の一種の「伝統的な」思想にその根の一端をもつ学統（スクール）であり、例えばフランスやドイツやイタリアで普及している。その流れのビッグ・ネームを挙げれば、ハイデッガーやアーレント、あるいはドゥルーズやデリダなどである。

たしかに――すでにこのふたつの流れについてよく知っているひとへの注記だが――こうした二分法（すなわち「分析哲学 vs 大陸哲学」という二分法）はだんだんと時代遅れのものになってきており、例えばスタンリー・カヴェルのような、こうした枠組みからはみ出す哲学者も現れてきている。さらには、そうした二分法を〈疑うことのできない所与〉として哲学を語り始める、という道行きについても反省の余地が生まれている。だがそれでも問題の二分法は、少なくとも今のところは、現代哲学の歩みを整理するさいに頼らざるをえない図式でもある。それゆえ、この解説でもこの図式を使い続けたい。ただしそのさい《かかる二分法の根拠は揺らぎつつある》という現状を忘れないようにしたいと思う（これは解説者自身の自戒である）。

形而上学への回帰

本題へ戻ろう。現代の哲学の状況およびそこにおけるチャーマーズの位置づけという話題であった。じつに――たったいま触れたように――分析哲学と大陸哲学とは互いに意識し合いつつ反発し合いながらそれぞれ独自の変化を遂げてきた。とはいえ、それらはここ数十年において注目すべき共通点をもつに至っている。ふたつの異なる流れが重なり合い、交錯している、ということだ。しかもけっこうディープに関わり合っているのである。ではいったいその共通点とは何か。それは〈形而上学に真正面から取り組むこと〉があらためて行なわれ始めたという共通のトレンドである。

「形而上学（metaphysics）」――これは、単純化して言えば、〈実在の根本構造を多かれ少なかれ思弁的な仕方で探究する〉という学のことである。これが物理学などの自然科学とどのような点で異なるかと言えばその「思弁的な」側面である（形而上学者は、実験などにはほとんど頼らず、概念と思考の力を通じて実在の根本構造へアプローチする！）。このタイプの学は、分析哲学においても大陸哲学においても、かつて何かしらの仕方で批判の対象になった。すなわち《形而上学を回避することが重要だ》と考えられることがしばしばあったのである（その理由は両思潮のあいだで異なるとしても）。とはいえ現在、ふたつの思潮の少なからぬ哲学者がこのタイプの探究に身を捧げている。もちろん「この変化は進歩なのか」はさらに問われうる事柄であるが、いずれにせよ次の点は確言できる。すなわち、《分析哲学と大陸哲学の双方において形而上学が真正面から取り組まれている》というのは現代の哲学の特徴的な状況だ、と。

話を少し具体化しよう。大陸哲学では現在、カンタン・メイヤスーやグレアム・ハーマンのような「思弁的実在論者」の名で括られる形而上学志向の哲学者たちが活躍している。他方で分析哲学の流れにおいては、デイヴィッド・ルイスを始祖のひとりとし、より最近では例えばグレアム・プリーストトなどが取り組むところのいわゆる「分析形而上学」のムーブメントがある。もちろん——これも詳しいひと向けの注だが——こうしたトレンドにもかかわらず、マルクス・ガブリエルの提唱する新実存主義のような「反形而上学的な」立場も存在しており、現代哲学は決して一枚岩だとは言えない。とはいえそれでもやはり《ふたつの思潮に共通して、近年ますます多くの形而上学者が見出されるようになった》という事実は否定できない。

話がここまで進めば〈現代哲学におけるデイヴィッド・J・チャーマーズの位置づけ〉も摑(つか)むことができる。すなわち、以上で指摘した近年の動向、いわば「現代哲学における形而上学への回帰」というトレンドへ目を向けることによって、現代哲学の大きな流れにおけるチャーマーズのポジションもそれとして明らかになるのである。では再度問おう。いったい彼の位置づけはどのようなものか。

答えて言えば、チャーマーズは分析哲学の流れに属する哲学者だが、同時に論理分析を武器とするこの思潮における形而上学の代表格のひとりである。例えば彼の有名な意識研究は、経験科学の領分をはるかに跨(また)ぎ越し、実在の根本構造のうちに心的な要素を見出す「汎心論(はんしんろん)」に一定のアドバンテージを認めたりする。そして——ここが重要だが——こうした研究は彼がたんにスタンド・プレー的に行なっていることではなく、むしろ〈形而上学に真正面から取り組む〉という現代哲学の特徴的な流れの一環と解されうるのである。要点を繰り返せば次だ。すなわち、現代哲学の全体に〈形而上学への回帰〉という現象が観察できるが、これを実践しかつ推進している第一人者のひとりがデイヴィッド・J・チャーマーズである、と。

本書の3つの特徴

前段の点が押さえられた場合に確認しうる事柄がいくつかある。

第一に、この本はバーチャル・リアリティを論じる一般向けの哲学書であるが、それはさらに具体的かつ本質的に〈形而上学に取り組む書物〉とも解されねばならない。先ほど形而上学を〈実在の根本構造を多かれ少なかれ思弁的な仕方で探究する学問〉と捉えたが、この本においてもこうしたことが試みられる。そして、チャーマーズが形而上学者である以上、形而上学的な探究こそが本書の中心的な仕事であると見なされる。したがって、本書ではファッショナブルなトピックがいろいろと取り上げられるが、読者の側はその衣装のしたに生身の形而上学を見出す必要がある。もちろん本書の楽しみ方は複数存在してよい。とはいえ、最も本来的な読み方はそれを形而上学の著作と読むことだ、という点は明記しておきたい。

第二に、この本がもたらしうるインパクトの射程は広い、という点も強調しておきたい。というのも本書は例えば分析哲学というローカルな文脈に押し込められた作品ではなく、むしろ現代哲学全体の大きな流れに位置づけられるものだからだ。それゆえ哲学研究者（プロとアマチュアとを問わず）や哲学愛好家に向けて次のように言われねばならない。すなわち、本書は、分析哲学者だけが読んでそれで済ませられるものではなく、大陸哲学の系統の者にとっても舐読（しどく）のうえで検討されるべき「必読書」だ、と。少なくとも形而上学に取り組みたいと考えているひとにとっては、学統を問わず絶対的に「マストの」作品である。

第三に、この本は分析哲学と大陸哲学の並行的対立という近年だんだんと取り去られてきている「垣根」の土台をさらに掘り崩すようなポテンシャルを具（そな）える、という点にも触れておきたい。本書はやはり依然として分析哲学のスタイルの作品であるが、その形而上学的な関心とそこで提示される内容において大陸哲学を好む者へも大いにアピールするところがあるだろう。遠い将来においてどうなっていくかは分からないが(というのも歴史は本質的に予測できないものなので)、《形而上学を基軸として分析哲学と大陸哲学とがクロスオーバーする》というのは現在進行しつつある出来事だと言える――そしてこの本はそうした流れをますます加速する力のひとつなのである。

本書の読みどころ

本書の中心的主張のひとつは《バーチャルな事物も真の実在たりうる》というものだ。こうした主張は、たしかにそこから社会設計のための指針などが引き出されうるのだが(そして本書ではそうした点にも触れられる)、第一には「形而上学的な」ものと解されるのがよいだろう。すなわち、著者は実在(リアリティ)の概念を捉え直すことで実在の根本構造をめぐる新たな見方を提示している、と解されるのがよいのである。加えて、本書では以上の解説で取り上げられなかったさまざまな立場が提示されるが(例えば第22章の構造実在論など)、それらも全体としてはチャーマーズの形而上学的提案の一環と見なされるのがよい。なぜなら、そのように見なすことで、本書の企ては〈形而上学に真正面から取り組む〉という現代哲学の特徴的な潮流のうちに位置づけられるからだ。もちろん――先にも述べたように――この本の読み方は複数あってよい。とはいえ、哲学の現代史・同時代史における本書の位置づけをはっきりさせたいときには、それを〈形而上学への回帰〉の文脈に置かないわけにはいかない。本書はまさに「現代哲学的な」作品だが、その理由は、決してたんにVRなどのトレンディな話題が取り上げられているからではなく、むしろ〈形而上学に真正面から取り組む〉という現代的な動向に新たな一頁(ページ)を加える作品であるからだ、と言えるのである。

最後に、解説者（山口）は本書の校閲の役目も担ったのであるが、それにかかわる注意点を述べておきたい――以下はどちらかと言えば専門家向けの注意である。

校閲は〈邦訳原稿を読んで修正の必要な箇所を指摘する〉という仕方で行なわれた。そのさいVRなどの今日的話題を取り上げるという本書の特性上、可能な限り早急に出版することが求められるため、邦訳の一文一文を原文と照らし合わせてチェックするなどの厖大な時間のかかる作業は割愛せざるをえなかった。その結果、《原稿において意味が通ってしまったために修正すべき点を見逃す》という事態の可能性は排除されていないのだが、それでも（そうした事態が起こる可能性が低いことに加えて）完成した高橋氏の訳文は、どの箇所も論理的に筋の通った内容明快なものとなっている――それゆえ自信をもって世に送り出したい。そして、なお残存する哲学的不備にかんしては、校閲者たる私に第一の責任があると明記しておきたい。

また、この訳書は一般向けのものであるので、例えばチャーマーズの挙げた具体例のうち、「かえって混乱を招く」と編集部で判断したものが2点ほど省かれたりしている。私（山口）は《専門書ではこうした省略は行なわれないほうがよい》と考えているが、あくまで本書は一般向けの作品であるので、こうした道行きも「可」だと思う。とはいえ、専門家のうちには本書を専門書として使うひともいるだろうから、そうしたひとには「具体例などが若干異なっている箇所がある」という点は明確にお伝えしておきたい。

2023年2月

訳者あとがき

哲学者のデイヴィッド・J・チャーマーズの*REALITY+: Virtual Worlds and the Problems of Philosophy*をお届けする。

著者のチャーマーズは、1966年にオーストラリアで生まれ、オーストラリアとイギリスでコンピュータ科学と数学を学んだあと、専攻を哲学に変え、渡米して、インディアナ大学で学んだ。現在は、ニューヨーク大学で哲学を教えている。心や意識、言語、科学に関する哲学を研究しており、数冊の著作がある。邦訳されているのは、『意識する心――脳と精神の根本理論を求めて』(2001年)と『意識の諸相(上下)』(2016年)の2冊だ。

哲学は英語では「フィロソフィー」といい、その語源は、「知恵を愛する」という意味を持つギリシア語の「フィロソフィア」にある。物事の根本原理を探究する学問で、世界や人間、精神、神、善悪などの根本を深く考えて、あきらかにしようとする。哲学は他の学問の培養器の働きをしてきて、哲学的な問いから物理学、経済学、社会学、心理学、現代論理学など多くの学問が生まれてきた。なんだかむずかしいことばかり考えていそうだが、そんなことはない。たとえば、ソクラテスやプラトンは恋愛の本質について考えて、ソクラテスはアテナイの住人に「恋愛って何だと思う?」と聞いてまわったというし、その弟子のプラトンの思想から「プラトニックラブ」という概念が生まれた。

とにかく哲学者は好奇心と探究心が旺盛で、考えることが好きな人だ。チャーマーズは本書で「哲学者は質問ばかりしている子どもと同じだ」と書いているが、彼自身もまさにそのとおりで、あれこれと質問をし、思考実験をし、考えつづける。「よくここまで考えるものだ」とあきれるほどだ。本書では、VR（バーチャル・リアリティ）とシミュレーションのこれからの進歩と、それが人類や社会に及ぼすであろう影響について、多方面から考察している。ゲームや映画、SF小説など、私たちになじみのある話題から始めて、意識や実在などの哲学的テーマを展開している。ジャンルで言うと『ソフィーの世界』や『ハーバード白熱教室講義録＋東大特別授業』と同じ一般向けの哲学本（「ポピュラー・サイエンス」とは違い、「ポピュラー・フィロソフィー」という言葉は一般的ではない）となる。哲学的考察なので、論じられていないテーマもある。たとえば、VRが社会や国家の形をどう変えていくか、VR世界の経済が実体経済や通貨制度に与える影響などの大きなテーマが残されているが、それは別の研究を待とう。

近年、VR技術の進歩はめざましい。10年前のVRはいかにも「つくりもの」「現実もどき」だったが、今ではまるで現実世界のように感じられ、それでいて、空を飛ぶ、宇宙旅行をするなど現実では不可能なことができるものも出てきた。進歩がさらに続くのはまちがいない。そのため、VRには一般に「仮想現実」という訳語が当てられるが、もはやその訳語はそぐわないものになっている。そこで、VRを「現実感を人工的に生みだすもの」と定義し、「人工現実感」「実質現実感」という訳語にすることが提案されている。

ここが現実なのかVRの世界なのかわかりにくくなり、現実とVRの境界がぼやけていくであろう近未来について考える本書では、訳す際の言葉選びがなかなか大変だった。「バーチャル世界」「バーチャル空間」に対比する言葉としては「現実世界」「現実空間」がなじみ深いが、チャーマーズは「バーチャル世界は錯覚でも虚構でもなくリアルなもので、そこも現実なのだ」と主張しているので、「現実」という言葉が使いにくい場合があり、「現実世界」「現実空間」は「物理的世界」「物理的空間」とした。「リアル」「リアリティ」はそのままとしたが、「リアル」は「本物」の意味が当てはまる場面が多いだろう。

VR世界が良いか悪いか議論するのはもはやムダだろう。いずれそれが普及する時代はやってくるのだから。ゲノム解析など現代の生命科学でわかってきたことは、「ヒトの生命をつきつめていけばデジタル情報である」ということだ。DNA分子を演算装置として利用するDNAコンピュータの研究も進んでいる。それならば、人間とデジタル世界の親和性は高いのかもしれない。

本書は「VRと心に関する初の本格的な研究書」だと言え、数十年後には、VRと心に関する先駆的研究書という位置づけをされていても不思議ではない。本書の第18章でも紹介されるが、哲学者のフィリッパ・フットが〈暴走する路面電車の思考実験〉を考えだしたのは1967年だった。ブレーキの壊れた路面電車の進行方向に5人の人間がいる。進行方向を変えるとそちらにはひとりの人間がいる。進路を変えるべきか否か？　答えの出しにくいこの問題を、哲学者のみならず多くの者がこれまで議論してきた。ずっと思考実験だったが、50年たった今、自動運転車の走行プログラムで現実問題となっている。自動走行する車の前に、人や動物、ものが飛び出してきて、避けようとする方向に人や動物、ものがある場合にどうするか。これはまさに暴走する路面電車の問題だ（不思議なことに、今のところこの問題が自動運転車のニュースでとりあげられることは少ない）。本書で考察される質問や想定には、今は読んでもピンと来ないものもあるだろうが、10年後、20年後には暴走路面電車問題と同じように、現実問題となって注目されるものがあるはずだ。

翻訳にあたっては、原文のややくどいところをすっきりさせ、日本の読者にはぴんとこない箇所を少し削った。とにかくボリュームがある本なので、最初から最後まで読み通すのにはかなりの覚悟とエネルギーと時間が必要になる。とりあえず省エネで読みたい人は、第9章までの総論部分を読んだあとに、第9章の終わりに書かれている読み方ガイドに従って、第10章以降は興味のある章を読まれるのがいいかもしれない。

最後に、翻訳にあたり大変お世話になった方にお礼を言いたい。まずは校閲をしてくれた山口尚先生。専門である哲学はもちろんのこと、科学知識も豊富、英語も堪能で、本当に頼りになりました。そして、丁寧なチェックをしてくれた校正の酒井清一さん、NHK出版編集部のみなさん。ありがとうございました。

2023年2月

高橋則明

る）。以下を参照のこと。Robert Allinson, *Chuang-Tzu for Spiritual Transformation: An Analysis of the Inner Chapters* (SUNY Press, 1989).
[7] サイト付録。
[8] サイト付録。
[9] Sean M. Carroll, "Why Boltzmann Brains Are Bad," arXiv:1702.00850v1 [hep-th], 2017. ボルツマン脳における自己否定的な信念に関しては以下を参照。Bradley Monton, "Atheistic Induction by Boltzmann Brains," in J. Wall and T. Dougherty, eds., *Two Dozen (or So) Arguments for God: The Plantinga Project* (Oxford University Press, 2018).
[10] サイト注記。

*URLは2022年1月の原書刊行時のものです。

[9] サイト付録。
[10] Slavoj Žižek, “From Virtual Reality to the Virtualization of Reality” in *Electronic Culture: Technology and Visual Representation*, ed. Tim Druckrey (Aperture, 1996), 290-95.
[11] 以下を参照のこと。Robert Kane, ed., *The Oxford Handbook of Free Will*, 2nd ed. (Oxford University Press, 2011); John Martin Fischer, Robert Kane, Derk Pereboom, and Manuel Vargas, *Four Views on Free Will* (Blackwell, 2007); Daniel Dennett, *Elbow Room: The Varieties of Free Will Worth Wanting* (MIT Press, 1984).〔ダニエル・デネット『自由の余地』戸田山和久訳、名古屋大学出版会、2020年〕
[12] Thomas Kuhn, *The Structure of Scientific Revolutions* (University of Chicago Press, 1962).〔トーマス・クーン『科学革命の構造』中山茂訳、みすず書房、1971年〕
[13] プラトンの対話篇に出てくる各イデアの出典：大きさ Large：*Phaedo* 100b〔「パイドン」『プラトン全集1』所収、今林万里子ほか訳、岩波書店、2005年復刊〕など。正方形：*Republic* 6 510d〔『国家』藤沢令夫訳、岩波書店、2009年改版〕。ソリッド：*Meno* 76a〔『メノン』藤沢令夫訳、岩波書店、1994年〕に暗示されている。美：*Republic* V 475e-476d〔『国家』〕など。善：*Republic* V 476a〔『国家』〕など。

第24章　私たちは夢の世界のボルツマン脳なのか?

[1] Bertrand Russell, *The Analysis of Mind* (George Allen & Unwin, 1921), 159-60.〔バートランド・ラッセル『心の分析』竹尾治一郎訳、勁草書房、1993年〕
[2] サイト注記。
[3] この訴えにはひとつの制約がある。すなわち、この訴えは、複雑な仮説に低い信頼度を与えることを正当化できるかもしれないが、その説を誤りだとまでは証明できないのだ。私はコインが20回続けて表となることに当然ながら自信を持てないが、それが絶対に起きないとは言えない。だが、その疑いに対しては、厳格には知識と呼べるかどうかは関係なく、自分の信念に強い信頼度があることを正当化することで妥協できるだろう。
[4] Greg Egan, “Learning to Be Me,” *Interzone* 37, July 1990.〔グレッグ・イーガン「ぼくになることを」『祈りの海』所収、山岸真 編訳、早川書房、2000年〕
[5] Peter B. Lloyd (“A Review of David Chalmers' Essay, ‘The Matrix as Metaphysics,’” 2003, DOI:10.13140/RG.2.2.11797.99049), ここでロイドは、バークリー的観念論の見方から私の分析に返答している。バークリーの神でさえも、効率面からシミュレーションにショートカット（ジャストインタイム方式）を使っているかもしれない、とロイドは言う。
[6] 荘子自身の議論は、蝶と荘子両方の現実を強調する点で、バーチャル・リアリズムの要素がある（だが私の分析とは異なり、荘子は蝶と荘子の違いを強調する分析になってい

of Science and Philosophy, ed. Robert Colodny (University of Pittsburgh Press, 1962), 35-78.

[2] Wilfrid Sellars, “Is Consciousness Physical?” *The Monist* 64 (1981): 66-90.

[3] サイト注記。

[4] Patricia S. Churchland, *Neurophilosophy* (MIT Press, 1987); Paul M. Churchland, *A Neurocomputational Perspective* (MIT Press, 1989).

[5] Friedrich Nietzsche, “Nachgelassene Fragmente”（未発表断片）(1871) in *Kritische Studienausgabe*, vol. 7 (De Gruyter, 1980), 352.

[6] ガリレオは *Il Saggiatore* (1623)〔『偽金鑑識官』山田慶兒、谷泰訳、中央公論新社、2009年〕で次のように書いている。「客観的実在に関するかぎり、それらの味やにおい、色などは、私たちの感覚を持つ肉体に独占的に宿る何かを指す単なる名前にすぎない。だから、もしも知覚を持つ生き物が殺されれば、それらの質は存在から消されることになる」（以下に掲載。*Introduction to Contemporary Civilization in the West*, 2nd edition, vol. 1, trans. A. C. Danto [Columbia University Press, 1954], 719-24）

[7] 空間機能主義について、私は自著の *Constructing the World* (Oxford University Press, 2012) の第7章で語り、さらなる考察を以下でおこなっている。“Three Puzzles about Spatial Experience” (in *Blockheads: Essays on Ned Block's Philosophy of Minds and Consciousness*, eds. Adam Pautz and Daniel Stoljar [MIT Press, 2017]) and “Finding Space in a Nonspatial World,” in *Philosophy beyond Spacetime*, eds. Christian Wüthrich, Baptiste Le Bihan, and Nick Huggett (Oxford University Press, 2021). 物理学における時空の機能主義の議論に関しては以下を参照のこと。Eleanor Knox, “Physical Relativity from a Functionalist Perspective,” *Studies in History and Philosophy of Modern Physics* 67 (2019): 118-24; and other articles in the *Philosophy beyond Spacetime*.

[8] 構造主義者と機能主義者による空間の分析について、私はそれをシミュレーションおよび懐疑的シナリオに当てはめて、いくつか疑問を指摘したが、それに対する反応は以下を参照のこと。Jonathan Vogel, “Space, Structuralism, and Skepticism,” in *Oxford Studies in Epistemology*, vol. 6 (2019); Christopher Peacocke, “Phenomenal Content, Space, and the Subject of Consciousness,” *Analysis* 73 (2013): 320-29; and also Alyssa Ney, “On Phenomenal Functionalism about the Properties of Virtual and Non-Virtual Objects,” *Disputatio* 11, no. 55 (2019): 399-410; and E. J. Green and Gabriel Rabin, “Use Your Illusion: Spatial Functionalism, Vision Science, and the Case against Global Skepticism,” *Analytic Philosophy* 61, no. 4 (2020): 345-78.

懐疑論に関する他の論文の中で、もしも他者に心がないのならば、多くの通常の物質的事物は存在していない、と言っている。たとえば、心に存在の根拠を置く都市や教会、クラブはなくなる。それが正しければ、他者の心の存在を確立しないという構造主義者による反懐疑論的戦略は、社会的実体の存在を確立させられない。そして社会領域に関する懐疑論は否定されないまま残ってしまうのだ。それでも、原子や細胞、樹木、惑星などの物質的事物はその存在を他者の心に依存していないと考えるのが妥当だ。もしもそうならば、他者の心の存在を疑う懐疑論が、日常の物質世界に関する懐疑論につながることはない。

[14] カントのこの見方は興味深いことに、老子の『道徳経』(『老子』ともいう)〔『老子』蜂屋邦夫訳、岩波書店、2008年〕の有名な書き出しに似たところがある。道教創設に貢献した仕事のひとつである『道徳経』は「道の道とすべきは常の道にあらず」という文章で始まっている。一方、カントは次のように言う。「私たちがものについて知ることのできること、そのものに名前をつけることは、物自体とは関係ない」。このテーマのくわしいことは以下を参照のこと。Martin Schönfeld, "Kant's Thing in Itself or the Tao of Königsberg," *Florida Philosophical Review* 3 (2003): 5-32.

[15] 私は "The Matrix as Metaphysics" (2003) に次のように書いた。「私たちはマトリックスの中にいると誰かが言うとき、カントの言う物自体はコンピュータ自体の一部を意味する」。バリー・デイントンもまた、"Innocence Lost: Simulation Scenarios: Prospects and Consequences" (2002, https://philarchive.org/archive/DAIILSv1) で、シミュレーション説と超越論的観念論との結びつきを指摘している(「カントの用語では、共同社会の多様性があるバーチャル世界は、超越論的観念論的なものであっても、経験的にリアルである」)。Eric Schwitzgebelも "Kant Meets Cyberpunk," *Disputatio* 11, no. 55 (2019): 411-35 で同じことを言っている。

[16] Rae Langton, *Kantian Humility: Our Ignorance of things in Themselves* (Oxford University Press, 1998).

[17] Xから構造へそしてイット説と密接に関係するひとつの見方は、ラムゼイ文を使ったアプローチであり、以下を参照のこと。David Lewis, "Ramseyan Humility," in *Conceptual Analysis and Philosophical Naturalism*, eds. David Braddon-Mitchell and Robert Nola (MIT Press, 2008). ドイツの哲学者アルトゥール・ショーペンハウアーは1818年の著作 *The World as Will and Representation*〔『意志と表象としての世界』西尾幹二訳、中央公論新社、2004年〕において、カントの不可知のXの代わりにたびたび、「意志」という名の可知で経験可能なものを置いて解釈をおこなった。ショーペンハウアーは〈意志から構造へそしてイット説〉の見方をしていると言えるかもしれない。

第23章　私たちはエデンの園から追放されたのか?

[1] Wilfrid Sellars, "Philosophy and the Scientific Image of Man," in *Frontiers*

(Routledge, 1963); Hilary Putnam, “What Is Mathematical Truth?” in *Mathematics, Matter, and Method* (Cambridge University Press, 1975).

[5] Carnap, *The Logical Structure of the World*; Bertrand Russell, *The Analysis of Matter* (Kegan Paul, 1927); John Worrall, “Structural Realism: The Best of Both Worlds?” *Dialectica* 43 (1989): 99-124; James Ladyman, “What Is Structural Realism?” *Studies in History and Philosophy of Science Part A* 29 (1998): 409-24.

[6] Frank Ramsey, “Theories,” in *The Foundations of Mathematics and Other Logical Essays* (Kegan Paul, Trench, Trubner, 1931), 212-36.

[7] Cheryl Misak, *Frank Ramsey: A Sheer Excess of Powers* (Oxford University Press, 2020).

[8] 「性質」は非論理的で非数学的な言葉のように聞こえるかもしれないが、「そこに対象が存在する」と同じように、存在記号∃を使って論理として形式化することができる。「そこに性質が存在する」は2階述語論理に形式化できる。

[9] Max Tegmark, *Our Mathematical Universe* (Vintage Books, 2014).〔マックス・テグマーク『数学的な宇宙——究極の実在の姿を求めて』谷本真幸訳、講談社、2016年〕

[10] 構造主義者による世界の構成に関するさまざまな主張については、私の書*Constructing the World* の第8章で触れている。

[11] ひとつの物理理論が他の理論を真とするのはいつかを、一般的に分析するつもりはない。いつであるかは、それらの理論が持つ正確な構造的内容にかかわる多くの微妙な問題によって決まる。ひとつの難問が、いわゆる〈ホログラフィック原理〉とそれに関連するAdS/CFT対応から発生している(以下を参照のこと。Leonard Susskind and James Lindesay, *An Introduction to Black Holes, Information and the String Theory Revolution: The Holographic Universe* [World Scientific, 2005])。そこでは、より高次元のひも理論(たとえば、球体の3次元内部に関する)が低次元の量子論(たとえば、球体の2次元の表面に関する)などと数学的に同型であるように見える。ホログラフィック原理およびシミュレーション説とのつながりについてはサイト注記で話そう。

[12] これに関して、私はよりくわしい議論を以下でしている。“Structuralism as a Response to Skepticism,” *Journal of Philosophy* 115 (2018): 625-60. 外部世界の懐疑論に対応するために構造主義を利用している先人の論考がある。物理哲学者Lawrence Sklarの1982年の“Saving the Noumena” (*Philosophical Topics* 13, no. 1) という論文の一文だ。Sklarは、世界を「水槽の中の脳を使って説明することは、世界を通常の事物で説明することと等価である」(p. 98) と論じた。しかしすぐに、その考えは道具主義に近すぎるとして放棄している。

[13] Grace Heltonは、“Epistemological Solipsism as a Route to External-World Skepticism” (*Philosophical Perspectives*, forthcoming) と、構造主義および

(2012): 51-73; Peter Godfrey-Smith, "Triviality Arguments against Functionalism," *Philosophical Studies* 145 (2009): 273-95; Matthias Scheutz, "What It Is Not to Implement a Computation: A Critical Analysis of Chalmers' Notion of Computation," *Journal of Cognitive Science* 13 (2012): 75-106; Mark Sprevak, "Three Challenges to Chalmers on Computational Implementation," *Journal of Cognitive Science* 13 (2012): 107-43; and Gualtiero Piccinini, *Physical Computation: A Mechanistic Account* (Oxford University Press, 2015). 私は以下でその一部に返答している。"The Varieties of Computation," *Journal of Cognitive Science* 13 (2012): 211-48.

第22章　実在は数学的構造なのか?

[1] Rudolf Carnap, *Der Logische Aufbau der Welt* (Felix Meiner Verlag, 1928). Translated as *The Logical Structure of the World* (University of California Press, 1967). ウィーン学団の歴史に関する手に入れやすい資料は以下を参照のこと。David Edmonds, *The Murder of Professor Schlick: The Rise and Fall of the Vienna Circle* (Princeton University Press, 2020); and Karl Sigmund, *Exact thinking in Demented Times: The Vienna Circle and the Epic Quest for the Foundations of Science* (Basic Books, 2017). この章の冒頭の文は以下にインスパイアされた。Anders Wedberg, "How Carnap Bult the World in 1928," *Synthese* 25 (1973): 337-41.

[2] "Die physikalische Sprache als Universalsprache der Wissenschaft," *Erkenntnis* 2 (1931): 432-65. Translated as "The Physical Language as the Universal Language of Science" in *Readings in Twentieth-Century Philosophy*, eds. William P. Alston and George Nakhnikian (Free Press, 1963), 393-424. 〔ルドルフ・カルナップ「科学の普遍言語としての物理的言語」竹尾治一郎訳 (坂本百大編『現代哲学基本論文集1』所収、勁草書房、1986年)〕

[3] Claude Lévi-Strauss, *The Elementary Structures of Kinship* (Presses Universitaires de France, 1949) 〔クロード・レヴィ=ストロース『親族の基本構造』福井和美訳、青弓社、2000年〕; レヴィ=ストロースは次のソシュールの著作から影響を受けた。Ferdinand de Saussure, *Course in General Linguistics* (Payot, 1916) 〔フェルディナン・ド・ソシュール『新訳 ソシュール一般言語学講義』町田健訳、研究社、2016年〕. そして、ルイ・アルチュセール、ミシェル・フーコー、ジャック・ラカンら多くに影響を与えた。

[4] 以下を参照のこと。Juha Saatsi, ed., *The Routledge Handbook of Scientific Realism* (Routledge, 2020); Ernst Mach, *The Science of Mechanics*, 1893 〔エルンスト・マッハ『マッハ力学史——古典力学の発展と批判』岩野秀明訳、筑摩書房、2006年〕; J. J. C. Smart, *Philosophy and Scientific Realism*

[14] Donald Davidson, "A Coherence Theory of Truth and Knowledge," in *Truth and Interpretation Perspectives on the Philosophy of Donald Davidson*, ed. Ernest Lepore (Blackwell, 1986)〔ドナルド・デイヴィドソン『真理と解釈』野本和幸ほか訳、勁草書房、1991年〕; Richard Rorty, "Davidson versus Descartes," in *Dialogues with Davidson: Acting, Interpreting, Understanding*, ed. Jeff Malpas (MIT Press, 2011).

第21章　塵(ちり)の雲はコンピュータプログラムで動いているのか?

[1] Greg Egan, *Permutation City* (Orion/Millennium, 1994).〔グレッグ・イーガン『順列都市』山岸真訳、早川書房、1999年〕
[2] 塵にはその状態間の因果性が欠けているのではないかという指摘も含めて、塵理論の哲学的議論に関しては以下を参照のこと。Eric Schwitzgebel, "The Dust Hypothesis," *The Splintered Mind* weblog (January 21, 2009).
[3] Doron Swade, *The Difference Engine: Charles Babbage and the Quest to Build the First Computer* (Viking Adult, 2001); Christopher Hollings, Ursula Martin, and Adrian Rice, *Ada Lovelace: The Making of a Computer Scientist* (Bodleian Library, 2018).
[4] サイト注記。
[5] Hilary Putnam, *Representation and Reality* (MIT Press, 1988)〔ヒラリー・パトナム『表象と実在』林泰成ほか訳、晃洋書房、1997年〕; John Searle, *The Rediscovery of the Mind* (MIT Press, 1992).〔ジョン・R・サール『ディスカバー・マインド!——哲学の挑戦』宮原勇訳、筑摩書房、2008年〕
[6] David J. Chalmers, "On Implementing a Computation," *Minds and Machines* 4 (1994): 391-402; David J. Chalmers, "Does a Rock Implement Every Finite-State Automaton?," *Synthese* 108, no. 3 (1996): 309-33.
[7] サイト注記。
[8] サイト注記。
[9] サイト注記。
[10] 2020年のPhilPapersの調査では、哲学者の54%が自然法則に関する反ヒュームの見方を受けいれているか、気持ちが傾いている。反ヒュームの見方とは、重力の法則などの法則は規則性以上のものを含むと考える。31%が法則とは規則性の問題だと考えるヒュームの見方を受けいれているか、気持ちが傾いている。因果関係に関する見方も似た分布になることは納得がいく。
[11] コンピュータを実現する制約として私があげる制約でさえ、簡単に満たされうる、と主張する哲学者がいる。以下を参照のこと。Curtis Brown, "Combinatorial-State Automata and Models of Computation," *Journal of Cognitive Science* 13, no.1

この見方は第9章と第22章で紹介する構造主義と相性がよい。とりわけ、役割を構造論的用語で根本的に特定できると考える場合には好相性だ。

[8] Tyler Burgeは、“Individualism and the Mental,” *Midwest Studies in Philosophy*, 4 [1979]: 73-122 の中で、あらゆる言葉、「7」や「コンピュータ」という言葉ですら、その意味は、多くの話者の「頭の外」にありうると論じる。どんな場合にそうありうるかと言えば、自分の属する言語コミュニティの内部で、他人と違った仕方で語る者の場合である。私は、話者は熟練者で、言葉の意味を他人にゆだねないと仮定することで、この種の社会的外在主義を除外している。私の解釈による外在主義者の（あるいは双子地球のような）言葉は、文字や音声はそっくりだが、同じ言葉で異なる対象を指す双子が存在することになる。「水」はこの意味で外在主義的言葉だが、「7」はそうではない。

[9] 私は *Constructing the World*、とくにそのサイト追記21の中で、それらの言葉を「non-Twin-Earthable（非双子地球的）」と呼び、よりくわしい定義をしている。もしも内在主義的な言葉があるとして、どの言葉がそれに該当するかはむずかしい問題だ。私の見方では、内在主義的言葉は、因果関係的／心的不変のカテゴリーとおおよそ一致している（第10章の注［15］で述べている）。あるいはそれ以上に、構造的（論理的、数学的、因果関係のある）、および心的な言葉（*Constructing the World* の第8章を参照のこと）と一致しているのだ。

[10] David J. Chalmers, “Two-Dimensional Semantics,” in *The Oxford Handbook of the Philosophy of Language*, eds. Ernest Lepore and Barry C. Smith (Oxford University Press, 2006).

[11] Astrid Ensslin, *The Language of Gaming* (Palgrave Macmillan, 2012); Astrid Ensslin and Isabel Balteiro, eds., *Approaches to Videogame Discourse* (Bloomsbury, 2019); Ronald W. Langacker, “Virtual Reality,” *Studies in the Linguistic Sciences* 29, no. 2 (1999): 77-103; Gretchen McCulloch, *Because Internet: Understanding the New Rules of Language* (Riverhead Books, 2019).〔グレッチェン・マカロック『インターネットは言葉をどう変えたか――デジタル時代の〈言語〉地図』千葉敏生訳、フィルムアート社、2021年〕

[12] “Skepticism Revisited: Chalmers on *The Matrix* and Brains-in-Vats,” *Cognitive Systems Research* 41 (2017): 93-98 の中でRichard Hanleyは、もしも、「私はシミュレーションの中にいない」というような信念が、シミュレーションの中では誤りだとすれば、結局、シミュレーションは懐疑的シナリオでありうる、と主張する。第6章で話したとおり、私の返答は次のとおりだ。「あるシミュレーションにおいて、このようなことについて私たちはまちがった理論的考えを持っているかもしれないが、それで日常生活における信念が疑問視されることはない」

[13] Hilary Putnam, *Reason, Truth and History* (Cambridge University Press, 1981), 14.〔ヒラリー・パトナム『理性・真理・歴史』野本和幸ほか訳、法政大学出版局、1994年〕

第20章　バーチャル世界で私たちの言葉はどういう意味を持つか？

[1] Douglas R. Hofstadter, "A Coffeehouse Conversation on the Turing Test," *Scientific American*, May 1981. Reprinted in *The Mind's I: Fantasies and Reflections on Self and Soul*, eds. Daniel C. Dennett and Douglas R. Hofstadter (Basic Books, 1981)〔D.R.ホフスタッター、D.C.デネット編著『マインズ・アイ――コンピュータ時代の「心」と「私」』坂本百大監訳、ティービーエス・ブリタニカ、1992年〕. ホフスタッターは *Le Ton beau de Marot* (Basic Books, 1997), 312-17で、「シムタウン」や「シムボウル」の議論によってこのシミュレーション・リアリズムを発展させている。また、AIプログラムSHRDLUを使ったテーブルの上のバーチャルブロックの世界を論ずる中で（p.510）、一種のバーチャル・リアリズムを表明している。「しかしながら、テーブルに実体があるかないかは重要ではない。なぜなら、真に重要なのは、その状況における対象のパターンだからだ。そして、それらのパターンは物理的存在の有無にまったく影響されないのだ」

[2] 大陸哲学の概観は以下を参照のこと。Richard Kearney and Mara Rainwater, eds., *The Continental Philosophy Reader* (Routledge, 1996). 分析哲学の歴史は以下を参照のこと。Scott Soames, *The Analytic Tradition in Philosophy*, vols. 1 and 2 (Princeton University Press, 2014, 2017).

[3] 以下を参照のこと。Michael Beaney's *The Frege Reader* (Blackwell, 1997).

[4] Gottlob Frege, "Über Sinn und Bedeutung" (in *Zeitschrift für Philosophie und philosophische Kritik* 100 (1892): 25-50. Translated as "On Sense and Reference" (in Beaney's *The Frege Reader*).〔ゴットロープ・フレーゲ『フレーゲ著作集4　哲学論集』土屋俊訳、黒田亘、野本和幸編、勁草書房、1999年〕

[5] Bertrand Russell, "On Denoting," *Mind* 14, no.56. (1905): 479-93〔バートランド・ラッセル「指示について」『現代哲学基本論文集1』所収、清水義夫ほか訳、勁草書房、1986年〕; and "Knowledge by Acquaintance and Knowledge by Description," *Proceedings of the Aristotelian Society* 11 (1910-11): 108-27.

[6] Saul Kripke, *Naming and Necessity* (Harvard University Press, 1980)〔ソール・クリプキ『名指しと必然性――様相の形而上学と心身問題』八木沢敬、野家啓一訳、産業図書、1985年〕; Hilary Putnam, "The Meaning of Meaning," in *Language, Mind, and Knowledge*, ed. Keith Gunderson (University of Minnesota Press, 1975), 131-93; Ruth Barcan Marcus, *Modalities: Philosophical Essays* (Oxford University Press, 1993).

[7] 外在主義のこの解釈は、クリプキが批判した記述主義の要素を残しているようであり、議論を呼んでいる。だが私は自著の *Constructing the World* やほかの場所で、その弱いバージョンを擁護している（このバージョンでは、水の役割は明示的に特定されず、話者によってその意味が変わりうるし、「水」という言葉の使用法にも違いが出てくる）。

Automation and Utopia: Human Flourishing in a World without Work (Harvard University Press, 2019). ノージックのメタ・ユートピアに関する哲学的分析は以下を参照のこと。Ralf M. Bader, "The Framework for Utopia," in *The Cambridge Companion to Nozick's Anarchy, State, and Utopia*, eds. Ralf M. Bader and John Meadowcroft (Cambridge University Press, 2011).

[16] Matthew Gault, "Billionaires See VR as a Way to Avoid Radical Social Change," *Wired*, February 15, 2021. ジョン・カーマックの発言は以下から引用している。the *Joe Rogan Experience*, episode 1342, 2020.

[17] 人工的な希少性の極端な形は、ブロックチェーン技術を通したデジタルの芸術作品や事物に付属する非代替性トークン（NFT）において発生する。NFTは明白な効用をもたらしてくれるわけでも、その所有者として認められるわけでもないのに、NFTのために大金を払う人たちがいる。希少性それ自体に価値があるように見える。こうした機能的効用のない人工的な希少性はぜいたく品に適用されるにすぎない。しかしながら、便利な品物において極端ではない人工的な希少性も、市場というシステムにおいて発生することが期待される。

[18] 技術進歩がもたらす失業の経済的・哲学的問題に関するさらなる議論は以下を参照のこと。Erik Brynjolffson and Andrew McAfee, *The Second Machine Age* (W. W. Norton, 2014)〔エリック・ブリニョルフソン、アンドリュー・マカフィー『ザ・セカンド・マシン・エイジ』村井章子訳、日経BP、2015年〕; Danaher, *Automation and Utopia*; Aaron James, "Planning for Mass Unemployment: Precautionary Basic Income," in *Ethics of Artificial Intelligence*, ed. Matthew Liao (Oxford University Press, 2020).

[19] Elizabeth Anderson, "What Is the Point of. Equality?" *Ethics* 109, no. 2 (1999): 287-337. 最近の関係論的な平等論については以下を参照のこと。Samuel Scheffler, "The Practice of Equality," in *Social Equality: On What it Means to be Equals*, eds. C. Fourie, F. Schuppert, and I. Wallimann-Helmer (Oxford University Press, 2015); Daniel Viehoff, "Democratic Equality and Political Authority," *Philosophy and Public Affairs* 42 (2014): 337-75; and Niko Kolodny, *The Pecking Order* (Harvard University Press, forthcoming). 非支配としての自由の概念に関しては以下を参照のこと。Philip Pettit, *Republicanism: A Theory of Freedom and Government* (Oxford University Press, 1997).

[20] Kimberlé Crenshaw, "Mapping the Margins: Intersectionality, Identity Politics, and Violence against Women of Color," *Stanford Law Review* 44 (1991): 1241-99. 以下も参照のこと。Angela Davis, *Women, Race, and Class* (Knopf Doubleday, 1983); and Patricia Hill Collins, *Black Feminist thought: Knowledge, Consciousness and the Politics of Empowerment* (Hyman, 1990).

Understanding the Morality of Games," *International Game Developers Association*, 2002, http://www.igda.org/articles/rreynoldsethics.php.
[6] Monique Wonderly, "Video Games and Ethics," in *Spaces for the Future: A Companion to Philosophy of Technology*, eds. Joseph C. Pitt and Ashley Shew (Routledge, 2018), 29-41.
[7] Robin S. Rosenberg, Shawnee L. Baughman, and Jeremy N. Bailenson, "Virtual Superheroes: Using Superpowers in Virtual Reality to Encourage Prosocial Behavior," *PLOS ONE* (January 30, 2013), DOI:10.1371/journal.pone.0055003.
[8] Mel Slater, Angus Antley, Adam Davison, David Swapp, Christoph Guger, Chris Barker, Nancy Pistrang, and Maria V. Sanchez-Vives, "A Virtual Reprise of the Stanley Milgram Obedience Experiments," *PLOS ONE*, https://doi.org/10.1371/journal.pone.0000039.
[9] Erick Jose Ramirez and Scott LaBarge, "Real Moral Problems in the Use of Virtual Reality," *Ethics and Information Technology* 4 (2018): 249-63.
[10] Michael Madary and Thomas K. Metzinger, "Real Virtuality: A Code of Ethical Conduct," *Frontiers in Robotics and AI* 3 (2016): 1-23.
[11] "Identification with the Superior I," Chinese Text Project, https://ctext.org/mozi/identification-with-the-superior-i/ens.
[12] Thomas Hobbes, *Leviathan* i. xiii. 9.〔トマス・ホッブズ『リヴァイアサン』角田安正訳、光文社、2014-18年〕
[13] 以下を参照のこと。Peter Ludlow and Mark Wallace, *The Second Life Herald: The Virtual Tabloid that Witnessed the Dawn of the Metaverse* (MIT Press, 2007). バーチャル世界の統治については以下を参照のこと。Peter Ludlow, ed., *Crypto Anarchy, Cyberstates, and Pirate Utopias* (MIT Press, 2001).
[14] Pétur Jóhannes Óskarsson, "The Council of Stellar Management: Implementation of Deliberative, Democratically Elected, Council in EVE," https://www.nytimes.com/packages/pdf/arts/PlayerCouncil.pdf. 以下も参照のこと。Nicholas O'Brien, "The Real Politics of a Virtual Society," *The Atlantic*, March 10, 2015.
[15] このシナリオは、ロバート・ノージックが *Anarchy, State, and Utopia*〔『アナーキー・国家・ユートピア』〕で示したユートピアの概念に少し似ている。それは、無数の異なる社会がさまざまな方法で組織化される〈メタ・ユートピア〉だ。デジタルとバーチャルのメタ・ユートピアに関するくわしいことは以下を参照のこと。"Could Robert Nozick's Utopian Framework Be Created on the Internet?" (*Polyblog*, September 9, 2011, https://polyology.wordpress.com/2011/09/09/the-internet-and-the-framework-for-utopia; Mark Silcox, *A Defense of Simulated Experience: New Noble Lies* (Routledge, 2019); and John Danahaer,

験できなくなることだ。Peter Carruthersは “Sympathy and Subjectivity,” (*Australasian Journal of Philosophy* 77 [1999]: 465-82) において、部分的バルカン人を “Phenumb” と呼び、道徳的身分を与えることを唱えている。Phenumbは欲望が満たされても、満たされなくても感情を経験することはないが、痛みやそれ以外の情動は経験できる。

[11] 以下を参照のこと。David Benatar, *Better Never to Have Been: The Harm of Coming into Existence* (Oxford University Press, 2006).

[12] 悪の問題について、シミュレーションによる最初の解決策を提示したのは、私の知るかぎり次のものだ。Barry Dainton in “Innocence Lost: Simulation Scenarios: Prospects and Consequences,” 2002, https://philarchive.org/archive/DAILSv1; また、以下も参照のこと。Dainton's “Natural Evil: The Simulation Solution” (*Religious Studies* 56, no.2 (2020): 209-30, DOI:10.1017/S0034412518000392). デイントンのアイデアに関する議論については以下を参照のこと。David Kyle Johnson, “Natural Evil and the Simulation Hypothesis,” *Philo* 14, no. 2 (2011): 161-75; and Dustin Crummett, “The Real Advantages of the Simulation Solution to the Problem of Natural Evil,” *Religious Studies* (2020): 1-16. シミュレーション神義論については以下を参照のこと。Brendan Shea, “The Problem of Evil in Virtual Worlds,” in *Experience Machines: The Philosophy of Virtual Worlds*, ed. Mark Silcox (Rowman & Littlefield, 2017).

第19章　バーチャル社会をどのようにつくるべきか？

[1] Julian Dibbell, “A Rape in Cyberspace,” *Village Voice*, December 21, 1993. Reprinted in his *My Tiny Life: Crime and Passion in a Virtual World* (Henry Holt, 1999).

[2] Jessica Wolfendale, “My Avatar, My Self: Virtual Harm and Attachment,” *Ethics and Information Technology* 9 (2007): 111-19.

[3] Morgan Luck, “The Gamer's Dilemma: An Analysis of the Arguments for the Moral Distinction between Virtual Murder and Virtual Paedophilia,” *Ethics and Information Technology* 11, no. 1 (2009): 31-36.

[4] Nathan Wildman and Neil McDonnell, “The Puzzle of Virtual Theft,” *Analysis* 80, no. 3 (2020): 493-99. そこでは、オランダ最高裁の判決を引用している。「バーチャルのアイテムは品物と見なすことができ、それゆえに窃盗犯罪の対象となりうる」。以下を参照のこと。Hein Wolswijk, “Theft: Taking a Virtual Object in RuneScape: Judgment of 31 January 2012, case no. 10/00101 J,” *The Journal of Criminal Law* 76, no. 6 (2012): 459-62.

[5] Ren Reynolds, “Playing a ‘Good’ Game: A Philosophical Approach to

第18章　シミュレートされた命は重要か？

[1] G. E. M. Anscombe, *Intention* (Basil Blackwell, 1957)〔エリザベス・アンスコム『インテンション——行為と実践知の哲学』柏原達也訳、岩波書店、2022年〕. Mary Midgley, *Beast and Man: The Roots of Human Nature* (Routledge & Kegan Paul, 1978); Iris Murdoch, *The Sovereignty of Good* (Routledge & Kegan Paul, 1970).〔アイリス・マードック『善の至高性——プラトニズムの視点から』菅豊彦、小林信行訳、九州大学出版会、1992年〕

[2] Philippa Foot, "The Problem of Abortion and the Doctrine of Double Effect," *Oxford Review* 5 (1967): 5-15.

[3] Judith Jarvis Thomson, "Killing, Letting Die, and the Trolley Problem," *The Monist* 59, no. 2 (April 1976): 204-17.

[4] サイト注記。

[5] G. E. M. Anscombe, "Modern Moral Philosophy," *Philosophy* 33, no. 124 (January 1958): 1-19.

[6] Yu Jiyuan and Lei Yongqiang, "The Manifesto of New-Confucianism and the Revival of Virtue Ethics," *Frontiers of Philosophy in China* 3 (2008): 317-34.

[7] 以下を参照のこと。Nancy E. Snow, ed., *The Oxford Handbook of Virtue* (Oxford University Press, 2018)。2020年のPhilPapersの調査では、回答者の32%が義務論を支持し、31%が帰結主義を、37%が徳倫理学を支持している。2009年の同調査では、徳倫理学は最下位だった。数字を厳密に比較することはできないが、時間要因による縦断的分析では、他の選択肢に比べて徳倫理学は人気を増していることがわかる。

[8] 道徳的身分に関する概観については以下を参照のこと。Agnieszka Jaworska and Julie Tannenbaum, "The Grounds of Moral Status," *Stanford Encyclopedia of Philosophy* (Spring 2021), https://plato.stanford.edu/entries/grounds-moral-status/. AIシステムの道徳的身分については以下を参照のこと。Matthew Liao, "The Moral Status and Rights of Artificial Intelligence," in *The Ethics of Artificial Intelligence*, ed. Matthew Liao (Oxford University Press, 2020); and Eric Schwitzgebel and Mara Garza, "Designing AI with Rights, Consciousness, Self-Respect, and Freedom," in *Ethics of Artificial Intelligence*, ed. Matthew Liao.

[9] Peter Singer, *Animal Liberation* (Harper & Row, 1975).〔ピーター・シンガー『動物の解放』戸田清訳、人文書院、改訂版、2011年〕

[10] "The woman who doesn't feel pain," BBC Scotland News, March 28, 2019。部分的バルカン人のような病気がある。たとえば、痛覚失認は、痛みは認識するが、痛いという感情体験がない状態である。また無快感症は、楽しさやうれしさを経

Institute, October 1962.
[7] Martin Heidegger, *Being and Time*, trans. J. Macquarrie and E. Robinson (Blackwell, 1962), 98.〔ハイデガー『存在と時間』熊野純彦訳、岩波書店、2013年ほか〕
[8] Nicholas Carr, "Is Google Making Us Stupid?," *The Atlantic* (July-August 2008).
[9] Michael Patrick Lynch, *The Internet of Us* (W. W. Norton, 2016), xvi-xvii.
[10] Amir-Homayoun Javadi et al., "Hippocampal and Prefrontal Processing of Network Topology to Simulate the Future," *Nature Communications* 8 (2017): 14652.

第17章　バーチャル世界で良き生を送ることができるのか？

[1] サイト注記。
[2] Robert Nozick, *Anarchy, State, and Utopia* (Basic Books, 1974), 44-45.〔ロバート・ノージック『アナーキー・国家・ユートピア――国家の正当性とその限界』嶋津格訳、木鐸社、1994年〕
[3] 2021年1月5日の電子メール。
[4] Barry Dainton, "Innocence Lost: Simulation Scenarios: Prospects and Consequences," 2002, https://philarchive.org/archive/DAIILSv1; Jon Cogburn and Mark Silcox, "Against Brain-in-a-Vatism: On the Value of Virtual Reality," *Philosophy & Technology* 27, no. 4 (2014): 561-79.
[5] Robert Nozick, "The Pursuit of Happiness," *Forbes*, October 2, 2000.
[6] サイト注記。
[7] Thomas Carlyle, 1840/1993, *On Heroes, Hero-Worship, and the Heroic in History* (University of California Press, 1993).〔トーマス・カーライル『英雄崇拝論』老田三郎訳、岩波書店、復刊2003年〕
[8] サイト注記。
[9] *The Examined Life: Philosophical Meditations* (Simon & Schuster, 1989).〔ロバート・ノージック『生のなかの螺旋――自己と人生のダイアローグ』井上章子訳、青土社、1993年〕
[10] *A Defense of Simulated Experience* (Routledge, 2019) の中でMark Silcoxは次のように論じている。シミュレートされた経験はバーチャル世界での経験を含むが、それに限るものではない。その経験は、「ユニークなタイプの人間的幸福のユニークな源泉」になるかもしれない、と（p.81）。その根拠は、そうした経験が持つ社会的文脈と政治的文脈における特別な役割に求められる。

第16章　ARは心を拡張するのか?

[1] Charles Stross, *Accelerando* (Penguin Random House, Ace reprint, 2006).〔チャールズ・ストロス『アッチェレランド』酒井昭伸訳、早川書房、2009年〕

[2] Andy Clark and David Chalmers, "The Extended Mind," *Analysis* 58 (1998): 7-19。外部プロセスは認知プロセスとよく似ていることを最初に主張したのが私たちでないことは確かで、そのアイデアは以下に見られる。Daniel Dennett, *Kinds of Minds* (Basic Books, 1996)〔ダニエル・C・デネット『心はどこにあるのか』土屋俊訳、筑摩書房、2016年ほか〕; John Haugeland, "Mind Embodied and Embedded," in Y. Houng and J. Ho, eds., *Mind and Cognition* (Academica Sinica, 1995); Susan Hurley, "Vehicles, Contents, Conceptual Structure and Externalism," *Analysis* 58 (1998): 1-6; Edwin Hutchins, *Cognition in the Wild* (MIT Press, 1995); Ron McClamrock, *Existential Cognition* (University of Chicago Press, 1995); Carol Rovane, "Self-Reference: The Radicalization of Locke," *Journal of Philosophy* 90 (1993): 73-97; Francisco Varela, Evan Thompson, and Eleanor Rosch, *The Embodied Mind* (MIT Press, 1995); Robert Wilson, "Wide Computationalism," *Mind* 103 (1994): 351-72; and many others. さらにさかのぼれば、イギリス出身の人類学者グレゴリー・ベイトソンやアメリカの哲学者John Dewey、ヨーロッパの現象学者であるマルティン・ハイデッガーとモーリス・メルロー=ポンティ、カナダのメディア文明論者Marshall McLuhan、ロシアの心理学者Lev Vygotskyの名があげられる。

[3] Richard Dawkins, *The Extended Phenotype* (Oxford University Press, 1982).〔リチャード・ドーキンス『延長された表現型——自然淘汰の単位としての遺伝子』日高敏隆ほか訳、紀伊國屋書店、1987年〕

[4] Robert D. Rupert, *Cognitive Systems and the Extended Mind* (Oxford University Press, 2009); Frederick Adams and Kenneth Aizawa, *The Bounds of Cognition* (Wiley-Blackwell, 2008); Richard Menary, ed., *The Extended Mind* (MIT Press, 2010); Annie Murphy Paul, *The Extended Mind: The Power of thinking Outside the Brain* (Houghton Mifflin Harcourt, 2021).

[5] xkcd: "A Webcomic of Romance, Sarcasm, Math, and Language," https://xkcd.com/903/.

[6] J. C. R. Licklider, "Man-Computer Symbiosis," *IRE Transactions on Human Factors in Electronics* HFE-1 (March 1960): 4-11; W. Ross Ashby, *An Introduction to Cybernetics* (William Clowes & Sons, 1956). 以下も参照のこと。Douglas Engelbart, "Augmenting Human Intellect: A Conceptual Framework," Summary Report AFOSR-3233, Stanford Research

Knowledge: New Essays on Consciousness and Physicalism, eds. Torin Alter and Sven Walter (Oxford University Press, 2007).

[8] 以下を参照のこと。Godehard Brüntrup and Ludwig Jaskolla, eds., *Panpsychism: Contemporary Perspectives* (Oxford University Press, 2017); Philip Goff, *Galileo's Error: Foundations for a New Science of Consciousness* (Pantheon, 2020); David Skrbina, *Panpsychism in the West* (MIT Press, 2007). 過去の汎心論者には、マーガレット・キャヴェンディッシュ(*The Blazing World*, 1666)、ゴットフリート・ヴィルヘルム・ライプニッツ(*Monadology*, 1714)〔ライプニッツ『モナドロジー 他二篇』谷川多佳子ほか訳、岩波書店、2019年〕、バールーフ・デ・スピノザ(*Ethics*, 1677)〔スピノザ『エチカ(スピノザ全集3)』上野修ほか編訳、岩波書店、2022年〕などがいる。

[9] 以下を参照のこと。Keith Frankish, ed., *Illusionism as a Theory of Consciousness* (Imprint Academic, 2017). 歴史的に見ると、トマス・ホッブズ(*De Corpore*, 1655)〔ホッブズ『物体論』本田裕志訳、京都大学学術出版会、2015年〕からデイヴィッド・アームストロング(*A Materialist Theory of the Mind*, 1968)まで、唯物論の哲学者には錯覚主義(イリュージョニズム)の要素がある。

[10] *The Complete Works of Zhuangzi*, trans. Burton Watson (Columbia University Press, 2013).〔荘子『荘子 外篇』福永光司訳、筑摩書房、2013年〕

[11] 2020年のPhilPapersの調査では、回答者の89%がネコには意識があると答えた。ハエに意識があると考える者は35%、生まれたばかりの赤ちゃんに意識があると答えた者は84%、現在のAIシステムは3%、将来のAIシステムでも39%にとどまった(ちなみに、意識を否定する者は27%で、残りはさまざまな形で回答を保留した)。

[12] サイト注記。

[13] 精神アップロードと機械の意識について、よりくわしいことは次の私の論文を参照のこと。"Mind Uploading: A Philosophical Analysis," in *Intelligence Unbound: The Future of Uploaded and Machine Minds*, eds. Russell Blackford and Damien Broderick (Wiley-Blackwell, 2014). ここでの議論は私の著作 *The Conscious Mind*〔『意識する心』〕の第7章でくわしく述べている。パーソナル・アイデンティティ(人格的同一性)の関連する分析については以下を参照のこと。Derek Parfit, *Reasons and Persons* (Oxford University Press, 1984).〔デレク・パーフィット『理由と人格——非人格性の倫理へ』森村進訳、勁草書房、1998年〕

[14] Susan Schneider, *Artificial You: AI and the Future of Your Mind* (Princeton University Press, 2019).

[15] 2020年のPhilPapersの調査では、精神アップロード(デジタル・エミュレーションによって脳を入れかえること)について、哲学を職業とする者の27%が、それは生が存続する一形態だと答え、54%が死の一形態だと考えた。

[9] これは心身問題に関するライプニッツの予定調和説と少し似たところがある。ただし、ライプニッツは、心身のあいだに因果的相互作用はまったく存在しないと考えていた。
[10] Daniel C. Dennett, "Where Am I?," in *Brainstorms* (MIT Press, 1978).

第15章　デジタル世界に意識は存在しうるか?

[1] Russell Blackford and Damien Broderick, eds., *Intelligence Unbound: The Future of Uploaded and Machine Minds* (Wiley-Blackwell, 2014).
[2] David J. Chalmers, *The Conscious Mind: In Search of a Fundamental Theory* (Oxford University Press, 1996). 〔デイヴィッド・J・チャーマーズ『意識する心――脳と精神の根本理論を求めて』林一訳、白揚社、2001年〕
[3] ハードプロブレムに関する私の最初の論文は "Facing Up to the Problem of Consciousness," *Journal of Consciousness Studies* 2, no. 3 (1995): 200-219。その論文およびそれに対する26本の応答と私の再応答を載せたものは、Jonathan Shear, ed., *Explaining Consciousness: The Hard Problem* (MIT Press, 1997).
[4] ライプニッツは1714年の *Monadology* 〔『モナドロジー・形而上学叙説』清水富雄ほか訳、中央公論新社、2005年〕の中で、脳を「工場」にたとえている。「もしも工場内部に入れたとしても、そこには互いに作用しあう部品があるだけで、知覚を説明するものは決して見つからない」。これがハードプロブレムを最初に明確に述べたものかどうかは意見が分かれるところだ。トマス・ハクスリーは1866年の *Lessons in Elementary Physiology* の中で、より明確に述べている。「まるでアラジンが魔法のランプをこするとランプの精ジンが現れるように、神経組織を刺激する結果として意識の状態が生じるのは説明不能なことであり、注目すべきことだ」。私はこの問題の歴史を以下で概観している。"Is the Hard Problem of Consciousness Universal?" *Journal of Consciousness Studies* 27 (2020): 227-57.
[5] Thomas Nagel, "What Is It Like to Be a Bat?" *The Philosophical Review* 83, no. 4 (1974): 435-50.
[6] Frank Jackson, "Epiphenomenal Qualia," *The Philosophical Quarterly* 32, no. 127 (1982): 127-36. 以下も参照のこと。Peter Ludlow, Y. Nagasawa, and D. Stoljar, eds., *There's Something about Mary: Essays on Phenomenal Consciousness and Frank Jackson's Knowledge Argument* (MIT Press, 2004).
[7] Knut Nordby, "Vision in a Complete Achromat: A Personal Account," in *Night Vision: Basic, Clinical and Applied Aspects*, eds. R. F. Hess, L. T. Sharpe, and K. Nordby (Cambridge University Press, 1990). Knut Nordby, "What Is This Thing You Call Color? Can a Totally Color-Blind Person Know about Color?" in *Phenomenal Concepts and Phenomenal*

原注

「サイト注記」「サイト付録」は、本書のオンラインサイト（consc.net/reality〔英語〕）に掲載されている。

第14章　バーチャル世界で、心と体はどう相互作用するか?

[1] Christopher G. Langton, Charles Taylor, J. Doyne Farmer, and Steen Rasmussen, eds., *Artificial Life II* (Santa Fe Institute, 1993).

[2] Larry Yaeger, "The Vivarium Program," http://shinyverse.org/larryy/VivHist.html.

[3] David J. Chalmers, "How Cartesian Dualism Might Have Been True," February 1990, https://philpapers.org/rec/CHAHCD.

[4] Kwame Gyekye, "The Akan Concept of a Person," *International Philosophical Quarterly* 18 (1978): 277-87, reprinted in *Philosophy of Mind: Classical and Contemporary Readings*, 2nd edition, ed. D. J. Chalmers (Oxford University Press, 2021); Avicenna (Ibn Sina), *The Cure*, ca. 1027, excerpted as "The Floating Man" in *Philosophy of Mind*, ed. Chalmers.

[5] René Descartes, *Meditations on First Philosophy* (Meditations 2 and 6, 1641)〔ルネ・デカルト『省察』山田弘明訳、筑摩書房、2006年ほか〕and *Passions of the Soul* (1649)〔『情念論』谷川多佳子訳、岩波書店、2008年ほか〕, both excerpted in *Philosophy of Mind*, ed. Chalmers.

[6] Lisa Shapiro, ed. and trans., *The Correspondence between Princess Elisabeth of Bohemia and René Descartes* (University of Chicago Press, 2007)〔『デカルト=エリザベト往復書簡』山田弘明訳、講談社、2001年〕. Excerpted in Chalmers, ed., *Philosophy of Mind*.

[7] Eugene Wigner, "Remarks on the Mind-Body Question," in *The Scientist Speculates*,ed. I. J. Good (Heinemann, 1961); David J. Chalmers and Kelvin J. McQueen, "Consciousness and the Collapse of the Wave Function," in *Consciousness and Quantum Mechanics*, ed. Shan Gao (Oxford University Press, 2022).

[8] Graham Harvey, *The Handbook of Contemporary Animism* (Routledge, 2013). 先住民族のアニミズムにルーツを持つ現代のアニミズムについては以下を参照のこと。Val Plumwood, "Nature in the Active Voice," *Australian Humanities Review* 46 (2009): 113-29.

ビットからイット説：物理的な実在を含む物質的事物はビットでできている。つまり、その基礎には、ビットの相互作用を含むデジタル物理学があるとする説。

没入感：没入型環境の中で、私たちはその環境を自分のまわりにある世界として感じ、その中心に自分がいると感じること。

ボルツマン脳：宇宙空間にある物質のランダムな揺らぎによって、偶然に生まれた人間の脳とまったく同じもの。

メタバース：人々がさまざまな形で社会的に交流しながら、時間を過ごし、日々の生活を営むことのできるバーチャル世界（別項）、もしくはバーチャル世界のシステム（「バーチャル世界の総和」と言いかえられる）。

リアリティ：少なくとも3つの意味がある。（1）存在するものすべて（全宇宙＝コスモス）（2）現実もしくはバーチャルの世界。複数の世界が存在することもありうる。（3）リアリティの性質とは、次の項目のリアルを測る5つの基準に従い、リアルである状態、もしくは、リアルであることという性質となる。

リアル：第6章で紹介した、あるものがリアルかどうかを測る5つの基準（＝リアリティ・チェックリスト——存在、因果的力、心からの独立、非錯覚、本物）を参照してほしい。

も含む。

デカルト的懐疑：外部世界の知識を疑う一形式。夢や悪魔のシナリオなどにより私たちは現実と接触できていないので、外部世界について実質的に何も知らないとする見方。

デカルト的二元論：心と体は別物であるとするデカルトの考えに関係する見方。非物質的な心と物質的な体が影響を与えあう。

デジタル事物：ビット構造、あるいは、（物質的事物が原子でできているように）ビットでできている事物。

二元論：心と体はまったく別物だとする見方。

認識論：知識を研究する学問。

バーチャル世界：インタラクティブでコンピュータ生成の世界。

バーチャル・デジタリズム：バーチャル事物はデジタル事物（別項）だとする主張。

バーチャル内含：Xというカテゴリーや言葉について、バーチャルXを本物のXと見なすときは「バーチャル内含」と言い、見なさないときは「バーチャル除外」と言う。

バーチャル・フィクショナリズム（虚構論）：バーチャル世界（別項）とバーチャル事物は虚構であるとする主張。

バーチャル・リアリズム：バーチャル事物は錯覚ではなくリアルだという主張を強調し、VRは真の実在だとする主張。

バーチャル・リアリティ（VR、仮想現実）：没入型でインタラクティブでコンピュータ生成の世界。

非純正シミュレーション：シミュレーションと接続された「水槽の中の脳」のように、シミュレートされていない一部の生き物がいるシミュレーション。

構造的だと言う。

功利主義：人は、もっとも多くの人に最大のよいことをなすべきだ、という主張。

コスモス：存在するすべてのもの。

錯覚：物事が見た目とは異なるとき。より狭い哲学的な意味は、リアルな事物を知覚するが、それが見た目とは異なるとき。

実現する：低いレベルの存在でより高いレベルの存在をつくるときに、とくにこの言葉を使う。たとえば、原子は分子をつくり、分子は細胞をつくることを「実現する」と表現する。

シミュレーション説（シミュレーション仮説）：私たちはコンピュータ・シミュレーションの中にいるという仮説。つまり、私たちはすべての入力を、人工的に設計されたコンピュータ・シミュレーションの世界から受けとり、すべての出力をそこに対しておこなっているという。

シミュレーション・リアリズム（実在論）：私たちがシミュレーションの中にいるならば、まわりの事物は錯覚ではなくリアルだとする考え方。

シミュレーション論証：ハンス・モラヴェックによるシミュレーション説に関する統計的論証、あるいは、ニック・ボストロムによるシミュレーション説など3つの説における3つの選択肢に関する統計的論証。

シム：コンピュータ・シミュレーションの中にいる生き物。純正シムはシミュレーション内部でシミュレートされた生き物で、バイオシムはシミュレーションと接続している生物学的生き物である。

純粋ビットからイット説：現実を構成する基本要素はビットであり、それより基本のものはないという考えと、ビットからイット説（別項）が結合した説。

純正シミュレーション：シミュレートされた人間など、純正シムだけからなるシミュレーション。

世界：現実でもバーチャルでも、完全に相互接続された空間。その中にあるすべてのもの

用語解説
（五十音順）

意識：心と世界に関する主観的経験。認識や感情、思考、行動などの意識的経験を含む。その生き物であると感じられるという主体性が存在するとき、その生き物には意識がある。

イットからビットへそしてイット説：ビットからイット説（別項）と、そのビットはより基本的な存在でつくられているという説を結合したもの。

宇宙：世界（別項）と同じ。

懐疑論：私たちは何も知らないという見方。ここでのその中心的な形は、私たちは外部世界について何も知らない、という見方だ。

外在主義：私たちの言葉や思考の意味は周囲の環境によって決まるとする考え。

拡張現実（AR）：現実世界を認識しながら、そこでバーチャル事物を経験できるようにするテクノロジー。

完全シミュレーション：対象の世界を、「おおよそ」ではなく、「正確に」シミュレートしたシミュレーション。

観念論：実在は根本的には心的なものである、あるいは、すべてが心の中にある、という見方。そのバークリー版は、「存在することは知覚されることである」（エッセ・エスト・ペルキピ）というスローガンに関連している。

検証主義：真偽の検証が可能な主張だけが意味がある、とする見方。

構造主義（もしくは構造実在論）：科学理論は構造理論と同じだと考える説。その構造理論は観察結果と結びついた数学によって表すことができる。認識論的構造実在論は、科学は現実の構造を私たちに教えるだけだと言う（現実には構造以上のものがありそうなのにもかかわらず）。存在論的構造実在論は、現実それ自体がすべて

［著者］
デイヴィッド・J・チャーマーズ
DAVID J. CHALMERS
1966年オーストラリア、シドニー生まれ。哲学者および認知科学者。ニューヨーク大学哲学教授、同大学の心・脳・意識センター共同ディレクター。アデレード大学で数学とコンピュータサイエンスを学ぶ。オックスフォード大学でローズ奨学生として数学を専攻後、インディアナ大学で哲学・認知科学のPh.D.を取得。ワシントン大学マクドネル特別研究員（哲学・神経科学・心理学）、カリフォルニア大学教授（哲学）、アリゾナ大学教授（哲学）、同大学意識研究センターのアソシエイトディレクターなどを歴任。専門は心の哲学、認識論、言語哲学、形而上学。2015年ジャン・ニコ賞受賞。著書に『意識する心――脳と精神の根本理論を求めて』（白揚社）、『意識の諸相』（春秋社）など。

［訳者］
高橋則明
たかはし・のりあき
翻訳家。立教大学法学部卒業。訳書にジョン・ロビンズ『100歳まで元気に生きる！』（アスペクト）、クリス・アンダーソン『フリー』、ケン・シーガル『Think Simple』、ペドロ・G・フェレイラ『パーフェクト・セオリー』、ネイサン・ウルフ『パンデミック新時代』（以上、NHK出版）など。

［解説］
山口尚
やまぐち・しょう
1978年生まれ。京都大学総合人間学部卒業。京都大学大学院人間・環境学研究科博士後期課程修了。博士（人間・環境学）。現在は大阪工業大学非常勤講師、京都大学非常勤講師。専門は、形而上学、心の哲学、宗教哲学、自由意志について。著書に『哲学トレーニングブック』（平凡社）、『日本哲学の最前線』（講談社）、『難しい本を読むためには』（筑摩書房）、『幸福と人生の意味の哲学』『人間の自由と物語の哲学』（以上、トランスビュー）など。

校閲
山口尚

校正
酒井清一

本文組版
アップライン株式会社

編集
川上純子、塩田知子

リアリティ＋(プラス)
（下）
バーチャル世界をめぐる哲学の挑戦

2023年3月25日　第1刷発行

著者
デイヴィッド・J・チャーマーズ

訳者
高橋則明

発行者
土井成紀

発行所
NHK出版
〒150-0042
東京都渋谷区宇田川町10-3
電話　0570-009-321（問い合わせ）
0570-000-321（注文）
ホームページ https://www.nhk-book.co.jp

印刷
亨有堂印刷所／大熊整美堂

製本
ブックアート

ISBN978-4-14-081937-1 C0098